Science Fiction
Lektorat: Ronald M. Hahn
Ullstein Buch Nr. 31100
im Verlag Ullstein GmbH,
Frankfurt/M – Berlin – Wien
Die Originalausgabe erschien
1948 im Verlag Die Egge, Nürnberg

Umschlagentwurf: Hansbernd Lindemann
Umschlagillustration: Thomas Kidd
Alle Rechte vorbehalten
Copyright © 1985 by
Verlag Ullstein GmbH,
Frankfurt/M – Berlin – Wien
Printed in Germany 1985
Gesamtherstellung:
Elsnerdruck GmbH, Berlin
ISBN 3 548 31100 8

Mai 1985

CIP-Kurztitelaufnahme
der Deutschen Bibliothek

Kolnberger, Anton:
Auf unbekanntem Stern: Roman/Anton
M. Kolnberger. – Frankfurt/M; Berlin;
Wien: Ullstein, 1985.
  (Ullstein-Buch; Nr. 31100: Science-
fiction)
  ISBN 3-548-31100-8
NE: GT

Anton
M. Kolnberger

Auf
unbekanntem
Stern

Roman

Science Fiction

Vorwort

> »Wie weit sind wir eigentlich von
> der Sendestation entfernt?«
> Dr. Plenati nahm ein Blatt und
> rechnete.

Dies mag sich im Zeitalter der Home Computer, Mikrochips, Taschenrechner und Killersatelliten recht merkwürdig anhören, wenn man weiß, daß die agierenden Personen Astronauten sind, die in einem Raumschiff zum Mars fliegen, aber als Anton M. Kolnberger den Roman schrieb, den Sie gleich lesen werden, hat sich wohl kaum ein Mensch vorzustellen vermocht, was für uns heute alles zu den selbstverständlichsten Bestandteilen des Daseins gehört. Man stelle sich vor. Ein Ingenieur Astronaut in einem Raumschiff, der auf einem Blatt Papier Entfernungen berechnet!

Ähnliches gilt für die »eisernen« Raumanzüge, in denen sich 1948 die wagemutigen Roman-Astronauten auf die Reise begaben – oder das damals noch geheimnisumwitterte Wort »Atom«, das, wie man später noch sehen wird, angeblich die wunderbarsten Dinge bewirken kann. »Atomstrahlen« – das mag in den späten vierziger und fünfziger Jahren wahrlich noch ein Zauberwort gewesen sein, um eine Kraft zu beschreiben, der nichts, aber auch gar nichts unmöglich war. Daß man heute, 37 Jahre später, ganz anders darüber denkt, hat damals niemand ahnen können – abgesehen von jenen natürlich, die direkt mit dem »Atom« in Berührung gekommen waren: in Form einer Bombe.

AUF UNBEKANNTEM STERN ist ein SF-Roman, der lange Zeit verschollen war, ein Klassiker, geschrieben von einem deutschen Autor, in einer Zeit, in der hierzulande noch niemand das Kürzel »SF« kannte. Jene Leser, die das Genre erst kennengelernt haben, seit es sich endgültig einen festen Platz erobert hat, werden schwerlich verstehen, daß die utopische Literatur der früheren Zeiten sich stark von dem unterschied, was wir heute als gegeben hinnehmen: Die Männer, die damals den Weltraum eroberten, waren Wissenschaftler, wie sie im Buche stehen – Forscher ohne

Fehl und Tadel, *Herren,* die sich unentwegt mit »Herr Doktor« und »Herr Professor« anreden und keine Gelegenheit ungenutzt lassen, einander (und damit auch dem Leser) zu erklären, was sie eigentlich gerade zu tun im Begriff sind. In der utopischen Literatur der zwanziger bis fünfziger Jahre waren die Wissenschaftler so ehrenhaft und blütenrein wie die Chemikalien, mit denen sie ihre Laborkittel und Hemden stärkten, und nicht einmal dann, wenn es sie ans Hinterteil einer fremden Welt verschlagen hatte, kam ein böses Wort über ihre Lippen: Im Gegenteil – ihre erste Sorge galt der Liebsten oder dem Mütterlein daheim, denn die Autoren dieser Geschichten mußten in erster Linie die Eltern ihrer meist jugendlichen Leser davon überzeugen, daß ihre Produkte keine »Schundromane« waren. Daß sie bildend waren, versteht sich von selbst: immerhin handelten sie von den Naturwissenschaften. Und mußten Helden, die lautere, fleißige, pflichtbewußte und kameradschaftliche Naturwissenschaftler waren, nicht jedes Elternherz entzücken?

Möglicherweise werden auch Sie entzückt sein, sämtliche Tugenden, die die SF-Helden von damals aufwiesen, in einem Band vereint zu sehen, aber was an Peter Bergen, dem Helden dieser umfangreichen Geschichte, so anders ist, ist die Tatsache, daß er von den Außerirdischen, denen er begegnet, vom ersten Augenblick an als von *Menschen* spricht, daß er seinesgleichen in ihnen sieht und sich gleichzeitig ihrer Andersartigkeit bewußt ist, ohne ihnen daraus einen Vorwurf zu machen – auch wenn manche ihrer Eigenheiten ihm unappetitlich erscheint.

AUF UNBEKANNTEM STERN handelt von einem kosmischen Robinson Crusoe, von einem Astronauten, der mit einer internationalen Expedition zum Planeten Mars aufbricht und auf einer Welt strandet, auf der er sich bewähren muß, bis er Kontakt mit deren Bewohnern aufnimmt und allmählich zu einem der ihren wird. Vielleicht erscheint Ihnen dieses Buch lediglich wie ein farbenprächtiger, spannender Abenteuerroman – es hat aber auch eine Botschaft: daß intelligente Lebewesen, so fremd sie einander auch erscheinen mögen, immer ein Mittel zur Verständigung finden, und daß sie, wenn sie nur wollen, in Frieden miteinander leben können.

Ich habe Anton M. Kolnberger, der 1906 geboren wurde und als Zeichenlehrer und freier Künstler gelebt hat, niemals kennengelernt, aber nach der Lektüre dieses Romans ist mir klar, daß er ein friedliebender, warmherziger Mensch gewesen ist. Und das gefällt mir

Wuppertal, im Dezember 1984   R.M.H.

Peter Bergen stürmte, ohne angemeldet zu sein, in das Büro Dr. Brookens, des leitenden Chefingenieurs der Internationalen Weltraum-Forschungs-Gesellschaft New York, und schwenkte triumphierend ein Telegramm in der Hand.

»Hallo«, fuhr Brookens lachend auf, »haben Sie einen Tausenddollarschein gefunden, oder was ist sonst los?« Dr. Brookens, ein Fünfziger, der selbst kinderlos war, hatte von Anfang an eine große Sympathie für den jungen Deutschen, den Münchener Ingenieur Peter Bergen, empfunden und fühlte sich mehr als sein väterlicher Freund, denn als sein Vorgesetzter.

»Wissen Sie das Neueste, Dr. Brookens?«

»Nee, aber vermutlich werde ich es jetzt erfahren.«

»Ich, der schöne Peter Bergen, fahre mit zum Mars! Wissen Sie, was das heißt? Ich bin Mitglied der Marsexpedition, der Besatzung des Weltraumschiffes I, bin einer von den sechs Männern, um deren Namen die Presse ganz Amerikas seit Wochen rätselt, von denen schon morgen die ganze Welt reden wird. Na, was sagen Sie jetzt?«

Er steckte mit der Lässigkeit des gewohnten Rauchers eine Zigarette in Brand, warf sich in einen der abgrundtiefen Ledersessel, streckte die Beine aus, so weit sie reichten, und paffte genießerisch den ersten Zug in die Luft; dabei sah er den Ingenieur erwartungsvoll an: »Jetzt sind Sie platt, was?«

»Na und?« fragte Brookens gelassen.

»Na und, na und? – Ja, wissen Sie denn nicht, was das heißt, Doktor? Ich bin morgen einer der sechs berühmtesten Männer der Welt.«

»Habe ich schon einmal gehört. Aber da Sie solchen Wert auf diese Äußerlichkeiten legen: Wie groß wünschen Sie den Lorbeerkranz zu Ihrer Trauerfeier, und wer soll den Nekrolog auf Sie sprechen?«

»Aber, Doktor!« wehrte nun Bergen bittend ab, »seien Sie doch nicht so streng! Sie wissen ganz genau, daß es mir letzten Endes nur um die Sache zu tun ist, aber . . .«

»Aber«, unterbrach ihn Brookens, »ein bißchen Ruhm tut so gut, nicht wahr? Doch nun, lieber Bergen, Spaß beiseite, und daß wir offen miteinander reden: Ich selbst habe Sie bei der letzten

Direktionsbesprechung vorgeschlagen, und zwar einmal, weil Sie ein guter Sportler sind und überdies außerordentlich erfinderisch in allen Situationen, und solche Leute brauchen wir bei diesem Unternehmen. Nicht zuletzt aber, weil Sie sich mit soviel Selbstlosigkeit für die Verwirklichung der Idee eingesetzt haben, daß Sie diese Anerkennung als Krönung Ihrer Arbeit verdienen.«

Es war noch ein Grund, der Brookens zu seiner Wahl veranlaßt hatte, aber den sprach er nicht aus. Man durfte junge Leute nicht zu eitel machen.

Er hatte Peter Bergen als einen Mann kennengelernt, der trotz seines losen Mundwerks und seines oft weltmännisch wirkenden Auftretens mit seinen 28 Jahren ein über sein Alter gereifter Mann war, auf den man sich in schwierigen Lagen verlassen konnte.

Peter Bergen erhob sich, ging auf Dr. Brookens zu und drückte etwas verlegen dessen Hände: »Ich danke Ihnen – Doktor, verzeihen Sie, ich wußte nicht, daß Sie selbst . . .«

»Sie brauchen mir nicht zu danken, Bergen, und genießen Sie die paar Vorschußlorbeeren, die man Ihnen um die Stirn windet! Wer weiß, ob später noch Gelegenheit dazu ist.« Dabei klopfte er ihm väterlich auf die Schulter.

»Jetzt aber kommen Sie zu Generaldirektor Jörgensen. Er will Sie noch persönlich beglückwünschen.«

Schon die Türklinke in der Hand, hielt er inne: »Bergen! Falls wir uns vor dem Start nicht mehr allein sollten sprechen können . . .« Er suchte nach geeigneten Worten. »Die Reise, die Sie antreten, ist keine Spazierfahrt. Es könnte sein, daß Sie die Rückfahrkarte verlieren . . . Wenn Sie auf der Erde etwas zu ordnen haben . . . Sie verstehen mich! Für Ihre alte Mutter in München ist gesorgt. Das wissen Sie!«

»Ja, Dr. Brookens!« Dann empfing sie der hagere, strenge Schwede, Generaldirektor Fritjof Jörgensen.

Die Unterhaltung wurde im 75. Stockwerk eines Bürohauses in der Fifth Avenue in New York geführt. Hier war die Zentrale des gesamten Verwaltungsapparates, dessen Adern in fast alle Länder der Erde liefen. In Paris und Rom, in Buenos Aires und in Moskau, in den Hauptstädten fast aller Länder gab es irgendwo ein Haus mit einem unscheinbaren Schild an der Tür:

INTERNATIONAL SPACE RESEARCH SOCIETY

Wo jedoch die Seele des Unternehmens war, wo die Konstrukteure mit Zirkel und Stift die geheimen Pläne zeichneten, nach denen das erste Weltraumschiff gebaut wurde, wo schließlich die unterirdischen Montagehallen standen, aus denen eines Tages das fertige Schiff zu der 300 Meter hohen Startbahn gezogen werden sollte, das wußten nur wenige. Zu viele Menschen waren an der Arbeit, das entstehende Werk zu stören. Es war der Leitung kein Geheimnis, daß zwei Konkurrenzwerke, eins in Rußland und ein anderes in Japan, kein Mittel unversucht ließ, um sich der Konstruktionspläne zu bemächtigen. Millionen Dollar flossen in die Taschen der gerissensten Spione und Spioninnen der Welt.

Kein Wunder also, daß die Gesellschaft ihrerseits alle Vorsichtsmaßregeln getroffen hatte, um eine Sabotage und Spionage nach menschlichem Ermessen auszuschließen. Jeder Arbeiter, der bei der ISRS angestellt werden wollte, vom Werksdirektor bis zum Kantinenputzer, mußte es sich gefallen lassen, den 20 Stunden langen Flug zu dem geheimgehaltenen Ort in einem fensterlosen Flugzeug zu machen, mußte vor Antritt der Reise seine Kleider bis aufs Hemd abliefern und dafür eine Ausstattung des Werkes anziehen, durfte vertraglich bis zum Start des Schiffes keine Post empfangen oder absenden und nicht mehr zurückkehren, selbst wenn er tödlich erkranken oder verunglücken sollte.

Es bedarf keiner Erwähnung, daß mehr als ein Spion sich bei der ISRS als Arbeiter meldete. War er aber auf der Insel, denn eine solche war es, so machte es ihm ein ausgeklügeltes Abriegelungssystem unmöglich, mit seinen Komplizen oder Auftraggebern in Verbindung zu treten. Es gab dort kein Telefon und kein Radio. Die einzige Empfangs- und Sendestation war mit schwerbewaffneter Werkpolizei und durch ein raffiniertes Klingel- und Schaltsystem gesichert. Wäre es einem Spion wirklich gelungen, unbemerkt durch die Polizeikette zu kommen, so hätte er, sobald er einen der Räume betreten hätte, durch das Gewicht seines Körpers einen Stromkreis geschlossen und damit die gesamten Überfallsirenen der Insel in Tätigkeit gesetzt, damit aber gleichzeitig die Stromleitung des Senders ausgeschaltet. Es gab keine zahmen Tauben und keine Hunde auf der Insel, die von zehn Wachbooten Tag und Nacht umkreist wurde.

Andererseits standen den Arbeitern vom Kino bis zum täglichen Bad alle Dinge zur Verfügung, deren sie für ihr Leben und

10

Wohlbefinden bedurften. Eigene Institute und Ärzte sorgten für Erkrankte und Verletzte, und Geistliche jeder Religionsgesellschaft standen den Wünschen der Menschen auf der Insel zur Verfügung.

Nur wenige verantwortliche Mitarbeiter der Gesellschaft – die Direktoren, Chefingenieure und die Expeditionsteilnehmer – wußten, daß es eine der dem Festland vorgelagerten Inseln Nordschwedens war, die das Geheimnis des ersten Weltraumschiffes barg, und sie allein hatten die Erlaubnis und die Möglichkeit, diese je nach Notwendigkeit zu verlassen und zu betreten.

Am Morgen des 2. Juli 1992 näherte sich ihr von Westen her ein Flugzeug. Die Empfangsstation hatte schon lange Zeit vorher Verbindung mit ihm. Kaum 20 Meter über dem Wasser fliegend, schlängelte es sich durch die Inselgruppen auf sein Ziel zu. Mit gedrosselten Motoren schwebte es auf den Landeplatz ein und verschwand durch einen getarnten Felsspalt in der unterirdischen Flughalle.

Die Türen sprangen auf, und auf der herabgelassenen Treppe erschien zuerst Dr. Fritjof Jörgensen. Ihm folgte Dr. Brookens, und danach die Teilnehmer der Expedition, an ihrer Spitze der Leiter des Mars-Forschungs-Instituts, der junge französische Gelehrte Dr. Fleurand; dann Dr. John, der Konstrukteur des Schiffes; Signore Plenati, der bekannte italienische Astronom und Leiter der astronomischen Abteilung der ISRS; Dr. Burger, Professor für Naturwissenschaften an der Universität in Bern und beratendes Mitglied der ISRS; Mr. Smith, der Erfinder und Konstrukteur der Atomkraftrakete, und schließlich sein erster Mitarbeiter, der junge Peter Bergen aus München. Empfangen wurden die Herren von Dr. Andersen, dem Leiter und allgewaltigen König der Werksinsel.

Dr. Jörgensen wandte sich ohne Verzug an Andersen:

»Alles okay, Doktor?«

»Javel, Dr. Jörgensen, der er alt i orden. Naar vil De Skiben trække paa Starten?«

Dr. Jörgensen sah nach der Uhr: »Efter halvtreds Minutter, Andersen.« Er wandte sich von ihm ab und ging zu den übrigen Herren, die teils in angeregter Diskussion beisammenstanden, teils damit beschäftigt waren, ihr Gepäck aus dem Flugzeug in Empfang zu nehmen.

»Darf ich bitten, meine Herren?« Damit ging er voraus in einen anschließenden Raum, der sonst den Ingenieuren als Zeichensaal diente. Jetzt war über einen der Tische ein weißes Tuch gedeckt. Ein Ober aus einer der Werkskantinen begann in dem Augenblick, als Dr. Jörgensen eintrat, die auf dem Tisch bereitstehenden Sektgläser zu füllen.

»Meine Herren«, begann Dr. Jörgensen, »was alles zu dieser Stunde zu sagen war, ist gestern bei der Abschiedsfeier in New York gesprochen worden. Herr Dr. Fleurand, Herr Dr. John, Herr Plenati, Herr Dr. Burger, Herr Smith, Herr Bergen, wir Zurückbleibenden stoßen mit Ihnen an auf einen glücklichen Start, auf eine glückliche Landung auf dem Mars und auf ein Wiedersehen!« Die Gläser klangen, alle leerten ihr Glas mit etwas steifer Feierlichkeit. Dann herrschte Schweigen. Als erster nahm wieder Dr. Jörgensen das Wort: »Wir haben jetzt 8 Uhr 10. Das Schiff startet in genau 45 Minuten.« Er verließ den Raum. Bergen wollte ihm folgen, doch Dr. Brookens nahm ihn zur Seite: »So eilt es nicht, Bergen, kommen Sie mit, wir können drüben in der Kantine noch ein Viertelstündchen plaudern. Im Schiff haben Sie ja noch keine Tätigkeit zu übernehmen – oder haben Sie Reisefieber?«

»Wegen des Sonntagsausflugs, meinen Sie?«

»Na, also, dann kommen Sie mit!«

Sie spazierten den schotterigen Weg zu den etwa fünf Minuten entfernt liegenden Kantinenbauten. Eine frische Brise zog von See her; das tat gut. Dr. Brookens sprach scheinbar belanglose Dinge, und doch, wenn Peter Bergen später an dieses Gespräch dachte, so erschien es ihm als das gewichtigste seines Lebens. Dann saßen die beiden in der warmen Kantine und tranken einen starken Kaffee.

»Herr Doktor, darf ich jetzt den Laden zusperren?« Der Ober wandte sich an Dr. Brookens. »Ich möchte den Start des Schiffes gerne mit ansehen.«

»Donnerwetter, ist es schon Zeit? Der Junge da will ja noch mit.«

Als sie aus der Tür traten, beendete ein Wagen eben sein Tankgeschäft.

»Fahren Sie zur Schiffshalle?« fragte Bergen.

»Vel!«

»Dann nehmen Sie uns doch mit!«

Bergen wollte sich eine Zigarette anzünden; da trat Dr. Brookens, der schon auf dem Trittbrett des Wagens stand, nochmals zurück, knipste ihm geschickt das Streichholz ab, und steckte ihm das unversehrte schwarze Köpfchen mit ironischem Schmunzeln in eine Brusttasche seines Monteuranzugs: »Streichholz, Zigaretten, Licht, mag der Herr Benzintank nicht!« zitierte er dabei in seiner belehrenden Art. Bergen ärgerte sich über das schulmeisterliche Benehmen des Doktors in einem Augenblick, der ihm, weiß Gott, zu groß für solche Albernheiten schien.

Dann standen sie in der Montagehalle. Wie jedes Mal waren sie wieder überwältigt von der ungeheuren Wucht des Eindrucks. Wie ein Riesentier aus Stahl lag das Schiff auf seinen Gleitschienen. Es hatte die Form einer Rakete und bei einem Durchmesser von 15 Metern eine Länge von 32 Metern. Kurz hinter dem Bug saßen auf dem Rumpf vier flügelartige Flächen, die die Aufgabe hatten, den Schiffskörper beim Vorwärtsschleudern in seiner Flugbahn zu halten und zugleich verhindern mußten, daß er dabei in eine um die eigene Achse rotierende Bewegung geriet. Zwischen die äußere und innere der aus 50 Zentimeter dickem Nikkelstahl bestehenden Wände waren Atomkraftkammern eingebaut, die die nach den vier Richtungen zeigenden Seiten- und Flügeldüsen speisten. Sie ermöglichten es, im luftleeren Raum durch Ablassen von Kraftstößen dem Schiff eine neue Richtung zu geben, ja, es vollkommen zu drehen. Andere über den ganzen Rumpf verteilte schwenkbare Seitendüsen sollten Meteore, die dem Kurs des Schiffes nahe kamen, mit Atomstößen beschießen und sie so aus ihrer gefahrbringenden Bahn werfen.

Nur ein Fünftel des Schiffshohlraumes verblieb für den Navigations- und Aufenthaltsraum. Den ganzen übrigen Teil nahmen die Haupt- und Reservespeicher der Atomkraftmassen ein, durch deren Abstöße das Schiff ins Weltall geschleudert werden sollte, ferner die Maschinen für Sauerstoff, Preßluft- und Wärmeerzeugung, denn ohne diese künstlich geschaffenen Lebensbedingungen würden die Menschen im Schiff erfrieren und ersticken, und ersetzte nicht die Preßluft den Druck der Erdluftschicht, so würden die Blutgefäße und Lungen zerplatzen, sobald das Schiff die Lufthülle verließ.

So lange das Schiff durch den Luftmantel flog, mußten starke Kältemaschinen der ungeheuren Erhitzung, die durch die Reibung mit der Luft entstand, entgegenwirken. Über 700 Stunden lang würde das Schiff, nachdem es die Anziehungskraft der Erde überwunden hatte, mit der Geschwindigkeit eines Meteors durch das Weltall fliegen, bis es sich der Anziehungskraft des Mars näherte. Dann würde der schwierigste Teil des ganzen Fluges beginnen: Die Landung auf dem anderen Planeten. Dazu mußte das Schiff mit Hilfe der Seitendüsen um 180 Grad gedreht werden, so daß nicht mehr der Bug, sondern das Heck dem Planeten zugekehrt war; denn sobald es in seinen Kraftbereich kam, würde der Stern es anziehen, würde das Schiff anfangen, auf ihn zuzufallen, und um diesen rasenden Sturz aufzufangen, mußten die gleichen Abstoßkräfte, die es vorher von der Erde weggeschleudert hatten, nunmehr der Anziehungskraft des neuen Weltkörpers entgegenarbeiten und damit die Geschwindigkeit des niederstürzenden Schiffes verringern. Sobald es in die Lufthülle eintauchte, würde sich auf einen Druck vom Navigationsstand aus die äußere Bugspitze vom Schiffsrumpf lösen und sich zu drei übereinandergestaffelten metallenen Fallschirmen entfalten, die dann das Schiff unbeschädigt auf den Boden aufsetzten.

Noch lag es bewegungslos auf den Startschienen, schimmerte der blanke, stählerne Leib im Licht der 100 Scheinwerfer. Er erschien ihnen wie der Triumph des menschlichen Geistes, das Meisterstück des technischen Jahrhunderts. Eine halbe Stunde noch, dann sollte es hinausgeschleudert werden in die Unendlichkeit des Weltalls.

Bergen wurde aus seinen Betrachtungen gerissen. Man hatte ihn ausgesucht; von allen Seiten rief man seinen Namen. Er stieg als letzter in das Schiff. Hinter ihm zog sich die Landetreppe hoch.

»Alles in Ordnung?« fragte Andersen in den Besatzungsraum hinein. »Okay«, schrie Dr. John zurück. Dann surrte der Motor, der die Stahltüren der Innen- und Außenwand hermetisch schloß.

Die sechs Männer im Innern des Schiffes spürten ein kaum merkliches Zittern des Kolosses, als er sich langsam in Bewegung setzte und aus der unterirdischen Halle rollte. Dann stieg vor ihnen die ein Kilometer lange und 300 Meter hohe Startbahn auf.

Jedem von ihnen war für die Fahrt eine genau bestimmte Funktion zugeteilt, die am Modell immer wieder probiert und geübt worden war, um sie im Augenblick der Gefahr instinktiv ausführen zu können. Jetzt aber beim Start hatte nur einer eine Tätigkeit: Dr. John, der Führer des Schiffes.

»Ist alles startbereit?« fragte er, ohne sich dabei umzusehen. »Tutti pronti«, gab Plenati zurück. Sie hatten sich, auf dem Bauch liegend, auf ihre Startnetze geschnallt; das waren gepolsterte Drahtmatratzen, die mit den beiden Schmalseiten an einer Reihe starker Spiralfedern befestigt waren.

Dr. John drückte auf einen Kontakt. An der Außenwand der Schiffsspitze flammte gelbes Licht auf. Das hieß: Startgebiet frei machen! Eine Weile noch sah Dr. John die roten Lampen zu beiden Seiten der Startbahn, dann, nach fünf Minuten, wechselten sie ins Grüne. Der Start war frei. Nun also sollte es geschehen. Einen Blick noch warf er durch die Preßglasscheiben auf das Land um ihn, auf das Meer, auf die Erde: Dann drückte sein Finger hart auf den Auslöser.

Ein Knall zerriß die Luft, ein zischender Feuerstrahl jagte über die Startbahn.

Das Schiff schoß wie ein Komet gegen den Himmel.

Der Start in das Weltall

Bergen spürte einen betäubenden Schlag gegen den Kopf, gegen den ganzen Körper. Gleichzeitig fühlte er sich zurückgerissen. Er sah, wie die massiven Spiralfedern der Startnetze sich dehnten.

Dann versuchte er den Kopf zu heben, um nach Dr. John zu sehen. Aber er war unfähig, irgendeinen Teil seines Körpers auch nur einen Zoll breit zu bewegen. Dabei steigerte sich der furchtbare Zug nach hinten immer mehr, wurde immer schmerzender. Die Lungen sogen röchelnd die mit Sauerstoff angereicherte Luft ein; das Blut schien aus dem Herzen zu fließen. Es war ihm, als würde langsam, aber unerbittlich sein Körper aus den angeschnallten Armen, seine bleiernen Beine aus dem Körper gezogen. Die Ohren begannen zu sausen, er fühlte, wie ihm die Augen aus den Höhlen quollen, wie sein Herz langsam, langsam stille stand ...

»Aufhören!« wollte er rufen. Er glaubte das Wort hinauszuschreien, aber kein Laut kam aus dem schreckhaft aufgerissenen Mund. Um ihn war Nebel; geballte Massen stürzten auf ihn zu, immer neue, immer neue und ohne Ende . . .

Dann wichen die Massen zurück, lösten sich im Nebel vor ihm, und der Nebel zerrann. Da wurde er gewahr, daß das Zerren an seinem Körper nachließ, daß der Schmerz versank, langsam, ganz langsam, wie verklingend. Eine erlösende Mattigkeit senkte sich über ihn, er glaubte schwerelos zu werden. Wie schön das war! Einen Augenblick lang probierte er zu denken: Wo war er und was war um ihn? Aber dann lag er wieder ohne Gedanken und gab sich ganz dem Empfinden der Erlösung der eben überstandenen Marter hin.

Da! »15 000 Stundenkilometer«, hörte er aus dem Kopfhörer. Das war John. »Alles okay?« – »Dr. Plenati, Bergen, Smith, Dr. Fleurand, Dr. Burger«, rief er sie alle beim Namen, »alles gut überstanden?«

Sie antworteten, einer nach dem anderen, aber ihre Stimmen klangen erschöpft.

15 000 Stundenkilometer hatten sie jetzt erreicht. Das bedeutete eine Minutengeschwindigkeit von 250 Kilometern. Bis 75 000 Stundenkilometer mußten sie ihr Tempo steigern. In vier kurz aufeinanderfolgenden Minuten mußten sie es erreicht haben. Schon hörte er wieder Dr. Johns Stimme: »Achtung, zweite Beschleunigungsphase!«

Ein neuer Schlag traf Bergen, und wieder begann das Zerren und die Marter des Körpers. Der Schweiß trat ihm auf die Stirn. Er hörte neben sich ein Keuchen und Stöhnen, dann versank alles in dem Rauschen seiner Ohren. Sein Leben schien aufzuhören – bis mit dem neuen Gefühl der Erleichterung die Sinne wieder zurückkehrten. Die zweite Phase war erreicht: 35 000 Stundenkilometer.

»Ob wir das aushalten?« hörte er Plenati sagen. »Tief atmen, Muskeln lockern . . .« Dr. John gab neue Anweisungen. Mr. Smith versuchte einen Witz: »Gott, wird meine Frau jammern, wenn mir meine sämtlichen Staatsanzüge zu kurz geworden sind.« Aber niemand ging auf diesen Versuch, Humor zu machen, ein. Dr. John sah unverwandt auf das Chronometer vor ihm. Er allein trug jetzt alle Verantwortung dafür, daß das Schiff zur richtigen Sekunde die erforderliche Beschleunigung erreichte. Blieb das Tempo unter 75 000 Stundenkilometern, so würde das Schiff die Anziehungskraft der Erde nicht überwinden, und entweder darauf zurückstürzen oder wie ein Mond ewig um den Weltkörper kreisen. Er hatte jetzt diese ganze Arbeit zu leisten, sie bestand freilich nur darin, während der neuen Antriebssekunden den Beschleunigungsmesser immer im Auge zu behalten und im notwendigen Moment durch den Druck auf den Knopf die Atomstöße abzustoppen. Aber welche Willensanstrengung erforderte es, in dieser Sekunde der körperlichen Marter, während derer durch die Blutleere im Gehirn ein Schwindelanfall nach dem anderen ihm jedes klare Denk- und Sehvermögen zu rauben drohte, den Beschleunigungsmesser genau zu beobachten; welche Willenskraft erforderte es, den auf dem Ausschaltkontakt liegenden Finger nicht eher niederzudrücken, als bis die neue Phase zu Ende war; wenn der gequälte Körper zu zerreißen drohte, wenn jeder Nerv in ihm sich aufbäumte gegen den nächsten kommenden Augenblick der Qual . . . Er brauchte nur den Finger zu krümmen nur ein ganz klein wenig, dann war die Marter zu Ende. Aber er mußte durchhalten. Er mußte jede Sekunde der verlockenden Versuchung aufs neue widerstehen, bis alle 59 Sekunden zu Ende gingen, bis auch die letzte davon zu Ende war und der Zeiger des Tempometers auf den nächsten roten Strich sprang.

Die letzte der vier Phasen war die schwerste. Vollkommen erschöpft, wie tot, vom Schwindelgefühl übermannt, lagen alle auf ihren Matratzen, erwarteten sie die letzte dieser schrecklichen Sekunden oder ihren letzten Herzschlag.

Mit umflortem Blick sah Dr. John vor sich den Zeiger. Wie langsam er kroch! Wie erbarmungslos träge. Die Qual der Kreaturen, was kümmerte sie diesen kleinen Stahlzeiger? Er hatte nichts gemein mit diesen Wesen, deren warmes Leben von Sekunde zu Sekunde mehr verlöschte. Er gehorchte dem Inferno der Atomgewalt, die mit Urweltkräften den stählernen Koloß des Schiffes in immer rasenderem Tempo vor sich herjagte.

Und der Zeiger kroch auf die rote Nadel zu . . . Dr. John sah durch einen Schleier, durch einen zitternden Nebel nur diese zwei Dinge: Die schwarze und die rote Nadel, die sich einander näher schoben. Ein Sprung noch, eine Sekunde. Großer Gott, wie unendlich konnte eine Sekunde sein!

Da, die schwarze Nadel war hinter dem roten Strich verschwunden. Sein Finger krümmte sich, preßte sich hart auf den Knopf, dann verließen ihn die Sinne.

Bergen erwachte aus einer tiefen Betäubung. Eine Zeit lag er still und suchte sich zurechtzufinden; dann erschrak er. Warum war alles so lautlos um ihn? Die Beschleunigungsphase schien beendet zu sein, die wievielte? Das war doch schon die letzte gewesen, bei der das Tempo von 55000 auf 75000 Stundenkilometer erhöht worden war und auf die sie alle mit so viel Angst gewartet hatten. Aber wenn nun alles vorbei war, warum rührte sich niemand? Warum gab Dr. John nicht die Erlaubnis, sich abzuschnallen? Er hob den Kopf und sah zum Führungsstand hinüber. Auf seiner Stahlmatratze lag Dr. John wie tot. War er verunglückt? Nervös tasteten seine freien Finger nach dem Auslöser. Die gepolsterten Stahlriemen, mit denen seine Arme, die Beine und der ganze Körper festgeschnallt waren, sprangen auf. Unsicher erhob er sich und stolperte auf den reglos Liegenden zu. Dabei wurde er gewahr, wie leicht ihm trotz seiner augenblicklichen Unsicherheit das Gehen wurde. Ja wirklich, der herrliche Zustand, dem sie alle mit Spannung entgegensahen, trat schon ein. Die Körperschwere begann zu schwinden. Zwar fanden die Beine noch in gewohnter Weise ihren Halt auf dem Boden, aber das Gehen war fühlbar leichter und müheloser. Er rüttelte Dr. John. Dann, in einem Gefühl plötzlicher Begeisterung, schrie er: »Hallo, Leute, aufstehen, runter von den Marterpfählen, wir haben's geschafft!?«

»All right«, hörte er jemand antworten. Das war Dr. Burger.

»Kommen Sie!« rief Bergen, »helfen Sie, wir müssen Dr. John wieder ins Leben zurückrufen.« Sie lösten seine Riemen, bearbeiteten Brust und Gesicht mit Kölnisch Wasser. Dr. John schlug die Augen auf. »Was ist ... Wo sind wir?« Dann, wie von einer plötzlichen Angst gepackt, sprang er auf und beugte sich über das Tempometer.

»75000, alles okay.«

Dann ergriff auch ihn die Freude: »Mensch, Bergen, Burger, jetzt aber los. Wir müssen die anderen abschnallen, hoffentlich ist auch bei denen alles intakt geblieben. Das war ein verteufeltes Stück, diese letzte Phase. Hallo, Signore Plenati, Mr. Smith, Dr. Fleurand.«

Jeder der drei Männer machte sich mit einem anderen zu schaffen. Mit Alkohol rieben sie ihnen Gesicht und Brust und Arme, bis schließlich alle sechs wohlbehalten auf den Beinen waren.

Plenati stand mit großen Augen und rief ein über das andere

Mal: »Che mirabile, che grandioso!« Und dann drängten sich alle an die Aussichtsscheiben, die den Blick nach unten freigaben. Die unheimlich große Masse der Erdkugel schwebte unter ihnen. Leuchtend zeichnete sich das helle Dreieck des afrikanischen Kontinents von den ihn umgebenden Meeren ab. Dr. John hatte beide Arme um Bergens und Burgers Schulter gelegt. Seine Stimme war seltsam brüchig, und er fühlte seine Augen naß werden. »Boys, seht unsere Erde! Keines Menschen Auge war es je gegönnt, dich so zu sehen, du liebe, liebe Erde. Lebe wohl! Seit ein Menschenherz auf dir schlägt, sind wir die ersten, die dich verlassen haben. Bist du uns gram darüber, große, runde Erde? Wirst du uns wieder zurückholen?«

Bergen wollte etwas sagen, aber es stieg ihm so sonderbar heiß in die Kehle. Er fürchtete, daß er sich verschlucken würde, wenn er jetzt ein Wort zu bilden versuchte. Nein, nur jetzt nicht sprechen. Er schielte nach Johns Gesicht. Darin zuckte es. Wahrlich, in dieser Stunde brauchten sie sich ihrer Rührung, ihrer feuchten Augen nicht zu schämen.

So standen sie, diese sechs Männer, in dem Leib eines Schiffes, das mit ihnen durch das Weltall raste, und sahen auf den in dem Nichts des Weltraums schwimmenden Erdball hinab. Es ist so gedankenlos schnell gesagt: »Die Erde schwebt«. Aber das zu sehen, diese riesige, Milliarden Tonnen schwere Kugel schwebend zu sehen, das war ein erschütterndes, ein die tiefsten Winkel des räumlichen Empfindens aufwühlendes Erleben.

»Oh, mon dieu, ich fange an zu fliegen!« Fleurand war nach hinten gegangen und sich dabei aufs neue der Leichtigkeit des Gehens bewußt geworden. Wie auf ein Stichwort hin liefen sie nun, übermütigen Jungen gleich, durch das Schiff. Der schwere Dr. Burger stemmte sich mit einer Hand auf der Matratze mühelos vom Boden ab. »Das ist der Anfang, Boys.« Dr. John war wieder ganz sachlich. »Noch stehen wir unter dem Einfluß der Erdanziehung, noch hat sie uns nicht ganz freigegeben, noch müssen unsere Abstoßkräfte arbeiten, um die gewonnene Schnelligkeit von 75 000 Stundenkilometern zu erhalten und uns ganz von ihr zu befreien. Aber bald ist es soweit, dann können wir spazierenfliegen, lieber Burger.«

»Com' un usignolo«, spottete Plenati. »Prima, Signore John, der Vergleich ist gut, ja, wie eine flötende Nachtigall im Käfig werde ich dann hier herumflattern.« Bergen prustete los: »Nachtigall, sagen wir lieber Nachteule, Dr. Burger.«

»Nur keine Unfreundlichkeiten, lieber Peter! Meine martialische Figur hat mich, weiß Gott, eine Menge Geld gekostet. Ich habe immer gut gefuttert, von den paar Hektolitern Rotwein ganz zu schweigen. A propos, Wein! Finden Sie nicht auch, Dr. John, daß wir diesen Abschied von der kugelrunden Erde doch ein wenig begießen müßten?«

»Haben wir doch schon, verehrter Herr Professor, oder haben Sie den nassen Abend in New York schon vergessen?«

»Ach wo, das war ja noch gar nicht der richtige Abschied. Da saßen wir ja noch zentnerschwer auf dem alten Globus. Jetzt erst ist der richtige Zeitpunkt . . . oder stehe ich mit meiner Meinung hier allein?«

»Na gut, lieber Burger, einen Schluck wollen wir uns genehmigen. Herr Bergen, Sie sind der Jüngste. Brechen Sie einer Flasche den Hals!«

Der Erde zugewandt, hoben sie das Glas.

»All hands to quarters!«

»Moment mal, das rinnt doch gar nicht mehr richtig von alleine hinunter.«

»Klar, lieber Burger, auch der Wein fängt an zu schweben, und wenn Sie nicht fest nachschlucken, dann bleibt er Ihnen in der Gurgel hängen.«

»Nein, nein, Mr. John, er hängt nicht mehr, er ist schon drunten.«

»Na, dann auf die Posten!«

Dr. John, der Führer des Schiffes, stand vor dem Armaturenbrett, das heißt, es war ein für einen Laien unübersichtliches Gewirr von Hebeln, Knöpfen, Tasten und Meßscheiben. Noch hatte er genau auf den Schnelligkeitsmesser zu achten. Von Minute zu Minute nahm die Erdanziehungskraft ab, und im gleichen Maße drosselte er die Abstoßkräfte zurück. Bald würde der Augenblick kommen, da die Erdmasse keine Gewalt mehr über sie hatte. Dann benötigte das Schiff keine Antriebskraft mehr und flog wie ein selbständiger Weltkörper mit immer gleicher Geschwindigkeit durch das All; und würde es nicht auf einen anderen Stern treffen, so würde es in alle Ewigkeit so weiterfliegen.

Signore Plenati hatte seine Arbeit aufgenommen. Er saß am Reflektor seines Fernrohres, das, ausgerüstet mit allen Vollkommenheiten der Technik, im Schiff eingebaut war. Eine sinnreiche Konstruktion ermöglichte es, mit den zwei durch die Schiffswände hindurchgeführten Rohren die beiden Sternenkugeln abzusuchen. Er machte makrokosmische Aufnahmen; außerdem hatte er die Aufgabe, zusammen mit Dr. Fleurand den jeweiligen Stand zu berechnen und dem Führer des Schiffes die nötigen Direktiven für etwa erforderliche Kursänderungen durchzugeben.

Mr. Smith saß, wie Dr. John, in einem Gewirr von Armaturen und elektrischen Leitungen. Unter seiner persönlichen Aufsicht waren alle Hochspannungsleitungen im Schiff gelegt und die Atomkraftkammern eingebaut und gefüllt worden, und er kannte von den Hunderten von Drähten, die von seiner Station ausgingen, jeden einzelnen in seiner Führung und Funktion, und fühlte sich unter ihnen in seinem Element.

Dr. Burger, dessen Arbeiten als Naturwissenschaftler erst nach der Landung auf dem Mars beginnen sollten, führte während der Fahrt das Logbuch, das den Verlauf des Fluges bis in alle Einzelheiten zu verzeichnen hatte. Er hatte die Temperaturen in und außerhalb des Schiffes zu messen und protokollierte jede auftretende Erscheinung am Schiff, an den Apparaten und an den Expeditionsteilnehmern.

Blieb noch Peter Bergen, der ohne festen Aufgabenbereich für die lebensnotwendigen Dinge der sechs Menschen zu sorgen und überall da einzuspringen hatte, wo etwa eine Kraft ausfallen sollte. Dies verschaffte ihm bald eine Reihe von Spitznamen, die bei der guten Laune und Hochstimmung, die nach dem geglückten Startverlauf alle Teilnehmer erfüllte, von allen Seiten durch das Schiff flogen. Man nannte ihn: »my baby« und »bambino«, »piccolo« oder »Laufbursche«. Aber auch Bergen sparte nicht mit seinen gewohnten Kraftausdrücken.

Dr. Burger summte dann und wann ein Liedchen aus den Bergen seiner Heimat am Thuner See, Signore Plenati trällerte eine venetianische Gondelserenade, und Dr. John sang mit seiner angenehmen, sonoren Stimme ab und zu eines der schwermütigen Cowboylieder. Jeder fühlte, daß zwischen ihnen, diesen im

Grunde so verschiedenen Menschen etwas Wunderbares zu wachsen begann, das keiner aussprach, weil ihnen das Wort dafür zu verbraucht erschien, eine echte Kameradschaft.

So trug sie das große Schiff als ein winziges, von der Sonne beleuchtetes Pünktchen durch den Raum der Welten.

In die plätschernde Unterhaltung hinein klang Dr. Burgers Stimme: »Achtung, Ruhe! Die Erde!« Schon seit geraumer Zeit hatte er, den Kopfhörer auf, an dem Ultrakurzwellen-Empfangsgerät gearbeitet. Nun stand er mit gespanntem Gesicht über das Schaltbrett gebeugt. Man hörte ein leises Knacken, er hatte auf Sendestation umgeschaltet. Scharf akzentuiert klangen seine Worte:

»Achtung, Achtung, hier WRS 1. Wilhelm, Rudolf, Siegfried, Eins. Wir hören. Flugverlauf bisher programmäßig. An Bord alles wohlauf. Könnt ihr uns sehen?«

Er schaltete um, er hörte: »Achtung! Achtung! Hier Start-Station – seit fünfzehn Minuten Sicht verloren. Wir wünschen gute Fahrt.«

Dr. Burger hatte die empfangenen Worte laut wiederholt. Aller Augen und Ohren hingen an seinen Lippen. »Wie ist die Verständigung, Doktor?«

»Ziemlich schwach, Dr. John, bald wird sie vermutlich ganz zu Ende sein.«

»Wie weit sind wir eigentlich von der Sendestation entfernt?«

»Warten Sie mal.« Dr. Plenati nahm ein Blatt und rechnete: »Nach dem Start rund 5000 Kilometer. 40 Minuten brauchten wir, bis wir wieder aufgewacht waren, – macht bei der Endgeschwindigkeit von 75 000 Stundenkilometern – 50 000 Kilometer. Seitdem sind nun wieder 35 Minuten verflossen, also nochmals 43 750 – wären also zusammen 98 750 Kilometer!«

Es war etwa zwei Stunden danach, als plötzlich alle durch ein jämmerliches Geschrei Plenatis von ihrer Arbeit aufgeschreckt wurden. Als sie sich nach ihm umwandten, hing er mit dem Kopf an der Decke. Er war ahnungslos von seinem Sitz aufgeschnellt, um irgend etwas zu suchen, und durch diesen Schwung gleich mit ganzer Wucht an die Decke geprallt. Nun rieb er sich stöhnend seinen mit spärlichem Haarwuchs versehenen Hinterkopf.

Während noch alle lachten, befahl Dr. John, den Bodenmagnetismus einzuschalten. Bergen drückte auf einen Hebel und damit wurde eine Einrichtung wirksam, die, von ihm selbst ausgeklügelt, nun seine Tauglichkeit beweisen sollte.

Unter dem Fußboden waren isolierte Metallplatten eingebaut, die – unter Strom gesetzt – magnetisch wurden. Dazu hatte er Übersandalen anfertigen lassen, deren Nickeleisensohlen von diesem Magneten angezogen, ihrem Träger in der schwerelosen Zone das Gehen ermöglichen sollten. Dr. John hatte als erster die eisernen Schuhe angeschnallt, und zur großen Begeisterung Bergens ging er nun fast mit der gleichen Sicherheit wie auf einem Erdenboden.

Man hatte vor dem Fahrtbeginn die Brauchbarkeit dieser Bergenschen Erfindung stark angezweifelt, da ja die von ihm geschaffene künstliche Anziehungskraft nur auf die Schuhsohlen wirken würde, während die Erdanziehung ihre Wirkung auf den ganzen Körper gleichmäßig ausübt. Da aber hier der Körper durch die Schwerelosigkeit bei ungeschickten Bewegungen keine Neigung zum Fallen bekam, erfüllte der von Bergen ausgedachte Erdanziehungsersatz seine Aufgabe über alles Erwarten gut. Bergen strahlte über das Lob, das man ihm von allen Seiten zollte. Freilich, eine unangenehme Begleiterscheinung hatte diese Art zu gehen doch. Man hatte die Empfindung, über einen mit Pech bestrichenen Boden zu wandern, aus dem man bei jedem Schritt den Fuß herausziehen mußte. Immerhin, man wurde nicht mehr bei jeder Bewegung, die man unüberlegt tat, an irgendeine Wand oder an die Decke geschleudert. Mr. Smith hatte die Sandalen noch nicht übergezogen und führte nun zur allgemeinen Belustigung akrobatische Kunststücke vor, bei deren Anblick die ersten Turner der Welt vor Neid erblaßt wären: Er konnte ohne jeden Halt bewegungslos auf dem Kopfe stehenbleiben; er konnte, mit einem Finger sich an einer Stange haltend, seinen Körper waagrecht im Raume schweben lassen, kurz und gut, wo er seinen massigen Körper auch hinbeförderte, dort blieb er in der Stellung, in der es ihm beliebte.

»Sie können, wenn Sie wollen, auch aussteigen, verehrter Mr. Smith, und Ihre Attraktionen im Freien vorführen.«

»Doch nicht, Mr. John, doch nicht!«

»Aber bestimmt, mein Lieber! Glauben Sie immer noch nicht, daß das möglich ist? Jetzt, da weder die Luft noch die Erdanziehung den Flug hemmt, hält nach dem Gesetz der Trägheit jeder Teil dieses Schiffes, also auch Sie, die erreichte Eigenbewegung weiter. Wir können Ihnen also gar nicht davonfliegen, und runterfallen können Sie auch nicht, weil es, wie Sie uns ja soeben selbst vorgeführt haben, nun kein oben und unten mehr gibt.«

»Weiß ich, weiß ich, Mr. John. Mein Gott, wie oft habe ich das nun schon gehört, aber ich tue es doch nicht. Hier in der guten Stube fühle ich mich warm und sicher.«

»Ja, den heizbaren Stahlanzug müssen Sie schon anziehen, wenn Sie da draußen nicht im Augenblick zu Eis erstarren wollen.«

»Nein, also, wie gesagt . . .« Mr. Smith brach ab und wandte sich etwas ärgerlich wieder seiner Tätigkeit zu.

Die anderen hatten interessiert der Unterhaltung zugehört. »Also, im Ernst, will einer aussteigen, meine Herren? Theoretisch besteht keine Gefahr bei dem Unternehmen, und ich wüßte nicht, was sich in der Praxis dagegenstellen sollte. Herr Bergen, wie steht's? Ich übernehme den Versuch gerne, doch Sie haben den hermetischen Heizanzug erfunden, ich überlasse Ihnen das Recht des Ersten. Aber wenn Sie es mir abtreten . . .«

»Nein, nein, geschätzter Herr John, dieses Wagnis will ich nun schon selbst als erster versuchen. Kommen Sie, helfen Sie mir in den Anzug!«

Dr. John und Plenati waren, nachdem sie den Bodenmagnetismus ausgeschaltet hatten, Bergen dabei behilflich, in den an sich viele Zentner schweren, jetzt aber gewichtslosen Stahlanzug zu steigen. Er hatte ungefähr die Form eines Taucheranzuges mit einem großen Kugelhelm, doch waren die Handglieder bis ins feinste beweglich ausgeführt und ermöglichten so die notwendigen Arbeiten mit Meßapparaten und dergleichen. Der Nickelstahlanzug wurde durch eingebaute elektrische Heizgeräte erwärmt, außerdem sorgte eine Spezialanlage, den darin befindlichen Körper unter dem notwendigen Luftdruck zu halten. Die beiden Helfer verschraubten sorgfältig alle Dichtungen, dann führten sie Bergen zur Schleuse. Das war ein kleiner Raum zwischen der inneren und äußeren Schiffswand, der knapp zwei Menschen Platz bot. Er mußte zuerst unter den gleichen Luftdruck wie das Innere des Schiffes gesetzt werden. Dann erst ließ sich die Tür öffnen, die sich hinter Bergen wieder hermetisch abschloß. Er verschraubte ein Drahtseil an seiner Panzerung, das nach seinem Ausstieg die Verbindung zum Schiffskörper herstellte und in der das Telefonkabel eingebaut war. Nun konnte er mit den Schiffsinsassen sprechen. »Luft absaugen!« hörte John seine Anweisungen. Als die Schleuse wieder luftleer gepumpt war, drückte er auf den Türöffner. Langsam öffnete sich der stählerne Verschluß, der das Innere des Schiffes von dem freien Weltall trennte. Mit der letzten Hemmung des Mißtrauens hielt er sich noch am Türrahmen fest, dann schwang er seinen Körper hinaus in den bodenlosen Raum. Jetzt hing er nur noch mit der einen Hand an einem Griff des Schiffskörpers. Er prüfte die Temperatur in seinem Anzug, den Luftdruck. Am Ärmel waren die Meßapparate angebracht. Sie zeigten keine Unregelmäßigkeiten. »Achtung, John, ich löse mich vom Schiff!« Die Männer preßten die Gesichter an die Aussichtsscheibe. Da, da schwebte die gepanzerte Gestalt vor dem Schiff, glitzernd und leuchtend in der Finsternis des Alls. Der Himmel war nicht blau, wie sie es auf der Erde gewöhnt waren. Er hatte auch nicht die samtene Dunkelheit der Erdennacht. Im luftleeren All des Sternenraumes herrschte undurchdringliche Finsternis, in der die Sterne mit einer nie gesehenen Helligkeit standen. Jetzt zog Bergen sich am Seil wieder an die Schiffswand heran. Da, nun tauchte er direkt vor den Preßglasscheiben auf.

»Mann, Bergen, wie ist Ihnen?«

»Es ist herrlich, John. Es ist unvorstellbar, ich spüre überhaupt nichts. Ich kann mich nur nicht fortbewegen, ohne mich am Seil oder Schiffskörper anzuhalten.«

»Hören Sie! Bergen, werfen Sie sich mit der ganzen Körperkraft vorwärts.« Er tat es. Da flog er am Schiff vorbei, unaufhaltsam voraus, bis das Seil abgelaufen war und seinen Sprung hemmte. »Heda, Bergen, laufen Sie uns nicht davon!« lachte John in das Mikrophon hinein. »Oder wollen Sie uns auf dem Mars schon den Kaffeetisch decken, bis wir nachkommen?«

Später stand Bergen auf dem Bug des Schiffes und gab sich den nie erlebten Empfindungen dieser Stunde hin. Die eine Seite des Schiffes war hell erleuchtet. Inmitten der Millionen Sterne stand gleißend die Sonnenscheibe in der raumlosen Schwärze. Starr und furchtbar umgab ihn das Weltall. Da überkam Bergen das ganze Erkennen der Größe dieses Wagnisses, das sie mit diesem Vorstoß in die Sternenwelt unternommen hatten. Hier, wohin sie sich gewagt hatten, waren keine lauen Lüfte mehr, die sie umgaben. Das, was um ihn glitzerte und funkelte, waren nicht mehr die guten Sterne und die liebe Sonne, die auf der Erde so freundlich schienen. Hier waren es nur noch glühende oder erstarrte Weltkörper, in deren geheiligte Bezirke sie vorgedrungen waren. Unwillkürlich kam ihm das Wort in den Sinn: »Und der Mensch versuche die Götter nicht und begehre nimmer zu schauen . . .«

»Hallo, Bergen! Leben Sie noch, wo stecken Sie? – Fleurand, dem gefällt's da draußen, was meinen Sie?«

Bergen hörte John im Mikrophon sprechen: »Nehmen Sie die Temperaturen am Schiffsrumpf ab und sehen Sie nach, wie es an den Ausstoßdüsen aussieht.« Bergen erhob sich, um über den Schiffsrumpf zum Heck zu gehen. Da blieb er wie zur Bildsäule erstarrt stehen: »Um Gottes willen, John, die Erde!« schrie er.

Zum Greifen nahe hing schräg vor ihm eine ungeheure, leuchtende Kugel. Der Anblick dieses weißglühend erscheinenden Weltkörpers erfüllte ihn mit Schrecken. Aber nein, diese Kraterlandschaften, das war ja der Mond. Da vernahm er auch schon Johns Stimme: »Das kann doch nur der Mond sein, Bergen.«

»Ja, John, das ist der Mond, aber furchtbar ist er anzusehen und herrlich trotzdem . . . und hören Sie, John, unter uns schwebt eine Sichel, so groß, wie der Mond sonst aussieht. Kann das die Erde sein?«

»Si, Signore Bergen.« Plenati hatte nun die Aufklärungen übernommen. »Das stimmt. Warten Sie, ich stelle mein Teleskop darauf ein.« Und etwas später hörte er wieder dessen Stimme: »Die Sichel, die Sie sehen, ist der Atlantische Ozean und ein Teil von Amerika. Auf der übrigen Erdoberfläche ist es schon Nacht.«

Bergen wandte sich wieder dem Mond zu. Wie klar und groß die Mondkrater waren. Durch das Teleskop mußten von dieser Nähe aus auch die letzten Dinge auf seiner Oberfläche enträtselt werden können.

»Sagen Sie, Signore, wenn der Mond uns so nahe ist, müssen wir doch von ihm angezogen werden.«

»Ein wenig, Herr Bergen, aber wir haben vorher berechnet, in welcher Entfernung wir an ihm vorbeikommen würden. Danach haben wir unsere Startzeit und unseren Kurs von vornherein eingestellt. Unsere Flugbahn tangiert eben noch sein Kraftfeld, und die Anziehungskraft, die er auf uns noch ausübt, bewirkt, daß er unseren Kurs eben um so viele Grade nach Backbord zieht, wie es unsere weitere Route zum Mars verlangt. Überdies, Bergen, so nahe wie Sie meinen, sind wir dem Mond gar nicht und außerdem... Achtung, Bergen! Ein Meteor!« Die Warnung wäre schon zu spät gekommen: Am Schiff vorbei war lautlos ein leuchtender Körper gehuscht, das heißt, das war nicht ganz das richtige Wort für die unheimliche Begegnung mit diesem Eisenbrocken. Dr. John hatte den Meteor, der fast so groß wie ihr Schiff war, als ein winziges, von der Sonne beschienenes Pünktchen vor sich am Himmel gesehen, und als die Warnung aus seinem Munde kam, also vielleicht eine halbe Sekunde später, war er längst hinter ihnen im Nichts verschwunden.

Aus dem Taumel ihres übermenschlichen, überirdischen Erlebnisses, riß sie dieser augenblicksschnelle Vorgang jäh in die Wirklichkeit zurück. Keiner sprach es aus, aber jeder dachte das Gleiche: In dem Meteor waren sie soeben ihrem gefährlichsten Feind begegnet. Bei der ungeheuren Eigenschnelligkeit, mit der diese Himmelskörper auf sie, die selbst mit einem Tempo von 75 000 Stundenkilometern durch das Weltall flogen, zuraste, war es unmöglich, diesen vom Schiff aus zu beschießen und ihn so aus seiner Bahn zu werfen. Es fielen um sie herum so viele Sternschnuppen, und es war nur schwer zu erkennen, welche davon den Weg auf sie zu nehmen würden. Stießen sie mit einem davon zusammen, und mochte er an Größe auch nur einen Bruchteil ihres Schiffes ausmachen, so mußten bei der unvorstellbaren Wucht des Zusammenpralls die Stahlwände aufplatzen. Dann würden sie im Schiff entweder erdrückt, oder aber ins All hinausgeschleudert. Der Tod würde schmerzlos sein. Sie würden in dem 274° kalten luftleeren Raum augenblicklich erstarren und ersticken. Ihr Grab aber würde vielleicht das ruheloseste aller Toten werden. Es konnte sein, daß die Leichen auf ihrem weiteren Weg durch das Weltall auf einen Stern zustürzten und in seinen glühenden Massen ihr Grab fanden. Ebenso gut war es auch möglich, daß ein Zufall sie so in den Kräftestrom eines Weltkörpers zog, daß die Leichen wie Trabanten in Ewigkeit um ihn kreisen mußten. In der Luftleere des Weltenraumes würden die Körper Jahrhunderte, Jahrtausende, ja, es mochte sein, Jahrhunderttausende in unveränderter Beschaffenheit ihre ruhelose Bahn um einen Planeten ziehen. Es war wohl nicht gemütlich, an ein solches Fortbestehen ihres Körpers nach dem Tode zu denken. Doch würden sie nichts mehr davon wissen – und schließlich, war dieses ewig kreisende Grab häßlicher als unter einer Erdscholle von den Würmern zerfressen zu werden?

Doch gingen ihre Vorstellungen noch andere Wege. Sie mußten an eine Möglichkeit denken, die furchtbarer war als das Schicksal eines augenblicklichen Todes. Was würde geschehen, wenn ein mit dem Schiff zusammenstoßender Meteor alle Abstoßvorrichtungen zerstörte? Vielleicht blieb das Schiff dabei leidlich heil und sie in ihm am Leben. Dann aber konnten sie das Schiff nicht mehr lenken, dann rasten sie noch Tage, noch Wochen, noch Monate vielleicht mit sehenden Augen durch das Weltall auf ein Gestirn zu, das sie bei ihrer Annäherung an sich zog und sie mit seiner Glut verbrannte. Geriet aber das Schiff nicht in den Kraftbereich eines Sterns, dann saßen sie als Gefangene in ihrem fliegenden Käfig und rasten mit der Geschwindigkeit von 75 000 Stundenkilometern immer weiter durch den Weltraum, bis nach der letzten Sauerstoffpatrone, der letzten Konservenbüchse und dem letzten Schluck Wasser das Schiff ihr stählernes Grab würde, das mit ihren Leichen in die Unendlichkeit weiterwanderte, als ein winziger, irrender Planet.

»Man kann sich gar nicht vorstellen, wie das sein würde«, spann John den Gedanken laut weiter, dem sie alle schweigend nachgehangen hatten. »Fest steht jedenfalls, daß das Beschießen eines Meteors sehr illusorisch bleiben wird. Aber schließlich ist die Wahrscheinlichkeit eines wirklichen Zusammenstoßes doch sehr gering, daß wir uns unsere Ruhe nicht rauben lassen brauchen.« Er sprach wieder durch das Mikrophon mit Bergen: »Wie steht es mit den Temperaturmessungen?«

»Einen Augenblick noch, John . . . Die Unterschiede zwischen der Sonnen- und der ihr abgekehrten Seite sind bis zu 130 Grad.« Er ging nochmals um das ganze Schiff, untersuchte sämtliche Düsenanlagen und stieg dann wieder in die Schleuse.

»Außenbordtüre dicht«, rief er John durch das Telefon zu. Mit scharfem Zischen wurde die Luft in die Zwischenkammern gepreßt, bis der Druck mit dem des Schiffsinnern wieder gleich war. Dann öffnete der Motor die innere Panzertür. Sie halfen ihm aus dem Stahlanzug, dabei bestürmten sie ihn mit Fragen.

»Signore Bergen, der nächste bin ich!« Plenati war schon dabei, sich seinerseits für den Ausstieg fertig zu machen. »Monsieur Fleurand, kommen Sie mit! Zu zweit ist der Spaziergang im Weltall gemütlicher, finden Sie nicht auch?« Die beiden machten sich mit Hilfe der anderen fertig zum Aussteigen.

»Haben Sie am Außenschiff alles in Ordnung gefunden, Bergen?«

»Ja und nein, Herr John, das heißt, bis jetzt ist alles okay, aber die Sache mit dem Meteor ... So groß der Unwahrscheinlichkeits-Koeffizient auch sein mag, hier ist und bleibt eine böse Lücke, hier haben wir uns mit der Theorie begnügt.«

»Ganz einfach, Bergen, weil wir keine wirkliche Abwehr gefunden haben. Darüber waren wir uns doch immer klar. Haben Sie Angst?«

»Angst nicht, aber Bedenken. Sehen Sie hinaus, es regnet ja förmlich Meteore.« Der Ausdruck erschien John zwar etwas übertrieben, aber immerhin verging keine Sekunde, in der nicht irgendwo eine Sternschnuppe sichtbar wurde.

»Aber schließlich ist es bis jetzt schon so viel, was uns zu erleben vergönnt wurde, daß ich für meinen Teil nicht murre, wenn ...«

»Komisch, Bergen, was Sie plötzlich für Gedanken haben. So kenne ich Sie gar nicht. Hat Sie Ihr Spaziergang da draußen so verinnerlicht?«

»Dr. John, ich habe immer über die Fanatiker gelacht, die unser Unterfangen eine Sünde nannten, ein Vergehen gegen die Gesetze Gottes und der Natur.«

»Um Gottes willen, Bergen, Sie werden doch nicht auch noch ...«

»Nein, Doktor, wo kämen wir damit auch hin. Alle technischen Errungenschaften würden bei dieser Einstellung unmöglich – und doch, irgendwie haben die Menschen recht, die behaupten, wir wären pietätlos.«

»Nein, Bergen, Gott hat uns den Verstand gegeben, und alles, was dieser Verstand schafft, um sich die Kräfte der Erde und der ganzen Welt dienstbar zu machen, muß ja als letzte Auswirkung dieses Geschenkes in seinem Sinne sein.«

»Meinen Sie, John? Auch der Krieg wird geführt mit den Mitteln, die dieser uns von Gott geschenkte Verstand geschaffen hat. Ist der also auch in seinem Sinne?«

»Sie geraten ins Sinnieren, Bergen, Ich glaube, diese Frage brauchen wir jetzt nicht zu beantworten, und vor allen Dingen, ich habe Hunger. Ihn zu stillen, ist das nächstliegende Problem.«

»Sie haben recht, John, dieser Aufenthalt da draußen ist ungesund. Was wünschen die Herren zu speisen? Ich schlage vor: Krebssuppe, Thunfisch in Öl, gebratenes Huhn und Nachtisch.«

»Einverstanden! Aber dalli, oder wie sagt man bei euch in München?«

»Stimmt, John, so sagt man.«

Die Zubereitung des Mahles, das Hantieren mit Konservenbüchsen und Kochapparaten nahm Bergens ganze Aufmerksamkeit in Anspruch und ließ ihn seine grüblerischen Gedanken vergessen. Als er den Tisch deckte, pfiff er schon wieder ein Liedchen. Er hatte eine lustige Idee, die er sogleich ausführte. »Achtung!« rief er durch die halboffene Tür des Aufenthaltraumes, »ich schalte den Bodenmagnetismus aus.«

»Warum?« John hatte sich ihm fragend zugewandt. »Darum!« Er trat hinaus, drückte den Schalter, dann verschloß er hinter sich wieder die Tür. Und nun deckte er den Tisch. Alles, wie es sich gehörte: das weiße Damasttuch – das bedurfte großer Sorgfalt, daß es glatt und eben wurde –, dann die Teller, die Bestecke, die Gläser. Es war alles, wie es auf der Erde zu sein pflegte, nur fehlte hier der Tisch. Er hatte das ganze Gedeck ins Leere gebaut.

»Rufen Sie die Ausflügler herein, John, und dann bitte zu Tisch!« Dr. Plenati setzte sich zuerst. »Das haben Sie fein gemacht. Sie sind der geborene Cameriere. Wie gut, daß wir Sie mitgenommen haben.«

»Zum Kuckuck noch mal, Bergen, Sie Gauner!« Fleurand hatte sich mit dem Ellbogen auf den Tisch stützen wollen und durch den Schwung die ganze Decke nach unten gerissen. Verrückt sah das aus: Die Teller, das Besteck, die Gläser, alles befand sich genau wie vorher auf seinem Platz, nur die Tischdecke, also das, worauf die Dinge stehen oder liegen sollten, war darunter verschwunden. Eine Lachsalve begleitete Fleurands verdutztes Gesicht, die sich noch steigerte, als nun Bergen mit der dampfenden Suppenschüssel ankam; aber nicht so, wie man es bisher gewohnt war, sondern mit umgekippter Schüssel, so daß die Öffnung mit dem Vorlegelöffel und der ganzen Krebssuppe nach unten hing. Dr. John, der endlich zum Essen kommen wollte, vervollständigte mit Hilfe der anderen den ganzen Tafelaufbau von neuem und schaltete den Bodenmagnetismus ein, um dem lächerlichen Spiel ein Ende zu machen. Das half freilich nur für die eisenbesohlten Männer und für die Metallbestecke, nicht aber für die Teller und sämtliche Gerichte. Und als gar Mr. Smith – er hatte gerade einen Schluck Wasser im Munde – bei einem Witz Bergens losprustete, blieb die ganze Fontäne zum Gelächter aller in der Luft hängen. Nach dem Essen löste Dr. John Dr. Burger, der unterdessen die Führung des Schiffes übernommen hatte, ab, und jeder der sechs Männer ging wieder auf seine Station.

Hundert Stunden war es her, daß sie die Erde verlassen hatten. Schon lange war die letzte Superkurzwellenverbindung mit ihr abgerissen. 7 500 000 Kilometer waren sie jetzt vom Erdball entfernt. Ohne die kleinste Abweichung zeigte der Geschwindigkeitsmesser auf den roten Strich. Der Mond hatte, genau nach Plenatis Berechnung, ihren Kurs um die erforderlichen drei Grad abgebogen. Längst lag er nun wieder hinter ihnen und war jetzt weit kleiner, als man ihn von der Erde aus kannte. Ihm gegenüber wirkte die Erde doppelt so groß. Unverändert in ihrer Erscheinung blieb nur die Sonne.

Signore Plenati arbeitete mit Gradmesser und Rechenmaschine, und John verfolgte am Führungsstand nach seinen Daten den Kurs. Plenatis theoretische Berechnungen stimmten aufs Haar. Auf $\frac{1}{100}$ Grad genau zog das Schiff seinen Weg, der es jetzt direkt auf die in der schwarzen Weltallnacht rot schimmernde Kugel des Mars hinführte. Hatte bis jetzt noch der Erde und dem Mond die ganze Aufmerksamkeit gehört, so wandte sie sich von jetzt ab dem immer größer werdenden Ziel zu. In allen fieberte die Frage, was sie auf jenem Stern erwarten würde. Für Plenati aber bedeutete die bevorstehende Landung auf dem Mars noch viel mehr. Alle bis heute ungelösten Probleme dieses rätselhaften Planeten würden ihm nun offenbar werden. Ungeahnt waren die Perspektiven, die sich durch diesen Vorstoß in den Weltenraum für die gesamte astronomische Wissenschaft eröffneten. Mit der Enträtselung des Mars würden mit einem Male tausend ungelöste Fragen über zahllose andere Himmelskörper geklärt. Je mehr das Schiff sich ihm näherte, desto mehr vergaß der Gelehrte die fünf Menschen um sich. Der Mars begann, ihn in seinen Bann zu ziehen.

Es verflossen die Stunden und Tage. Einundzwanzig Tage wurde ihr Schiff nun schon mit unverminderter Geschwindigkeit dem Mars entgegengetragen, und unbeirrt zog es weiter seine Bahn. Immer größer und größer wuchs ihnen der Globus des neuen Gestirns entgegen. Noch zehn Tage und drei Stunden, dann würden sie ihrer Berechnung nach in den Bannkreis des Kolosses kommen. Eine freudige Spannung begann sich aller zu bemächtigen, die sich steigerte, je mehr sie sich dem Tag des großen Ereignisses näherten.

In der 529. Stunde, das war nach der Zeitrechnung der Erde am 22. Tag um die Mittagszeit, trat dann das Ereignis ein, in dessen Folge die bis dahin so hoffnungsvolle Fahrt des WRSI eine so tragische Wendung nehmen sollte.

Das Geschehen vollzog sich so unerwartet und blitzartig, daß sich im Augenblick außer Dr. John niemand über die Ursache der Katastrophe im klaren war. Jeder der sechs Männer war mit irgendeiner Arbeit beschäftigt. Dr. John stand im Führungsstand und wiederholte die Kursangaben, die Plenati ihm von Zeit zu Zeit zurief. Plötzlich sah er schräg über dem Schiff etwas Helles aufblitzen und auf sie zukommen. Aber sein Ruf »Ein Meteor!« war schon übertönt von dem Lärm der in den Schiffsräumen über- und untereinander stürzenden Gegenstände. Die sechs Männer und alles, was nicht niet- und nagelfest war, wurden nach Steuerbord geschleudert.

»Hilfe, John! Was ist geschehen?« Vor irgendwoher hörte man seine Antwort, keuchend und halberstickt: »Ein Meteor! Wir sind zusammengestoßen.« Dann laut, fast schreiend: »He, Bergen, Fleurand, Smith, alle auf die Posten! Sauerstoffapparate, Preßluftanlagen nachsehen! Los, los! Mr. Smith, sind die Motoren alle heil?«

Aus dem Gewirr von Leitungen und Gestängen, aus allen Ecken, in die sie bei dem Zusammenstoß geschleudert worden waren, krochen, hasteten die Männer hervor, machten sich über die Apparate, die Schalthebel, die Leitungen. Keiner spürte in diesem Augenblick seine Beulen oder Wunden.

»Sauerstoffapparat arbeitet.« Bergen hate seine Stimme wieder in der Gewalt. Knapp und klar hörte man seine Angaben. »Preßluftmotoren arbeiten nicht.« Das war Dr. Burgers Stimme. »Ersatzmotoren anschließen! Bergen, presto, presto!«

»Signore Smith?«

Plenati hatte es geschrien.

»Was ist, Plenati?«

»Helfen Sie, Smith ist ja ... Um Gottes willen, der stirbt ja.«

Alle stürzten auf die Stelle zu. Einige zogen den wie Leblosen aus einem Gewirr von Rohren und Leitungen, zwischen die er eingeklemmt war. Bergen fühlte, daß ihm die Farbe aus dem Gesicht wich. Zuerst zog man Smith an den Füßen, dann löste man ihn behutsam aus der eisernen Umklammerung. Nun sahen sie seine Verletzungen. Eine abgerissene Metallstange war ihm mit der spitzen Bruchstellte tief in die Schläfen gedrungen. Blut sickerte aus der Wunde, aus Mund und Nase. Er röchelte.

»Smith, Smith! Hören Sie mich? ... Smith!«

Aber Smith hörte Dr. John nicht mehr, er war tot.

Eine bleierne Stille legte sich auf die fünf Menschen.

«Das ist der Erste!« Dr. Fleurand stand da, am ganzen Körper zitternd und wachsbleich.

»Mensch, Fleurand, reißen Sie sich zusammen! Kommen Sie, Bergen, Plenati, packen Sie an!«

Sie trugen den Toten nebenan in den Aufenthaltsraum und betteten ihn, so gut es ging, denn auch hier war alles durcheinandergestürzt, auf den Boden.

Bergen entblößte die Brust des Verunglückten und horchte. »Nichts mehr, John ... es ist zu Ende.«

Dr. John strich dem Toten die blutgetränkten Haare aus dem verzerrten Gesicht: »Armer Smith! ... Signore Plenati, bleiben Sie vorerst bei ihm ... oder nein, ich brauche Sie, wir müssen sofort den Kurs nachprüfen, Mr. Burger, vielleicht bleiben Sie hier, bitte! ... Die anderen Herren wieder auf die Posten!«

Als Dr. John wieder an seinem Führungsstand ankam, blieb er sekundenlang wie angewurzelt stehen. Dann rief er Plenati an seine Seite: »Da, sehen Sie!« Die Spitze des Schiffes zeigte irgendwohin in das Millionenmeer der Sterne. Ganz steuerbordseits sah man noch ein kleines Stück vom Mars, auf dessen Mittelpunkt sie bisher zugehalten hatten.

Aber was war das? Die helle Scheibe, das heißt, der Teil, den sie davon sahen, stieg immer höher und höher ... Jetzt war sie genau über ihnen, dann verschwand sie nach Backbord aus ihrem Gesichtskreis.

»Um Himmels willen, Dr. John, wir rotieren ja . . . Der Meteor hat uns aus der Bahn geworfen und das Schiff um seine Achse in Bewegung gesetzt.«

Dr. John war schon wieder ruhig. Wenn das der ganze Schaden war, den der Zusammenstoß verursacht hatte, das ließ sich wiedergutmachen. Sie brauchten nur die Seitendüsen in Aktion zu setzen und damit einen Druck auf die Flügel ausüben, dann konnten sie die Rotation beseitigen. Mittels der vier großen Richtungsdüsen aber würden sie das Schiff wieder auf den alten Kurs bringen.

»Signore Plenati, gehen Sie bitte an Ihren Reflektor«, und dann zu Bergen gewandt: »Sie übernehmen Smith's Posten!«

Aber ein Blick in das Spektrum zeigte Plenati, daß hier für ihn die Arbeit zu Ende war. Der Reflektor war weggerissen, und die ganze überkomplizierte Anlage vernichtet. Er rief es John zu. Der schwieg eine Weile. Dann hörte man wieder seine Stimme, hart, aber etwas brüchig: »Läßt sich der Schaden beheben?«

»Nein, John, mit unseren Mitteln, die wir an Bord haben, nicht!«

»Gut, Plenati, dann muß es auch so gehen.«

Indessen saß Bergen an der Atomkraftstation und suchte sich inmitten der dort angerichteten Zerstörungen zurechtzufinden: Ein großer Teil der Schaltanlage war herausgerissen, die Meßgeräte hingen in einem wirren Durcheinander von Drähten. Wie durch einen Nebel hörte er Johns Stimme: »Flügeldüsen drei und vier halbe Kraft einschalten!« . . . Stille! »Nanu, Bergen, hören Sie nicht?«

Darauf müde und mit seltsam klingender Stimme: »Doch, John, ich höre!«

»Warum schalten Sie dann nicht ein?« Bergen antwortete nicht. Mit einem Satz war John bei ihm: »Alles zerstört?«

»Alles!«

»Alle vier Flügeldüsen, die Meßapparate . . . auch die Seitendüsen?«

»Alles, John!« . . . Stille . . . Nach einer Pause: »Die Abstoßdüsen am Heck . . . die Hebel hier sitzen doch noch in der Schaltanlage . . . Versuchen Sie einzuschalten . . . halbe Kraft!«

Bergen wiederholte: »Heckdüsen halbe Kraft!« Der Hebel rastete ein. Ein Ruck warf alle zurück.

»Aus!« schrie John, aber bis Bergen wieder die Hand am Hebel hatte, um ihn auszuklinken, waren Sekunden vergangen. John hastete zum Führungsstand, denn dort war das Tempometer heil geblieben. Der Zeiger war in die Höhe geschnellt. Er zeigte 84 000 Stundenkilometer. Die Heckdüsen funktionierten also. Der sekundenlange Stoß hatte genügt, jetzt, da kein Luft- oder Anziehungswiderstand mehr zu überwinden war, ihr Tempo um 9000 Stundenkilometer zu beschleunigen. Das hatte neben allem anderen Unglück ihre gesamten Berechnungen über den Haufen geworfen. Das hieß, daß sie nun wesentlich früher den Planeten erreichen und mit viel größerer Geschwindigkeit auf ihn zustürzen würden, als es günstig war. Die Abstoßkräfte, die bei der Annäherung an den Stern ihren Sturz abfangen sollten, mußten ganz neu festgestellt werden.

»Signore Plenati, lassen sich die neuen Werte zuverlässig berechnen?«

»Meinen Sie für eine Landung auf dem Mars?«

John nickte. »Die schon, aber . . .« Er zögerte, »aber nicht die für den Stern, auf dem wir nun landen werden, wenn es überhaupt noch zu einer freiwilligen Landung kommt.«

»Sie meinen . . . ?«

»Ich meine nicht, John, wir wissen alle, daß wir ohne Seitendüsen den Kurs nicht mehr korrigieren, das heißt, auf den alten Weg nicht mehr zurückkommen. Wir können mit den noch intakten Heckdüsen unsere Fahrt nur beschleunigen. Zu jeder anderen Bewegung ist das Schiff unfähig. Es wird dahinrasen, bis es auf einen Stern zustürzt, oder es wird seinen Weg wie eine Schraube fortsetzen . . . wohin?« Und nach einer Weile, da John nicht antwortete: »Oder können wir die Seitendüsen wieder in Ordnung bringen?«

»Die Kraftanlagen und Düsen sind die empfindlichsten Teile des Schiffes, Plenati, das Herz . . .«

»Vielleicht, John«, redete Bergen dazwischen, »sind nur die Innenleitungen zerstört, so daß zu den Hauptleitungen kein Anschluß mehr besteht. Das ließe sich reparieren. Aber ich fürchte, daß auch an den Düsen selbst . . . ich muß aussteigen, John, ich muß endlich wissen, was los ist. Los, schnell, helft mir!«

Sie halfen ihm in den Stahlanzug.

»Preßluft in die Schleuse!« Die Schleusentür öffnete sich und schloß sich hinter Bergen.

»Luft absaugen!« gab Bergen durch das Telefon. Als das Vakuum in der Schleuse hergestellt war, schaltete er die Außentür auf und stieg aus der Luke ...

»Was ist, Bergen, sehen Sie was?« Er hörte Johns heisere Stimme im Kopfhörer.

»Zwei Flügel sind abgerissen, und ich glaube, die seitlichen Atomspeicher sind zerstört.« Als er einige Minuten danach auf dem Deck stand, übersah er das ganze Ausmaß der Zerstörungen, die der Meteor angerichtet hatte. Er hatte, die Schiffswand streifend, die beiden Flügel abgerissen und durch diesen ersten Anprall den Schiffskörper in rotierende Bewegung versetzt. Im weiteren Verlauf der Katastrophe war dann die äußere Schiffswand von den Flügeln ab bis zum Heck aufgeschlitzt, und die acht Hauptstränge, die den Flügeldüsen und den vier Seitendüsen den Strom zuführten, herausgerissen – und, wie es schien, sogar die eigentlichen Kraftkammern verletzt.

Es war noch mehr zerstört: Die beiden Fernrohre waren einfach wegrasiert. Aber das sah er kaum. Er starrte nur unverwandt auf die breite, lange Wunde, die sich über den ganzen Leib des Schiffes zog ... und auf einen Wust von verbogenen Leitungen und Röhren, wo einmal das ausgeklügelte Kraftsystem eingebettet gewesen war.

Als Bergen wieder im Schiff war, stieg Dr. John aus, um sich selbst von dem Ausmaß des Schadens zu überzeugen. Er hatte Plenati mitgenommen. Um sie kreiste das Weltall mit der Sonne und den Sternen, während die beiden Männer stillzustehen glaubten. Nichts spürten sie von der rasenden Schnelligkeit, mit der sie und das Schiff durch den Weltraum schossen.

Als John wieder zum Führungsstand zurückgekehrt war, wandte er sich an Bergen: »Können wir hier noch etwas tun? – Ich meine, man müßte die Leitungen doch flicken können!« Gereizt wandte sich Plenati dazwischen: »Das ist nicht eine Leitung für eine 100-Watt-Lampe, Signore, hier handelt es sich um andere Spannungen ... aber selbst wenn *das* gelänge, und selbst wenn Sie die Anlagen im Schiffsinnern wieder in Gang bringen, wie wollen Sie die zerrissenen Kraftkanäle und die vernichteten Kraftkammern selbst wieder in Ordnung bringen? Dazu müßte doch ein ganzer Teil der Außenhaut abmontiert werden, und all das mit unseren beschränkten Reparaturmitteln.«

Dr. John überhörte den Temperamentsausbruch des Südländers und wandte sich wieder an Bergen: »Glauben Sie nicht, daß wir wenigstens *eine* Leitung und eine Seitendüse wiederherstellen können? Wenn eine Seitenkraft wieder arbeitet, eine einzige, Bergen, können wir das Schiff vielleicht noch retten. Mit einer einzigen können wir es auf den richtigen Kurs bringen!«

»Es wird schwer sein, John, mit nur einer Seitendüse das rotierende Schiff zu steuern, aber vielleicht gelingt es, vielleicht läßt uns das Schicksal so lange Zeit. Doch selbst wenn es uns so lange Zeit ließe und wenn es uns noch gelänge, den Mars aufs neue anzusteuern, sobald wir in seinen Luftmantel eindringen, würde der Luftsog die offenliegenden Kabel wieder zerreißen.«

»Dann müssen wir eben die Landedrehung beendet haben, bevor wir in die Luftschicht eintauchen.« Johns Stimme wurde gedämpft und eindringlich: »Es hat keinen Sinn, meine Herren, uns voreinander etwas zu verschweigen. Wenn wir untätig bleiben, nimmt uns das steuerlose Schiff mit in den Tod! Wenn es überhaupt noch eine schwache Chance gibt, dann liegt sie in dem Versuch, wenigstens *eine* Leitung zu reparieren. Jeder Tag, ja, jede Stunde bringt uns weiter von unserem Ziel ab. Wir müssen sofort handeln. Sie, Mr. Burger, müssen jetzt die Führung des Schiffes übernehmen – Signore Plenati wird Sie dabei unterstützen. Bergen und ich werden die Leitung bauen, und Sie, Monsieur Fleurand, werden uns dabei helfen!«

Bergen und John gingen abseits und machten sich zum Aussteigen fertig: »Glauben Sie wirklich, John, daß die Leitung und vor allem die Düse mit unseren unzulänglichen Mitteln wiederherzustellen ist? Vergessen Sie nicht, daß wir draußen in den Stahlanzügen arbeiten müssen, wodurch das Arbeiten wesentlich erschwert wird!«

»Und wenn es nicht gelingen sollte, Bergen, und wenn wir trotzdem zugrunde gehen müßten, es ist besser für uns alle, bis zur letzten Minute mit allen Sinnen und Kräften tätig zu sein, als tatenlos den Tod zu erwarten. Wenn wir aber jetzt die Hände in den Schoß legen, enden wir alle im Wahnsinn.«

Schon die erste eingehende Untersuchung zeigte den beiden, daß ihr Versuch, auch nur eine der vier Seitendüsen wieder schußfähig zu machen, mit den vorhandenen Mitteln fast aussichtslos

war. Es mußten große Teile der 50 Zentimeter starken Nickel-
stahlhaut aufgeschnitten werden, um in das Innere der Zündkam-
mern vordringen zu können. Danach würde sich überhaupt erst
zeigen, ob die dort eingebauten komplizierten Mechanismen wiederherzustellen waren.

Auf der Erde wäre ohne die nötigen Anlagen ein solchen Unterfangen von vornherein undenkbar gewesen, denn, wie hätten ein
paar Menschen ohne Kräne die Hunderte von Zentnern schweren
Stahlplatten heben sollen? Hier aber, im Bereiche der Schwerelosigkeit war diese Frage kein Problem, im Gegenteil, es würde nötig sein, jeden losen Gegenstand und jede abgeschweißte Stahl-
platte mit einem Draht am Schiffskörper zu sichern, damit nicht
bei unbedachten Stößen die abmontierten Schiffsteile ihre Welt-
raumfahrt nach eigenem Willen fortsetzten.

Bergen und John überschlugen die Arbeit und die dafür nötige
Zeit. Unter günstigen Umständen rechneten sie, da sie ja nur zu
zweit arbeiten konnten – Dr. Fleurand war nur als Handlanger gedacht –, vierzig bis fünfzig Tage.

In dieser Zeit legte das Schiff bei dem jetzigen Tempo von
84 000 Stundenkilometern einen Weg von $50 \times 24 \times 84\,000$, das
waren 100 800 000 Kilometer zurück. Das war fast zweimal die
Entfernung von der Erde zum Mars, und bedeutete, daß sie fast
um den doppelten ursprünglichen Weg über ihr Ziel hinausgetra-
gen wurden, vorausgesetzt, daß sie nicht vorher in das Kraftfeld
eines anderen Planeten gerieten, der sie vernichtete.

Angenommen aber, das Schiff würde seinen Weg die ganzen
fünfzig Tage hindurch ungestört fortsetzen, wie sollte Signore Plenati ohne die Hilfe optischer Instrumente den neuen Kurs zu dem
dann doppelt so weit entfernten Mars feststellen?

Trotz dieser ungünstigen Tatsachen machten sich die beiden
Männer an das Werk.

Oft in den folgenden Tagen und Wochen ihrer Arbeit, in denen
die Schwierigkeiten und Komplikationen wuchsen und sie vor ein
unlösbar scheinendes Problem um das andere stellten, wünschte
John, ein neuer Zusammenstoß möchte ihrer aussichtslosen Lage
ein schnelles, gnädiges Ende bereiten. Aber nichts dergleichen geschah. Unbeirrt zog das Schiff, immer langsam um seine Achse
kreisend, seine Bahn, einer unbekannten Endlosigkeit entgegen.

Der Abstand vom Mars vergrößerte sich seit dem Tage der Katastrophe immer mehr und mehr, bis der schon so nahe gewesene Planet nach vierzehn Tagen wieder ein glitzernder roter Stern unter Millionen anderen war, und sie ihn im Verlauf der nächsten Wochen ganz aus dem Auge verloren. Dafür wuchsen ihnen andere Weltkörper entgegen, die größer und größer wurden, um dann ebenso langsam wieder an ihrer Seite, über oder unter ihnen im Meer der übrigen Sterne unterzutauchen.

Mit allen Mitteln seines Wissens verfolgte Plenati den Weg, den das Schiff nahm. Aber bei dem ständigen Wechsel seines noch dazu unentwegt rotierenden Standpunktes, und da außerdem ihnen begegnende Meteore durch die dabei wirksam werdenden Anziehungskraft ihren Kurs immer von neuem änderten, wurden seine errechneten Resultate immer mehr eine Reihe von unlösbaren mathematischen Formeln, weil in jeder Berechnung die große Unbekannte X stand.

Das Leben im Schiff hatte seit dem Zusammenstoß eine grundlegende Wandlung erfahren. Die erwartungsvolle Hochstimmung, die es bis zum Tag der Katastrophe begleitet hatte, war einem drückenden Ernst gewichen. Wohl nahm sich jeder in die Gewalt, wenn sie beisammen saßen, bei Tisch oder in den Stunden der nötigen Ruhepausen, und besonders Dr. John sah streng darauf, daß ihre Gespräche nicht in trübsinniges Fahrwasser abglitten. Ja, er berichtete mit scheinbarer Begeisterung von den Fortschritten ihrer Arbeit an der Düse und den Kabeln. Glaubte sich aber einer unbeobachtet, so sah er still vor sich ins Leere, dachte an das unvermeidliche Ende und nahm im Geist Abschied von den Seinen und der Erde, die sie nun schon so lange verlassen hatten.

Signore Plenati lag wach auf seinem Lager, da er an der Reihe war zu schlafen. Er war der einzige von den sechs Männern, der auf der Erde ein Kind zurückgelassen hatte. Aus seiner Brusttasche holte er eine zerknitterte Fotografie, und Bergen, der ihm gegenüber ebenfalls im Raum lag und sich schlafend stellte, hörte ihn mit flüsternder, weicher Stimme reden. Er sprach mit seinem Kind: »Piccola, dolce ragazza, o mia cara bambina! Dein Vater hat sich aufgemacht, um einen Stern für dich zu suchen. Du darfst nicht traurig sein, Angelina, wenn ich nicht wiederkomme, denn weißt du, der Weg zu den goldenen Sternen ist zu weit. Ein Häuschen will ich dort bauen für dich und Mammina aus glitzernden Kieselsteinen. Viele rote Kamelien werden davor blühen, und eine weiße Nachtigall wird darin singen für dich, Angelina. Ich werde dort auf dich warten. Bleibst du lange aus, Angelina? Wird es lange dauern, bis ich dich wiedersehe, dolce, dolce Angelina?«

Bergen hörte ihn leise vor sich hinweinen.

War Plenati wieder auf seinem Posten am Führungsstand, so war er wieder der Kamerad, der mit wortreichen Erklärungen über den neuen Kurs des Schiffes nach Beendigung der Reparaturen die anderen mit aufzurichten suchte. Indes, das, was Bergen und John anfänglich für unmöglich gehalten hatten, gelang wirklich. Zwar waren bereits zweiundsechzig Tage verflossen, seit sie mit den Arbeiten begonnen hatten, aber am Ende dieses Tages kamen die beiden mit leuchtenden Gesichtern aus der Schleuse und erklärten den anderen, daß es nunmehr feststünde, daß das Schiff wieder steuerungsfähig würde. In acht Tagen hofften sie, ihre Arbeit zu beenden. Es war, als hätte einer den zum Tode verurteilten die Botschaft ihrer Freisprechung gebracht, so sehr waren diese fünf Menschen plötzlich verändert. Sie, von denen jeder mit dem Leben bereits abgeschlossen und nur noch eine Aufgabe gesehen hatte, bis zur letzten Minute so gefaßt wie möglich den Tod zu erwarten, sie waren jetzt wie Kinder, die sich um den Hals fielen und über dem Geschenk des neuen Lebens nicht wußten, was sie vor Freude darüber beginnen sollten.

Sieben Tage, acht Tage, diese Spanne eines neuen Lebens schenkte ihnen das Schicksal noch, um dann um so unerbittlicher zuzuschlagen. Wie eigentlich alles gekommen war, dessen konnte sich Bergen später kaum mehr in allen Einzelheiten erinnern. Nur der Beginn der neuen Katastrophe blieb ihm später noch klar im Gedächtnis: Er und John waren am 8. Tag gegen »Abend« fieberhaft an der Arbeit, die letzten Verbindungsstellen an den Kabeln zu schweißen, um noch vor dem Nachtmahl den Kameraden die Fertigstellung der Reparatur bekanntzugeben, als sie durch das Telefon Plenatis aufgeregte Stimme hörten: »John, Bergen, ins Schiff!«

»Sind schon fertig, Plenati, was ist los?«

John, noch ganz mit der Arbeit beschäftigt, hatte nur mit halbem Ohr zugehört. »Um Gottes willen, macht fertig, kommt, Ihr seid verloren!«

Nun wurden die beiden auf seine nervöse Stimme aufmerksam. Warum war Plenati so erregt? Sie kannten seine Temperamentsausbrüche, die oft durch kleine Anlässe hervorgerufen wurden, aber diesmal schien wirklich etwas nicht zu stimmen. Irgend etwas in seinem Drangen ließ sie aufhorchen. Bergen schaltete den Strom ab; die Arbeit am Kabel war ohnehin beendet. Dann krochen sie aus ihrer Enge zwischen der Doppelwand nach vorn. Wie schwer es auf einmal ging! Mit aller Kraft mußte sich Bergen nach vorn werfen, um vorwärts zu kommen.

»Was mag das sein, John, ich kann kaum mehr gehen.«

Jetzt wieder Plenatis aufgeregte Stimme – sie hörten ihn schreien: »Großer Gott, der Planet! Wir stürzen!« Da wußten die beiden mit einem Mal mit erschreckender Klarheit, was Plenati meinte. Aber war denn das möglich? Wohl hatte seit Tagen schon ihr Schiff sich einem Planeten genähert, den Plenati mit großem Interesse beobachtet hatte, weil er aus verschiedenen Beobachtungen den Schluß zog, daß der Stern eine Lufthülle haben müsse. Doch hatte er angenommen, daß sie auch diesmal das Kräftefeld nur tangieren würden. Sollte es diesmal anders sein?

Bergen sah das Verbindungsseil, das bisher in schlangenartigen Windungen im Weltraum gehangen hatte, jetzt zwischen der Luke und sich einen großen, hängenden Bogen bilden. Er raffte es an sich, bis es gespannt war, und zog sich dann an ihm in die Schleuse hinein. Dann zerrte er John, der, mit beiden Händen sich an den Griffen festklammernd, mit dem Körper waagerecht nach hinten hing, nach. Der Motor verschloß die Tür. »Achtung, Plenati, Preßluft einströmen lassen!« Die Innentür öffnete sich. An die Rückwand des Raumes gepreßt, schraubte und riß man ihnen die Eisenpanzer vom Leib. Dann stemmte John sich gegen einen immer stärker werdenden Druck zum Führungsstand. Der Beschleunigungszeiger war in Bewegung.

84 000, 85 000, 85 500 . . .

Plenati sah in Johns Gesicht, der wie entgeistert auf den immer wieder in ihrem Blickfeld auftauchenden Weltkörper starrte und wußte, daß es nicht mehr nötig war, ihm etwas zu erklären. So unwahrscheinlich es schien, das Schiff war schon in das Anziehungsfeld des Planeten geraten, und schnell steigerte sich die Geschwindigkeit, mit dem es auf den Stern zufiel.

»Es ist mir ein Rätsel, John«, Plenati fing wieder zu reden an, mit dem Mund, mit den Händen redete er auf John ein: »Die Größe des Planeten, unser Abstand von ihm, das kann doch noch gar nicht sein, wir könnten doch noch gar nicht so weit in seinem Kraftbereich liegen . . .«

»Wir tun es aber, Plenati. Sehen Sie, wie das Tempometer steigt, wie er auf uns zukommt? . . . Bergen, Peter, an die Kraftstation!«

Bergen ließ die Stange los, an der er sich festgehalten hatte. Wie ein Stein wurde er nach hinten geschleudert. Auf allen vieren kroch er zum Schaltbrett. Er hörte Johns Anordnung: »Seitendüse halbe Kraft.« Mit gepreßtem Atem wiederholte er die Anweisung. Nun mußte es sich zeigen, ob sie gute Arbeit geleistet hatten. Wer hätte gedacht, daß die erste Probe schon in die Minuten der Entscheidung fallen würde? Seine Hand hob sich zum Hebel, er drückte ihn in die Klinke. Ein Ruck ging durch das Schiff und warf es nach Backbord.

John wartete immer den Moment ab, bis das Schiff nach einer ausgeführten Kreisbewegung genau wieder in derselben Richtung lag, und jedes Mal erfolgte dann ein neuer Stoß, der das Schiff immer um 10 Grad von seinem Kurs abdrehte. Strich um Strich glitt das drohende Gesicht des Sterns aus dem Gesichtskreis der Aussichtsscheibe. Die Männer sahen es, sie schrien, sie jubelten. Dazwischen immer wieder Johns Stimme: »Einschalten, ausschalten.«

Die Atomkraftstöße aus der Seitendüse mußten seine Achse um 180 Grad drehen, bis seine Heckseite dem Planeten zugekehrt war. Dann erst durften die Heckdüsen in Tätigkeit treten, konnten sie das Schiff wieder vom Planeten abstoßen, damit seiner Anziehungskraft entgegenwirken und so den Sturz abfangen. War dann das Schiff in die Lufthülle eingedrungen, so mußte John die Fallschirme auslösen, und mit ihrer Hilfe konnte dann das Schiff auf dem Stern landen.

Beinahe wäre es den beiden mutigen Männern gelungen, das so unerwartete Landungsmanöver glücklich zu Ende zu führen. Aber ein paar Minuten zu früh kamen sie in den Bereich des Luftmantels, noch bevor das Schiff seine Drehung vollständig durchgeführt hatte. Durch den starken Druck, der auf den nun frei liegenden Strang einwirkte, riß das geschweißte Kabel. An Bergens

Schaltbrett schlug die automatische Sicherung durch. Bergen schrie es John zu. Mit der letzten Kraft preßte der den schweren Hebel nieder, der die Fallschirme auslösen sollte, während Bergen mit einem Druck auf den Kontakt die Heckdüsen einschaltete.

Dann wurden die drei Männer durcheinandergeschleudert, und ihre Sinne gingen unter in einem Klirren und Bersten und dem Aufbrüllen des letzten Atomkraftstoßes.

Landung auf dem unbekannten Planeten

Als Bergen zu sich kam, war Dämmerung um ihn. Er fühlte etwas Schweres, Nasses auf seinem Körper liegen. Als er seine Hand zu den Augen hob, merkte er, daß sie blutig war. Wo waren sie, und was war mit dem Schiff geschehen? Er tastete mit den Händen um sich und stellte fest, daß das Schwere, das auf ihm lag, ein menschlicher Körper war. Er wälzte ihn von sich ab und arbeitete sich dann aus einem Knäuel von Leibern, zwischen die er eingekeilt war. Durch eine aufgerissene Bordwand fiel schräg ein Bündel Sonnenstrahlen und beleuchtete mit goldrotem Schein das eiserne Grab von fünf Menschen.

John sah gräßlich verstümmelt aus, den anderen, Plenati, Burger, Fleurand hatte der Tod ihr Antlitz noch unzerstört gelassen. Wo mochte Smiths Leiche liegen?

Bergen bemühte sich, durch die Öffnung in der Schiffswand ins Freie zu kriechen. Dabei spürte er, daß ihn seine Knie bei jeder Bewegung stachen. Das mußte von einer Prellung herrühren.

Er wunderte sich, daß er sich nach dem Schrecklichen der letzten Stunde – oder wie lange mochte es her sein? – einfach erheben und fortbewegen konnte.

Dann befand er sich plötzlich außerhalb des Schiffes. Er stand auf dem Gipfel eines Berges und schaute im versinkenden Licht des Tages auf eine fremde, neue Welt.

Wo war er, auf welchem Stern unter den Millionen?

Warum lebte er überhaupt? Warum hatten ihn die anderen nicht mitgenommen? »John, Plenati, warum seid ihr ohne mich fortgegangen? Habe ich nicht immer treu zu euch gehalten?«

Er setzte sich auf einen Steinbrocken. Um ihn herum waren

nackte Felsen, seltsam bizarre Bergformen, darüber ein hoher durchsichtiger Himmel, an dem nach und nach das Meer der Sterne zu flimmern begann. Er war so müde, zu müde, um noch weiterzudenken. Er wollte ins Schiff zurück, um dort die Nacht zu verbringen. Doch das Chaos im Innern und das Grauen des Todes schreckten ihn zurück.

Da stieg er über den Bergkegel hinab und suchte im Gewirr der Felsblöcke einen Unterschlupf. Irgendwo fand er eine Höhle, in der ließ er sich nieder.

Halb liegend, mit dem Rücken an die Wand gelehnt, sah er in die sinkende Nacht des fremden Gestirns, bis ihn die Müdigkeit übermannte und er auf dem sonnenwarmen Felsen einschlief.

Ein Morgen von nie gesehenem Glanz weckte Bergen in seiner Höhle. Über die schneefreien Felsgrate stieg ein Feuerball, wohl doppelt so groß wie die Sonne der Erde, und überschüttete die Felsenlandschaft mit einer solchen Flut von Licht, daß er im Überirdischen zu sein glaubte. Er blinzelte in diese neue Welt, denn das starke Licht machte es ihm unmöglich, die Augen ganz zu öffnen.

Er befand sich auf halber Höhe in einem riesigen Kessel, dessen Wände brennend rote Kupferfelsen zu sein schienen. Weit dahinter, wie schwimmend in der lichtgeschwängerten Ferne, sah er himmelhohe, rauchende Bergkegel.

Vor ihm, in der Mitte des Felsenkessels, lag auf einer Bergkuppe das Schiff. Man sah die aufgerissenen Wände in dem glatten, stählernen Leib. Die Fallschirme hingen halbgeöffnet und verbeult über den Bug, der schräg gegen den Himmel ragte.

Bergen sah nicht mehr die Sonne, die glühenden Bergspitzen, er sah nur noch das Wrack, das einst so stolze Schiff, und an seiner Seele vorbei zogen wieder die Ereignisse des vergangenen Tages, die furchtbaren Minuten der Katastrophe, der Sturz auf den Stern . . .

Nun war er allein, auf einem Weltkörper irgendwo in der Unendlichkeit.

Er kannte ihn nicht, diesen Planeten, auch Plenati hatte ihm seinen Namen nicht mehr genannt . . . Niemand hatte geahnt, daß er ihr Schicksal werden sollte.

Er dachte darüber nach, was nun aus ihm werden würde: Er

44

war in eine Welt aus Fels und Stein geschleudert worden. Wohl zog eine Sonne darüber ihre Bahn, wohl war eine Luft um ihn, warm und voll belebender Frische, aber nichts Lebendes war zu sehen, zu vernehmen, kein Laut drang an sein Ohr, kein Vogel flog durch die Luft, kein Grashalm wuchs, soweit er sah, und kein Baum, kein Strauch. Er schien das einzige lebende Wesen zu sein auf dieser Kugel aus Stein und Licht.

Da überfiel ihn von neuem das Ungeheuerliche seiner Situation. Er, eine winzige Kreatur der Erde, war herausgehoben aus ihr, hatte den ihm und allen Menschen von Gott zugewiesenen Weltkörper verlassen, und war nun irgendwo ... irgendwo in den ewigen Räumen.

Wie lange würde es dauern, bis auch er den Toten im Schiff folgen würde? Noch Wochen, noch Monate hatte er mit dem, was das Schiff barg, zu leben. Aber einmal würde das zu Ende sein, dann war nichts mehr übrig von dem ganzen kühnen Unternehmen als ein Wrack, das bewegungslos irgendwo auf einem Stern seinen aufgerissenen Bug gegen das Weltall reckte. Nichts würde denen da unten auf der Erde Kunde bringen von dem, was geschehen war ...

Aber war es denn so sicher, daß es hier kein Leben gab? Er befand sich auf einem hohen Gebirge ... Vielleicht befand er sich nur in einer Höhe, in der es keine Vegetation mehr gab.

Es gab Luft und Wärme, also würde es auch Wolken geben und Regen ... oder sollte das dritte Element hier fehlen? Nichts deutete auf eine Feuchtigkeit irgendwelcher Art hin, und um etwa noch eine Erscheinung von Morgentau feststellen zu können, dazu war er zu spät aufgewacht.

Ein anderer Gedanke kam ihm in den Sinn und überschattete alles andere: Im Schiff lagen seine fünf toten Kameraden. Er mußte sie begraben, und zwar bald, denn bei der in diesem Kessel herrschenden Hitze würden die Leichen schnell in Verwesung übergehen. Noch stand die Sonne knapp über den Bergspitzen, und schon begannen die Wände eine unerträgliche Wärme auszuströmen.

Begraben konnte er die Toten nicht, denn rings, so weit er sah, war nackter, harter Fels. Also würde er Steine zusammentragen und über ihren Körpern ein Denkmal errichten. Aufs neue überwältigte ihn der Schmerz über ihr Geschick. Sie waren in den Tagen der Not Freunde geworden: Der immer heitere Plenati, der geistreiche Fleurand, der prächtige Kamerad John ... Warum war keiner von ihnen geblieben?

Er verlor sich wieder ins Sinnieren über seine nächste Zukunft: Er würde aus dem Wrack das Wasser und alle Lebensmittelvorräte bergen und sich aus Überresten der Schiffsausstattung eine Hütte bauen. In ihr würde er abwarten, bis seine Knie wieder geheilt waren. Dann würde er den Abstieg ins Tal versuchen.

Wie lange er auf diesem Stern wohl würde bleiben müssen? Sicher würde man auf der Erde ein Rettungsschiff aussenden, um sie zu suchen. Er rechnete: Eineinhalb Jahre dauerte der Bau eines neuen Schiffes. Dann würde WRS II zuerst den Mars anfliegen, denn dort vermutete man sie. Von dort würde man, so war es vereinbart, alle erreichbaren Planeten nach ihnen absuchen. Zwei Jahre mußte er mindestens warten, bis ein Rettungsschiff auf diesem Stern landen konnte. So lange mußte er aushalten. So lange aber würden die Lebensmittelvorräte nicht reichen. Und wenn es auf dem Stern nun keinen Organismus gab, keine Pflanzen, keine Früchte, nichts, was ihn ernähren konnte, wenn es kein Wasser gab? Was dann?

Peter Bergen riß sich selbst aus seinen Überlegungen: »Noch ist es nicht so weit«, sagte er laut zu sich, »an die Arbeit, Peter!« Er erhob sich und kletterte aus seiner Höhle. Wenn nur diese unerträglichen Schmerzen in den Knien nicht gewesen wären! Er rutschte über eine Geröllhalde, überwand mit viel Mühe einige Felsblöcke, die ihm den Weg versperrten, und stieg dann zu dem Gipfel hinüber, auf dem das Schiff lag. Dort angekommen, ging er einige Male um das Wrack herum. Es saß festgekeilt zwischen zwei Felszacken, wie in einer Zange eingeklemmt. Ein Abrutschen war nicht zu befürchten. Vorsichtig, weil seine Knie jede Bewegung hinderten, kletterte er durch die aufgerissene Bordwand in das Innere.

In der Dämmerung des Schiffsraumes, in einem Chaos von zerrissenen Drähten, verbogenen Leitungen und Maschinenteilen lagen kreuz und quer und übereinander die Leichen der vier Menschen. Und die Leiche von Smith? Sie mußte in der Notschleuse liegen, wohin sie während des Fluges gebracht worden war. Dazu mußte er durch den Aufenthaltsraum. Er kroch bis zur Verbindungstür. Er riß daran. Sie gab nicht nach. Aber er mußte hinein!

Er konnte die eine Leiche nicht unbestattet lassen. Er suchte sich eine schwere Eisenstange, dann versuchte er es von neuem: Er zwängte die Stange zwischen Türstock und Tür und sprengte und zerrte so lange, bis sie aus dem Schloß sprang. Aus dem geöffneten Türrahmen stürzte ihm ein Berg Konservendosen entgegen, zersplissenes Holz, verbeulter Hausrat. Er mußte das Durcheinander erst wegräumen, um auf der anderen Seite zur Tür des Werkzeugraumes und von dort aus zur Notschleuse zu gelangen. Zuerst warf er die Konservenbüchsen hinter sich, um sich den Weg freizumachen. Dann, als er im Aufenthaltsraum stand, benützte er den Riß in der Bordwand, der sich bis zu diesem Raum zog, um alles, was er fand oder ihm im Weg lang, ins Freie hinauszuwerfen. Es roch übel nach Säure, und eine unerträgliche Hitze, die die Metallwände ausstrahlten, trieb ihm den Schweiß aus allen Poren.

Er war schon eine ganze Zeit an der Arbeit, da spürte er ein ruckartiges Zittern, das durch den ganzen Schiffskörper ging. Er hielt inne und horchte, aber jetzt war wieder alles ruhig. Sicher hatte sich irgendwo im Navigationsraum ein hängendes Eisenstück gelöst und durch seinen schweren Fall das Zittern verursacht. Er bückte sich, um wieder weiterzuarbeiten. Aber wieder verspürte er die ruckartigen Bewegungen. Es knisterte und klirrte so sonderbar, und nun hörte er ein immer stärker werdendes Zischen, ähnlich dem Geräusch eines arbeitenden Schweißapparates.

Eine Sekunde lang stand er aufrecht und hielt sich mit beiden Händen am Türpfosten fest. Da, ein Stoß, wie wenn ihm irgend etwas Schweres in die Nierengegend geschlagen hätte. Er wurde vornüber auf das Gesicht geworfen. Ein ungeheurer Knall, wie von einem in nächster Nähe einschlagenden Blitz, ein dumpfes, bösartiges Donnern erfüllte die Luft.

»Das ist ein Erdbeben«, durchfuhr es ihn. »Raus!« Er sah nichts mehr, er stürzte zurück und stolperte, verfing sich in einem Drahtgewirr, hastete weiter über die Leichen hinweg. Um ihn splitterte, krachte es. Das Schiff schien von einer Riesenfaust geschüttelt zu werden.

Nun bekam er Atemnot. Röchelnd tappte er weiter, riß an irgend etwas herum, was ihn am Weitergehen hinderte, raffte sich wieder auf, wurde herumgeschleudert, und dann war er plötzlich draußen, in einer Hölle von Nacht und Feuer. Um ihn herum heulte und brüllte es, wie wenn der ganze Kessel zerbersten wollte. Er raffte sich auf und rannte stürzend und springend weiter, abwärts, so lange, bis es heller um ihn wurde. Doch immer noch flogen Steine, schlugen ihm gegen die Arme, auf den Rükken ...

Da bemerkte er vor sich einen Felsgrat. Darauf sprang er zu und flüchtete unter eine dachartig vorspringende Platte. Hier war er vor den herumfliegenden Trümmern gesichert.

Was er von hier aus sah, war ein schreckliches und grandioses Schauspiel zugleich: Aus der Kuppe, auf der vorher das Schiff gelegen hatte, schossen in sekundenschnellen Abständen himmelhohe Feuersäulen. Dazwischen stießen schwefelgelb erleuchtete und schwarze Rauchwolken in eine glühende Luft, aus der es Steine und Asche regnete. Über die eine Seite des Berges wälzte sich glühende Lava und überzog die Felszacken und Riffe mit einer goldgelben, rauchenden Feuerschicht.

Er wußte nicht, wie lange er so gestanden hatte – eine Stunde oder mehr –, da ließ die Eruption nach. Die Abstände zwischen den Feuerstößen wurden länger, und mit einem Male endete der furchtbare Spuk so plötzlich, wie er begonnen hatte. Jetzt erst wurde er seiner selbst wieder gewahr, merkte, wie er am ganzen Körper zitterte. Die Kleider hingen ihm in schmutzigen Fetzen am Körper, und wo er sich anfaßte, war Blut, vermischt mit Asche.

Das Schiff war verschwunden, und mit ihm all das, was er zum Leben brauchte. Da fühlte sich Bergen am Ende seiner Kraft. Der ganze Körper war zerschunden und aufgerissen, kaum mehr mit Kleidern bedeckt – er war allein in der Verlassenheit dieses Sterns, ohne Wasser, ohne Nahrung.

In der ganzen Verzweiflung der hilflosen Kreatur sank er zusammen und brach in Schluchzen aus, bis ihn der Schlaf der Erschöpfung erlöste.

Er erwachte durch einen seltsamen Laut. Er versuchte zu denken. Wo war er? Warum hörte er die Lachtaube gurren? Die saß doch in ihrem Bauer in der Diele, oder lag er nicht in seinem Bett im Schlafzimmer? Er wollte die Hand ausstrecken, um nach der Lichtschnur zu fassen. Ein stechender Schmerz ließ es nicht zu, daß er den Arm hob, er brachte ihn in die Wirklichkeit zurück. Bergen wollte die Augen öffnen. Es ging nicht. Sie waren verkrustet von Blut und Asche . . . oder war er blind? In einer furchtbaren Angst rieb und kratzte er an den Wimpern. Gott sei Dank, sie ließen sich öffnen. Es hatte wirklich nur an der Aschenkruste auf seinen Augen gelegen. Er konnte wieder sehen, erst mit dem einen Auge, dann mit dem anderen. Was er sah, war seltsam genug:

Vielleicht drei Schritte vor ihm saß ein Tier. Aus einem grünen, fratzenartigen Gesicht schauten ihn unverwandt zwei rote Augen an. Mit einem Ruck stemmte sich Bergen in die Höhe und saß nun an den Felsen gelehnt. Das Tier zuckte zurück. Dabei ließ es einen gurrenden Laut hören. Dann blieb es wieder ohne Bewegung und starrte ihn an. War es ein Vogel? Aber er sah keine Federn. Es hatte grüne, schillernde Lappen zwischen den Beinen, es waren vielleicht Flughäute. Er dachte an eine Fledermaus. Jetzt sah er deutlicher: Das Tier hatte einen gepanzerten Körper, der lief nach hinten in einen langen Schwanz aus. Es war eine Echse, eine fliegende Echse. Wenn er nun aufstand, würde sie sich verscheuchen lassen, oder würde sie ihn angreifen? Groß genug dazu war sie: Sie mochte gut einen Meter lang sein.

Er wollte sich erheben: Nein, nicht aufstehen, überlegen, erst überlegen, bevor er etwas unternahm. So blieb er sitzen und dachte nach: Es gab also Tiere auf diesem Planeten, und wo es Tiere gab, mußte es für sie auch etwas zum Fressen geben. Andere Tiere, die es selbst fraß, oder Pflanzen, von denen es sich nährte. Es mußte also auch etwas wachsen auf diesem Stern, also mußte es auch Wasser geben, und wo es das gab, da mußte er hinzukommen versuchen. Die Echse, die vor ihm saß, war entweder aus einem Felsenloch hier in der Nähe oder aus der Luft gekommen.

Wie das Tier ihn anschaute? So unverwandt . . . mit seinen roten Augen. Eigentlich war es ein schönes Tier, ein lebend gewordenes Wappentier. Es hatte eine emeraldgrüne Farbe mit braunen, warzenförmigen Tupfen, die über den ganzen Panzer verstreut waren. Der Ausdruck des Gesichts aber war nicht schön: Dieses zusammengekniffene Maul mit den herabhängenden, nässenden Lefzen hatte etwas Widerliches und Bösartiges. Vielleicht wartete das Tier nur auf einen geeigneten Moment, um sich auf ihn zu stürzen.

Bergen begann den rechten Arm vorsichtig hin und her zu schwenken, um auszuprobieren, wie das Tier darauf reagierte. Doch es blieb sitzen, nur die roten Augen folgten jeder Bewegung. Wie das schmerzte, den Arm zu bewegen. Er schwenkte ihn nach rechts, nach links, hob ihn nach oben, nach unten, dabei streifte er mit der Hand seine Hosentasche und fühlte etwas Hartes ... sein Revolver! – Hatte er ihn wirklich noch?

Hastig tastete er danach. Er hing halb aus der zerfetzten Tasche. Bergen atmete erlöst auf. Nun fühlte er sich gerettet. Die Waffe war geladen, das wußte er. Vorsichtig löste er sie aus der zerschlissenen Tasche, entsicherte sie und bereitete sich zum Sprung vor. Es kam jetzt alles darauf an, mit einem Satz hochzukommen. Er sah seine Beine. Sie waren unförmig geschwollen. Ob er sich etwas gebrochen hatte? Nochmals probierte er, bewegte das rechte, das linke, jede Bewegung schmerzte, aber sie folgten seinem Willen, also mußte es gehen. Langsam, Stück für Stück, zog er sie fest an den Leib, beugte sich mit seinem Oberkörper nach vorn, stemmte sich mit beiden Fäusten vom Felsboden ab ... und schnellte mit einem Ruck in die Höhe.

Er stand und streckte, die Finger am Abzug, die Hand gegen die Echse. Das Tier stieß einen fauchenden Laut aus, flatterte erregt mit weit sich entfaltenden Flughäuten und schnellte im nächsten Moment mit häßlichem Krächzen über die schmale Felsplatte hinweg in die Luft. Ein paar Sekunden sah er es im Zickzack wie planlos hin und her flattern, dann verschwand es um einen Felsgrat.

Peter Bergen lachte. Er lachte beglückt, weil die Furcht des Tiers größer war als seine eigene. Er war also in seinem zerschundenen Körper der Stärkere. Wo immer er auch sein mochte, auch hier also war der Mensch stärker als das Tier. Also konnte er vielleicht doch am Leben bleiben. Aber von hier mußte er fort. Die Wunden an seinem Körper würden zu eitern anfangen. Er brauchte Wasser, um sie zu reinigen. Jetzt, da er an Wasser dachte, begann ihn auch das Durstgefühl zu quälen. Er suchte nach seiner Wasserflasche. Sie war weg. Der Gurt, mit dem er sie sich, als er die Konservendosen aus dem Schiff zu werfen begonnen, umgehängt hatte, war abgerissen. Sollte er versuchen, noch einmal auf die Kuppe hinüberzuklettern? Vielleicht fand er dort noch einen Wassertank oder eine Dose mit Milch. Er suchte mit den Augen das Gelände ab. Die Bergkuppe hatte das Aussehen eines Aschenkegels. Von einem Krater war von hier aus nichts zu sehen, nur über den Hang, über den der glühende Lavastrom geflossen war, zogen noch dunstige, gelbe Rauchschwaden. Die Stelle würde er vorsichtig umgehen müssen.

Es war vielleicht überhaupt nicht ratsam, sich jetzt schon der Kuppe zu nähern, aber er mußte es wagen, denn die Hitze wuchs, und mit ihr wurde der Durst immer unerträglicher.

Schritt für Schritt, mit Händen und Füßen, arbeitete er sich aus seinem Felsenloch. Wie mit tausend Nadeln stach ihn jede Bewegung der Arme, der Beine. Immer wieder ließ er sich hinfallen, wenn die Schmerzen zu quälend wurden, und immer wieder versuchte er es von neuem: Ein Meter, zwei Meter, so kam er weiter. Und Asche, Asche, überall, wohin er griff, worauf er trat. Er war vielleicht auf fünfzig Meter an den Kegel herangekommen, dann mußte er es aufgeben. Die Füße brannten auf den heiß gewordenen Schuhsohlen, wenn noch irgendwelche Konservendosen die Eruption überstanden hätten, so lagen sie jetzt tief unter der Asche, für ihn unerreichbar.

Also wieder zurück, irgendwohin, denn hier konnte er nicht bleiben. Er mußte hinab, fort aus diesem steinernen Gefängnis, irgendwohin, wo Wachstum und Leben war. Der Hunger quälte ihn und die Zunge lag ihm vor Durst wie ein Klumpen im Mund. Er spürte die Asche in seinem Gaumen, in der Nase, in den Augen ... Wenn nur irgend etwas gewesen wäre, das er hätte zerkauen können, um die Speicheldrüsen anzuregen; ein Stück Baumrinde, ein Büschel Gras. Gras, das die Kühe fressen und die Schafe, was hätte er jetzt für eine Handvoll gegeben!

Er suchte mit den Augen den Berg ab, um eine günstige Stelle für den Abstieg zu entdecken. Aber auf allen drei Seiten vor ihm schienen unübersteigbare Felswände den Kessel lückenlos einzuschließen. Dort gab es keinen Ausweg. Aber rechts hinter der Felsennase, wo er die Nacht zugebracht hatte ... Vielleicht ging dort ein Weg weiter. In dieser Richtung war auch die Echse verschwunden. Also wieder zurück! Mühselig und unter Stöhnen begann er den Abstieg. Wo der Boden es erlaubte, ließ er sich einfach abrutschen. So kam er schneller vorwärts, denn die stechenden Glieder wollten ihm nicht mehr gehorchen. Jede Bewegung, jeder Schritt wurde ihm zur Qual.

Endlich stand er wieder vor der Felsennase. Dahinter versperrten ihm mehrere große Blöcke die Sicht. Er kroch auf allen Vieren weiter. Es waren noch dreißig Meter, jetzt noch zwanzig, noch zehn, dann mußte er auf die andere Seite sehen können. Er hatte Angst, weiterzukriechen. Kaum fünf Meter über ihm war der Rand der Felsenmauer. Was würde ihn dahinter erwarten? Wieder Felsen und Schluchten, ohne einen Ausweg? Dann würde er keine Kraft mehr haben, um sich weiterzuarbeiten, dann hieß das der Tod. Schwer atmend lag er am Boden. Er konnte die Zunge nicht mehr bewegen, konnte nicht mehr schlucken, so hatten der Durst und die heiße Asche seinen Gaumen, seinen Schlund entzündet.

Plötzlich hastete er mit einem letzten Entschluß auf, stolperte die zehn Schritte hinauf, bis er sich wieder an einem Felsstück festhalten konnte, dann von neuem ein paar Schritte, dann die letzten ...

Er krallte sich an der obersten Kante fest und beugte seinen Körper weit vor, um alles übersehen zu können, um Gewißheit zu haben über Leben und Tod, nein, über den sicheren Tod, denn warum sollte jenseits der Mauer etwas anderes sein als hier? Sollte da drüben eine grüne Wiese sein, mit Wasser und Blumen ...?

Der Tod würde ihn angrinsen aus glühenden, nackten, kupfernen Felsen ...

Weit beugte er sich über die Mauer ... und sein Blick wurde starr. Er zitterte am ganzen Körper.

Bergen glaubte nicht, was er sah: Eine Matte, grün, wie auf den Bergen der Erde. Heiliger, großer Gott! Und Blumen, Blumen blühten darauf, weiße Blumen ... und Bäume standen, zwei, viele, mit roten Früchten daran, so groß wie Kürbisse ...

Er ließ sich über die Mauer fallen, kollerte über Geröll und große Steine und ließ sich willenlos weiterrollen, bis sein Körper still lag und er etwas Feuchtes am Gesicht, an den Händen spürte, dann biß er wie ein Tier in das feuchte Gras, in rauhe Blätter. Wassertropfen hingen daran. Soweit das Kauen ihm noch möglich war, zerbiß er die nassen, runden Halme und schlürfte mit den verquollenen, aufgesprungenen Lippen den Saft aus den Pflanzenstengeln.

Er hielt die Augen geschlossen und kaute und sog und fühlte mit unendlicher Wonne die kühle Feuchtigkeit seine Haut netzen . . .

Nach langer, langer Zeit setzte er sich wieder auf, da saß neben ihm das Tier, die grüne Echse. Einen Augenblick lang erschrak er, aber dann beschlich ihn auf einmal ein glückhaftes Gefühl: Er wurde sich des Umschwungs seines Geschickes bewußt. Der Tod hatte ihn freigegeben, das Leben ihn wieder aufgenommen. Der Stern, auf den er gefallen war, lächelte . . .

Du seltsames, schönes, häßliches Tier, du bist nicht mehr mein Feind. Mein Freund bist du. Grasgrün will ich dich nennen, denn so grün bist du wie die Wiese, wie das Gras, das mich gerettet hat.

Nun begann er, die Dinge, die um ihn waren, zu betrachten: Das Gras zeigte nicht die ihm bekannten Formen. Es waren schachtelhalmartige Triebe und dicke, saftige Blätterbüschel, ähnlich stachellosen Kakteenzweigen, und die Bäume, die da und dort aufragten, erinnerten an afrikanische Gebilde: Die Zweige, die auf dem wulstartigen, dicken Hauptstamm ansetzten, waren blattlos. Oben aber entfaltete der Baum eine Schirmkrone aus fleischigen, wie mit Wachs überzogenen Blättern.

Am Stamm hingen große, sehr große Blüten, die sahen aus wie Trompeten, und neben diesen Blüten die Früchte. Ob sie genießbar waren? Er versuchte mit aller Anstrengung eine, die er eben vom Boden aus erreichen konnte, abzureißen. Aber sie hing zu fest. Da suchte er sich eine andere. Er zog daran und drehte sie, da fiel sie schwer und dumpf aus seinen Händen in das Gras. Sie hatte eine harte, dunkelrote Schale. Mit den Stiefelabsätzen hieb er darauf ein, bis sie platzte. Dann klemmte er seine Hände in den entstandenen Spalt und zerrte ihn auseinander. Da quoll ihm ein Duft entgegen, der ihn jubeln machte. In der Schale eingebettet lag ein gelber, weicher Kern; der roch nach Vanilleschoten. Schon wollte er hineinbeißen, da besann er sich. Er löste ein Stück ab und warf es dem Tier vor. Die Echse stürzte sich darauf und fraß es mit ein paar gierigen Bissen. Also konnte die Frucht nicht giftig sein. Nun biß auch er hinein: So mochte die Durianfrucht schmecken, von der er gehört hatte, daß sie das Köstlichste sei, was auf Erden wuchs. Das saftige, cremeartige Fleisch stillte seinen Hunger gleichermaßen wie es seinen Durst löschte. Bergen überlegte: Wenn er nun noch genug Wasser fand, dann war er vorerst gerettet. Die Frucht hatte wohl Feuchtigkeit genug, um ihn am Leben zu erhalten. Aber er brauchte Wasser für seine Wunden. Er fing also aufs neue an zu suchen, und nun, da er sich gestärkt hatte, begann er wieder Herr seiner Glieder zu werden. Er humpelte zwar mehr als er ging, aber er konnte sich wenigstens wieder aufrecht bewegen.

Die Wiese mochte eine Ausdehnung von 100×300 Meter haben und war auf drei Seiten von hohen, kupferroten Felsen umgeben. Nur an einer Stelle, wo zwei Felsenwände fast zusammenstießen, war ein schmaler Spalt, eben der, durch den er gekommen war. Die dritte Seite war offen. Gleißend stand dort die Sonne und hemmte seinen Blick durch einen Schleier von Glanz und fiebernder Luft. Wasser konnte er nirgends entdecken, obwohl die Gräser feucht, ja fast getränkt von Nässe waren. Irgendwoher aber mußten die Wiese und die Bäume aber doch Wasser erhalten. Das bekamen sie wahrscheinlich nur bei Regen. Vermutlich hatte es vor kurzem in größerem Ausmaß Niederschläge gegeben, und die Wiese erhielt ihre Feuchtigkeit jetzt durch verborgene Rinnsale aus dem Felsen. Er schloß weiter: Er brauchte ein Gefäß, um den Regen aufzufangen. Dazu konnte er sich in den Boden eine Grube graben. Wann aber würde es wieder regnen? Vielleicht geschah das nur in großen Abständen. Da fiel sein Blick wieder auf die Bäume, auf die großen, weißen Blüten. Vielleicht hatten die ... Schon riß er eine davon ab, dabei ergoß sich deren ganzer Inhalt über seine Hände und den einen Arm. Es war Wasser, lauwarmes Wasser. Da riß er eine zweite ab, doch ging er diesmal schon vorsichtiger zu Werke. Er löste sie so, daß sie nicht umkippte, und hielt nun einen Blütenkelch, voll des kostbarsten Nasses in der Hand. Es war viel, wohl ein Liter. Ein Stück des gebogenen Randes brach er ab und setzte den Mund an, um zu trinken. Es schmeckte schal und süßlich. Wenn schon, es war immerhin Wasser. Die Blüten waren ein natürliches Wasserreservoir, aus denen sie sich und den Stamm über lange Trockenzeiten hinweg mit Feuchtigkeit versorgten. Mit der einen Hand riß er nun ein Bü-

schel des schachtelhalmartigen Grases ab, tauchte es in den Blütenkelch und fing an, sich die Wunden auszuwaschen. Das war
eine schmerzhafte und mühsame Prozedur, denn das Blut und die
Asche waren mittlerweile zu einer festen Kruste eingetrocknet.
Dazu mußte er sparsam mit dem Wasser umgehen. Er zählte die
Blüten an den Bäumen: Es waren elf Kelche. Zwei wollte er ver-
brauchen, die übrigen mußte er als Vorrat behalten, denn wer
konnte wissen, wann es hier wieder regnete. Außerdem mußte er
eine Möglichkeit finden, die Blüten zu entleeren, ohne sie vom
Stamme zu reißen, denn sonst würden sie verdorren und konnten
ihre Aufgabe, Wasser für ihn zu sammeln, nicht mehr erfüllen.

Es begann schon zu dämmern, als er endlich damit fertig
wurde, seine Wunden zu reinigen. Sein ganzer Körper, soweit er
ihn sehen oder fühlen konnte, war bedeckt davon. Das letzte Licht
des Tages mußte er dazu benutzen, sie zu verbinden. Zuerst
dachte er daran, sein Hemd in Streifen zu reißen, aber die Absicht
verwarf er wieder. Die Fetzen, die ihm um den Leib hingen, und
die man einmal ein Hemd genannt hatte, waren schwarz und ver-
klebt von Asche und Blut. Er versuchte es mit den großen, fleischigen Blättern, die auf der Wiese wuchsen. Das ging zwar nicht
sogleich, denn sie waren zu dick und außerdem zu wachsartig, um
sich dafür zu eignen. Wenn man aber die kleinen davon an den
schmalen Kanten gegeneinander preßte, so lösten sich die obere
und untere Seite des Blattes mit einem schnalzenden Laut voneinander. Er riß die beiden Blattflächen ganz auseinander und legte
die nun biegsamen Blätter mit der Innenseite auf die Wunden.
Mit dem Mittelstiel der langen Schachtelhalmgräser befestigte er
den Verband. Das ging freilich nur an den Armen und Beinen, die
Wunden am übrigen Körper mußte er unbedeckt lassen.

Die ersten Sterne standen am Himmel, es kam die Nacht. Sollte
er einen Baum zu erklimmen versuchen? Sich irgendwie in eine
Astgabel setzen und dort die Nacht verbringen? Aber die Baumformen hier waren dazu ungeeignet und überdies wäre es zweck-
los gewesen, da ja die Echse und sicher auch die anderen Tiere,
die es vielleicht hier gab, fliegen konnten. Sollte er wieder zurück
in die Höhle der letzten Nacht? Aber dazu fehlte ihm die Kraft.
Auch würde er sie jetzt, da es schon so dunkel war, sicherlich
nicht mehr finden – ganz abgesehen von der Gefahr, auf dem langen Weg dorthin abzustürzen. Also beschloß er, auf gut Glück

hier im Gras liegenzubleiben und möglichst die Nacht wach zu verbringen. Übrigens, die Echse! Wo war das Tier? Er sah es in der Dunkelheit nicht mehr. Hatte es sich irgendwo verkrochen, oder war es zu einem entfernten Nest zurückgekehrt?

Bergen streckte sich wohlig aus, schob seine Hände unter den Kopf, daß dieser wie auf einem Kissen lag, und sah zum Himmel hinauf. Ohne Zahl und funkelnd standen die Sterne in der schwarzsamtenen Nacht. Einige von ihnen waren so groß wie eine Faust und noch größer. Es mochten Monde sein, Trabanten dieses Planeten. Und einer von den Millionen winziger Pünktchen dort oben war die Erde, seine Erde. Wie furchtbar, wie undenkbar unwirklich war doch dies alles. Er lag im weiten Weltenraum auf einem der glitzernden Sterne, die er von der Erde aus jede Nacht gesehen hatte, und nun suchte er die Erde als etwas Fernes, Unerreichbares.

Dort oben lebten und atmeten die anderen und hofften auf ihre Rückkehr. Aber sie kamen nicht wieder. Das Schiff war versunken im Rachen des Berges, und alle waren tot, bis auf ihn.

Er hörte etwas im Gras rascheln, ganz in der Nähe. Eine Schlange? Jäh fuhr er in die Höhe. Nach einer Weile war es wieder still. Sicher war es nur die Echse gewesen. Er fürchtete sie nicht. Er ließ sich wieder zurücksinken. Die Sterne über ihm . . . wie sie glitzerten und leuchteten. Einer davon war seine Heimat . . . Er dachte an Gott: Wenn es wahr war, daß einer über allem lebte, wenn es wahr war, wie die Menschen sagten, daß kein Haar vom Haupte fiel, ohne daß er da oben es wußte, so konnte er auch ihn beschützen, wenn er wollte.

Hatte er ihn ausersehen, den ersten Schritt zu tun von der Erde in sein großes Reich, oder ihn verdammt, hier elend umzukommen, weil er es gewagt hatte, in seine Geheimnisse einzudringen?

Die kühlen Blätter taten gut auf seinen Wunden. Es war gut, alles gut.

Er erwachte mit einem unsäglichen Wohlgefühl. Als er die Augen aufschlug, blaute über ihm wieder ein strahlender Morgen. Auf den Blättern und an den Halmen der Gräser hingen große Wasserperlen. Die Sonne mochte schon etliche Stunden auf dem Weg sein, wenigstens nach dem Zeitmaß der Erde zu schließen. Aber hier war eine Stunde vielleicht länger oder kürzer. Er wollte heute aufpassen, wie lang ihm der Tag vorkam. So ungefähr würde sich das wohl schätzen lassen. Die Luft war schon warm und doch noch erfüllt von einer erquickenden Frische. Er blieb liegen und sinnierte: Nun hatte er doch geschlafen, obwohl er hatte wachen wollen, und niemand hatte seinen Schlaf gestört. Wo war eigentlich die Echse? Ob sie wiederkam? Heute wollte er versuchen, einen Weg ins Tal hinab zu finden. Vielleicht würde er dort unten Menschen antreffen, vielleicht konnte er bei ihnen bleiben. Da lachte er über seine dummen Gedanken. Er war ja nicht auf der Erde in irgendeinem fremden Land, auf irgendeiner Insel, wo es Menschen gab. Aber ins Tal hinab mußte er. Diese kleine Wiese hier hatte ihn gerettet, sonst wäre er verdurstet und verkommen. Doch um für Monate, für Jahre am Leben bleiben zu können, dafür war dieses Stückchen grünes Land zu klein. Heute noch wollte er den Abstieg versuchen, und, als ob er den Gedanken gleich ausführen wollte, erhob er sich. Aber da mußte er feststellen, daß der Tag nicht so himmelblau weitergehen würde, wie er es noch vor wenigen Minuten geträumt hatte. Bei der ersten Bewegung nämlich fingen die Wunden und Geschwülste wieder an zu schmerzen und zu stechen, und anstatt frisch darauf los den Berg hinabzusteigen, humpelte er mit vielem Stöhnen und Ächzen über die Wiese ... und stand nun, als er den Blick der offenen Seite zuwandte, erschüttert von der Größe des Anblicks, der sich vor ihm auftat. In einen türkisblauen hohen Himmel reckten, in endloser Tiefe gestaffelt, Hunderte und Aberhunderte von Vulkanen ihre dünnfingerigen, weißschimmernden Kegel. Darüber schwangen sich in allen Farben des Regenbogens schillernde Lichtbänder durch den Äther und gaben diesem übernatürlichen Bild ein geradezu olympisches Gepräge.

Nach unten aber verlor sich der Blick in ein unabsehbares Wolkenmeer, das in sanften Wellen hin und wider wogte. Von beiden Seiten schoben sich im Vordergrund wie ein dunkler, wuchtiger Rahmen die bronzenen Felsen in die leuchtende Szenerie, während sich vor deren Mitte die groteske, schwarze Silhouette eines verknorpelten Baumes, von der äußersten Spitze eines wie in den Abgrund hinausragenden Grates in das Bild schob.

Es war ihm, als sehe er in das Geschehen der Schöpfung.

Bergen vergaß sein Schicksal, die Not seines zermarterten Leibes, er vergaß die drängenden Gedanken um seine Zukunft und stand in tiefster Ergriffenheit vor der Größe dieses Weltenbildes, das seinesgleichen auf der Erde nicht hatte.

Blitzartig wurde ihm klar, an diesen jungfräulichen, unverwitterten, vegetationslosen Vulkanformen, an diesem verschwenderischen Lichtphänomen, daß der Stern, auf dem er war, in einem viel jüngeren Stadium seiner Entwicklung stand als die Erde.

Er ging an den Rand der Wiese, bis sie unvermittelt abbrach. Dahinter war nichts mehr, auch keine niederen Berge waren mehr zu sehen. Ohne Aufenthalt versank der Abgrund im weißen Nebelmeer. Der Felsgrat aber, auf dem der verwachsene Baum sein gefahrvolles Dasein fristete, schob sich weit aus der Wiese heraus wie eine schmale, gebogene Steinzunge in das Nichts.

So lange er auch mit den Augen suchte und hinabforschte, vom Tiefland konnte er nichts entdecken. Das undurchdringliche Wolkenmeer hüllte es in ein Geheimnis. Vielleicht würden sich die Nebel im Laufe des Tages verziehen. Wie wichtig wäre es für ihn gewesen, einen einzigen Blick in das Tal tun zu können. Soviel erkannte er aber: Hier war ein Abstieg unmöglich. Hunderte von Metern tief stürzten die Wände ab. Um die Struktur des Gebirges noch besser übersehen zu können, entschloß er sich, über den Felsgrat bis zu dem Baum hinauszukriechen. Vorsichtig, Zentimeter um Zentimeter, sich an der spärlichen Grasnarbe festkrallend, kroch er bis zur äußersten Spitze, und von hier aus entdeckte er etwas Neues: Seine Wiese hatte auf der einen Seite der sie abschließenden Felswand eine Fortsetzung. Die Wand war wie eine schmale Mauer, die, wenn man es so ansehen wollte, die große Bergmasse in zwei Kessel teilte. Zu diesem zweiten führte ein schmales Verbindungsband. Es bedeutete wohl ein Wagnis, hinüberzuklettern. Aber er wollte es versuchen. Vorsichtig kroch er den schmalen Grat wieder zurück und schob sich dann an der Stirnseite der Trennwand zum anderen Teil der Wiese hinüber. Es war ein scheußliches Gefühl, mit seinen unsicheren Beinen auf einem kaum meterbreiten Band zu stehen, auf der einen Seite eine grifflose, glatte Wand, auf der anderen den Abgrund. Er mußte die Augen schließen, wenigstens einen Augenblick lang, um den Schwindel zu überwinden. Ein paar Schritte noch: jetzt war er drüben.

Es zeigte sich, daß dieser Teil noch viel reicher an Bäumen und Früchten war als der erste. Aus einem der sie umschließenden Felsen floß ein dünnes Rinnsal, dessen Ergiebigkeit für einen einzelnen Menschen wohl reichen mochte, denn je länger er darüber nachdachte, desto mehr wurde ihm klar, daß er sich für eine längere Zeit hier einrichten mußte. Solange seine Wunden und Geschwüre nicht ausgeheilt waren, und das konnte viele Wochen dauern, war an einen Abstieg nicht zu denken. Er hatte die Früchte und das Wasser. Es fragte sich allerdings, ob diese Nahrung ihn kräftig genug erhielt, um später den Strapazen des Abstiegs gewachsen zu sein. Wie, wenn er doch noch einmal versuchte, zum Krater zurückzukehren. Die Asche war inzwischen sicher abgekühlt, und vor allem die ausgeflossene Lava, daß er die Umgebung nach eventuell noch Brauchbarem absuchen konnte.

Er führte seinen Entschluß auch unverzüglich aus. Nachdem er an einer neu vom Baum gebrochenen Frucht gefrühstückt hatte – wie köstlich sie schmeckte –, machte er sich auf. Der Weg über das schmale Band war das Schwierigste. Dann überquerte er die erste Wiese und kletterte über die Mauer in den Felsenkessel zurück. Es wurde freilich recht mühevoll. Er mußte, namentlich das letzte Stück, oft durch knietiefe Asche waten. Aber er war doch nicht mehr so erschöpft wie gestern. An der Stelle, wo das Wrack gelegen hatte, gähnte nun ein Krater von vielleicht fünfzig Meter Durchmesser. Er war angefüllt mit Asche und schwefelgelben Klumpen, doch zeigte er keine Spur von Tätigkeit. Mit einem Ast, den er sich vorsichtigerweise von der Wiese mitgenommen hatte, grub er nun die Asche rings um das Kraterloch systematisch um. Das erste, was er in die Luft schleuderte, war wirklich eine Blechkonserve, aber aufgerissen, und der Inhalt verkohlt. Er mußte also den Platz in einem weiteren Umkreis absuchen, denn was durch die erste Eruption des Kraters mit fortgeschleudert worden war, war möglicherweise noch unverbrannt und brauchbar.

Er fand dann auch nacheinander eine Reihe von unbeschädigten Dosen. Durch den Erfolg seiner Arbeit ermutigt, grub und schaufelte er, ohne aufzuhören, bis er wieder vollkommen erschöpft war. Er zählte die Ausbeute: Neben einer größeren Menge von leeren Blechdosen waren es 52 noch unbeschädigte Konserven, ein großes Buschmesser, ein gut erhaltenes Beil, neun Rollen Draht und eine Menge Leder und Stoffteile, zum Teil versengt, zum Teil noch brauchbar.

Mit Draht wickelte er seinen ganzen Fund zu einem Paket zusammen, dann begann er, indem er dieses wie einen Schlitten hinter sich herzog, den Rückweg.

Die Wunden waren ihm bei der Anstrengung des Grabens und Bückens wieder aufgebrochen und begannen wieder unerträglich zu schmerzen. Das, und der Umstand, daß er die schwere Last hinter sich herschleppen mußte, machten den Rückweg zeitraubend und beschwerlich. Aber als es Abend war, konnte er auf der Wiese die Ausbeute des Tages vor sich ausbreiten. Er freute sich wie ein Kind am Weihnachtstisch, als er seine Kostbarkeiten sortierte. War doch jedes Stück für ihn in dieser Lage von unschätzbarem Wert.

Da er im Felsen nirgends eine Höhle fand, grub er in die Grasnarbe mehrere Löcher, so tief der Humus reichte, und verbarg darin seine Schätze.

Zwei Blütenkelche voll Wasser brauchte er an diesem Abend wieder, um seinen Körper aufs neue von Schmutz und Asche zu reinigen und die Wunden zu säubern. Dann fiel er vor Ermüdung in einen traumlosen Schlaf.

Der nächste Morgen sah Bergen wieder am Krater beim Graben. Der Erfolg war zwar nicht mehr so groß wie am ersten Tag, immerhin aber vermehrte sich sein Bestand an lebensnotwendigen Dingen so ausgiebig, daß er diese seinem wunden Körper sehr unzuträgliche Arbeit vorerst einstellen konnte. Später wollte er den noch nicht umgegrabenen Teil der Aschendecke einmal absuchen. Jetzt aber schien es ihm notwendig, für einen geeigneten Unterschlupf zu sorgen, denn in der letzten Nacht hatte ein schwerer Gewitterregen seinen Schlaf recht unsanft abgebrochen, und er hatte den Rest der Nacht vollkommen durchnäßt und frierend zugebracht. Dies und verschiedene Wetterbeobachtungen brachten ihm zum Bewußtsein, daß er in der Höhe, in der er sich befand, bei einem etwaigen Wettersturz der Unbill von Regen und Wind ziemlich schutzlos ausgeliefert war. Er konnte sich wohl zur Not in die Berghöhle im Kessel zurückziehen, aber auch die würde ihm wenig Schutz bieten, abgesehen davon, daß bei schlechtem Wetter der tägliche Weg dahin nicht gerade gemütlich sein würde. Demgegenüber glaubte er auf einer der beiden Wiesen einen idealen Platz für eine Hütte vor sich zu haben, denn die blühenden Bäume bewiesen, daß sie im windgeschützten Winkel lagen. Er beschloß also, sich einen Unterschlupf zu bauen.

Zuerst ging Bergen daran, sich für den Bau die geeignete Stelle auszusuchen. Da auf der zweiten Wiese Wasser vorhanden war – er nannte sie deshalb Quellenwiese –, stand es von vorneherein fest, daß dort auch die Hütte entstehen sollte. Allerdings hatte sie den Nachteil, daß er, so oft er sie verließ, das schmale Felsband überqueren mußte. Aber das Vorhandensein einer Quelle entschied. Außerdem hatte sie, gerade durch die schwere Zugänglichkeit, im Notfall den Vorzug, sich leichter verteidigen zu lassen. Aus der Beschaffenheit der Baumrinde und der Richtung der Stämme zog er die Schlüsse für die vermutliche Windrichtung bei Schlechtwetter. Er wählte eine Ecke, in der zwei Felswände fast senkrecht aneinander stießen. Eine vorspringende Felsplatte kam ihm sehr zu statten. Sie wollte er gleich als Teil des Daches benützen. Zum Bau hatte er etwas Werkzeug und viel Draht. Sonst gab es an Baumaterial nur Felsblöcke. Daraus ließen sich die Wände bauen, Bergen begann unverzüglich mit der Arbeit. Er steckte sich, von den Felswänden ausgehend, die Linie der zukünftigen Mauern auf dem Boden ab und holte als nächstes alle Blöcke zusammen, die auf der Wiese herumlagen. Mit großer Sorgfalt fügte er sie in- und aufeinander. Die verbleibenden Löcher stopfte er mit Gras und Erde zu. Als es Abend war, standen die zwei Wände. Es schmerzte ihn zwar jede Stelle seines Körpers, aber glücklich und voll Stolz besah er sein Werk.

Er hatte beim Bau der Mauer eine interessante Feststellung gemacht: Das Beil – er hatte es dazu benutzt, um einige Äste von den Bäumen zu schlagen – wog hier um vieles schwerer in der Hand als auf der Erde, während er Felsstücke von einer Größe hier hochzuheben und zu tragen vermochte, die er auf der Erde sicher nicht von der Stelle hätte bewegen können. Es wogen also auf diesem Stern alle metallischen Gegenstände schwerer und alle anderen Körper weniger als auf der Erde. Es mußte einerseits die Masse und damit die Anziehungskraft des Weltkörpers wesentlich kleiner als die Erdkugel sein, oder er hatte eine größere Geschwindigkeit, so daß die Fliehkraft stärker in Erscheinung trat, was dann ihrerseits die Anziehungskraft nach der Sternmitte verringerte. Andererseits mußten in seinem Innern starke magnetische Kräfte wirken, so daß alle metallischen Gegenstände um Wesentliches schwerer wogen als auf der Erde.

Nun glaubte er auch eine Erklärung gefunden zu haben, warum ihr Schiff gegen alle Berechnungen Plenatis schon aus so großer Entfernung auf den Planeten zuzustürzen begann: Der nickeleiserne Schiffskörper war in sein magnetisches Kraftfeld geraten und von diesem angezogen worden.

Am nächsten Morgen machte Bergen sich daran, seine Mauern zu überdachen. Dabei stand er eine Zeitlang vor einem unlösbaren Problem. Er dachte an ein Drahtgeflecht mit einer Grasdecke darüber. Dann wieder wollte er Baumäste eng nebeneinander legen und sie mit flachen Steinen wie mit Dachziegeln abdecken. Da kam ihm ein rettender Einfall: Er löste von mehreren Baumstämmen die Rinde ab. Das ging verhältnismäßig leicht, nachdem mit dem Beil einmal die zähe, lederartige Haut aufgeschlitzt war. Dann breitete er sie flach auf dem Boden, beschwerte sie an den vier Ecken mit Steinen und ließ sie in der Sonne trocknen. In der Zwischenzeit bastelte er mit Baumästen und Draht die Dachsparren.

Je mehr seine Hütte der Vollendung entgegenging, umso größer wurde seine Arbeitslust, die nur gedämpft wurde durch die Beschwerden und Schmerzen, die ihm seine Wunden bereiteten. In der Hitze des Tages trockneten die Dachplatten rasch, und als er am nächsten Mittag die Steine abhob, da waren die Rindenstücke eben und steif wie ein Blech. Mit Draht befestigte er die Stücke an den Dachsparren und erzielte eine dicht schließende Decke. Den Boden der Hütte belegte er mit kleinen Steinen und breitete darüber eine Lage Baumrinde. Bei Regen würde das Wasser zwischen den Fugen ablaufen, und er erhielt sich so über seinem Steinrost einen trockenen Boden.

Einen Berg duftenden Heus schichtete er sich als Lager auf. Und dann war es endlich soweit: Als wieder die Nacht kam, da lag er unter seinem eigenen Dach auf einem herrlichen weichen Bett und hörte mit Wohlbehagen in der trockenen Hütte, wie der Gewitterregen auf das Dach trommelte.

Nun, da die größte Sorge, kein Dach über dem Kopf zu haben, beseitigt war, konnte er auch daran denken, sich zu schonen und seine Wunden zu pflegen. Zu seinem Kummer befand sich unter den Dingen, die er in der Umgebung des Kraters gefunden hatte, nichts, was er für die Behandlung seiner Wunden hätte brauchen können. Einige kleine Schnitte und Risse begannen wohl schon zu verkrusten, die größeren aber, und namentlich solche, die bei der Arbeit immer wieder gezerrt und verschmutzt wurden, fingen an zu eitern und bereiteten ihm starke Schmerzen. Im ganzen war er nach den Anstrengungen des Hüttenbaues sehr elend, und er beabsichtigte, sich nun Schonung angedeihen zu lassen.

In der Folgezeit lag er nun oft stundenlang in der Sonne oder im Schatten der Felsen oder eines Baumes, um seinem Körper Ruhe zu gönnen und sich zu kräftigen. Doch blieb noch manches zu tun: Das Dach mußte stärker befestigt, die Ritzen noch endgültig mit Gras und Erde verstopft werden, und seit gestern hatte er dazu eine neue Beschäftigung, die ihn ganz in Anspruch nahm: Am Rande der Wiese hing, wohl vom Sturme geknickt, ein verdorrter Baum über dem Abgrund. Nur mit ein paar stärkeren Wurzeln, die in schmale Felsspalten hineingewachsen waren, hielt er noch auf seinem Untergrund fest. Dieses trockene Holz wollte er sich sichern. Freilich hatte er im Augenblick keine Verwendung dafür, denn er hatte kein Feuer. Aber nach der Eruption, die er erlebt hatte, schien es ihm nicht unmöglich, daß er, solange er hier oben festgehalten war, noch mehrere solcher Vulkanausbrüche mitmachen würde. In diesem Falle konnte er aus der glühenden Lava Feuer erhalten.

Er machte sich einen Plan, wie er den Baum auf das Wiesengelände hereinziehen könnte. Das schien ihm nach einiger Überlegung sehr einfach, die Ausführung jedoch stieß auf große Schwierigkeiten, denn bei dem Versuch, den Baum abzuhacken, war er nahe daran, selbst abzustürzen. Schließlich fand er doch eine Lösung: Er drehte sich aus mehreren Drähten ein starkes Seil, machte an das eine Ende eine Schlinge und versuchte diese über einen der über den Abgrund hängenden Äste zu werfen. Das gelang nach einigen vergeblichen Versuchen. An einem auf der Wiese stehenden Baum befestigte er das andere Ende des Seiles, und sich selbst mit einem zweiten, um nicht in die Tiefe zu stürzen, wenn er bei der Arbeit das Gleichgewicht verlieren sollte. So hieb er, auf dem Bauch liegend, weit über den Abgrund gebeugt, mit dem Beil auf den dürren Stamm ein. Das war eine mühselige Arbeit, denn in seiner ungünstigen Haltung konnte er den Schlägen nicht die nötige Wucht geben. Nachdem aber die Hälfte der Dicke durchschlagen war, kam ihm die Schwere des Baumes zu

Hilfe. Krachend splitterte er ab und zog bei dem Absturz die Drahtschlinge fest um den Ast.

Der erste Teil der Arbeit war geschafft. Zwar nicht mehr so gefährlich, aber noch schwieriger war der zweite, den an dem Seil über dem Abgrund hängenden Baum auf die Wiese zu ziehen. Unter den Schwereverhältnissen der Erde wäre das für einen einzelnen Menschen unmöglich gewesen. Hier aber, wo andere Gewichtsverhältnisse galten, gelang es ihm schließlich, ihn über die Felskante heraufzuziehen.

Er brauchte viele Tage, um ihn kleinzuhacken. Während er noch damit beschäftigt war, schlug das Wetter um, und zwar mit unvorhergesehener Schnelligkeit: Eines Nachmittags schoben sich vom Norden her – er hatte die Himmelsrichtungen nach dem Aufgang der Sonne festgelegt – ziemlich rasch dicke Wolkenbänke über die Gebirgskämme und überzogen in Minutenschnelle Stück für Stück des blauen Himmels mit ihren schwarzen Ballen. Das würde ein Gewitter geben. In aller Eile sammelte er sein Brennholz in die Hütte. Schon wälzten sich mit schwefelgelben Rändern neue Wolkenschichten über die Felswände und gaben dem Himmel ein bösartiges Aussehen. Die Luft wurde unbeweglich und bleiern.

Längst waren die letzten Sonnenstrahlen hinter dem dräuenden Dunkel verschwunden. Da, aus der lauernden Stille, zuckte ein armdicker Strahl in die Tiefe. Mit einem Peitschenknall setzte der Donner ein, und sein Brüllen schlug in hundertfachem Echo von Felswand zu Felswand. Dann tobte die wilde Jagd heran, überfiel wie mit vernichtenden Tatzen die mächtigen Berggipfel und Wände und überschüttete das Gebirgsmassiv mit steinbrockengroßem Eishagel. Nach einer Weile ging das lärmende Trommelfeuer in Regen über. Aber was für ein Regen! Als ob das ganze Firmament ein Meer wäre, das plötzlich über dem Planeten ausgeschüttet würde, so stürzte die Flut über das Gebirge.

Bergen stand in seiner Hütte und hielt mit dem letzten Aufgebot seiner Kräfte die beiden Hauptdachsparren fest, um nicht das Dach einen Raub des Sturmes werden zu lassen. Dabei ergossen sich trotz der Rindendecke wahre Bäche über ihn, so daß ihm für Sekunden die Luft zum Atmen fehlte.

Das Rauschen der Wasser und das Heulen des Sturms übertönten das Brüllen des Donners, den er nur durch das Aufflammen der Blitze feststellen konnte. Dann war jedesmal die wassererfüllte Luft in ein milchiges Weiß getaucht.

So schnell das Unwetter gekommen war, so schnell tobte es sich aus. Das Rollen des Donners wurde dumpfer und entfernter, und der Regen ging über in ein ruhiges, gleichmäßiges Strömen. Das Gewitter verebbte.

Es vollzog sich alles schnell auf diesem Stern, und die Naturkatastrophen schienen sich wenig Zeit zu lassen. Es war aber auch allerhöchste Zeit gewesen, daß die Gewalt des Sturms nachgelassen hatte, denn lange hätte er das Dach nicht mehr halten können. Wie aber sah es in der Hütte aus: Bis zu den Waden stand Bergen im Wasser, das durch das Dach und an den Felswänden herab unablässig weiterströmte, und um ihn herum, in wirbelnden Kreisen, schwamm sein Bett, sein schönes Heubett zusammen mit dem wertvollen Brennholz. Dabei schüttelte ihn der Frost bis in die Knochen. Als er aus seiner Hütte trat, stand er im dichtesten Wolkennebel. Er sah kaum weiter als seine Arme reichten.

Es war eine lange, lange Nacht, die nun folgte. Wie in einem Käfig stapfte er in seinen vier Wänden auf und ab, immer vier Schritte vorwärts, dann wieder vier Schritte zurück. Ab und zu setzte er sich auf ein Felsstück, um sich etwas auszuruhen, dann aber mußte er wieder gehen, um sich Wärme zu verschaffen.

Den ganzen nächsten Tag und die darauf folgende Nacht blieb der Nebel und strömte der Regen in gleicher Einförmigkeit weiter. Bergen fühlte sich in seiner eiskalten Hütte und den durchnäßten Kleidern sterbenselend. Endlich, am zweiten Tag, riß die Wolkendecke auf, und von da an begann zuerst für Minuten und dann für immer längere Zeit die Sonne wieder durch das Gewölk zu dringen. Wenngleich der Wind noch scharf und eisig wehte, so begannen seine Kleider doch endlich zu trocknen. Mit dem aufklarenden Wetter fing ein Brodeln in den den Berg umgebenden Wolkenmassen an wie in einer Waschküche. Dabei stieg das Gewölk langsam höher und höher, um sich hoch über den Bergspitzen aufzulösen.

Als er wieder bis zum Felsgrat hinaussehen konnte, war der große, verkrüppelte Baum auf der vorspringenden Felsennase verschwunden. Das war schade, denn es nahm dem grandiosen Naturbild, das er Tag um Tag von seiner Wiese aus genoß, den Reiz. Aber wie jedes Unglück irgendwo auch seine gute Seite hat, so hatte auch diese Wetterkatastrophe Bergen einen Dienst erwiesen. Von der Felswand, die die beiden Wiesen voneinander trennte, war durch Blitzschlag ein großes Stück abgespalten und anstelle des gefährlich zu begehenden Bandes ein bequemer Steig entstanden. Erstaunlicherweise hingen an den Bäumen sowohl noch Blüten als auch Früchte, und zwar an denen, die in der Nähe der Hütte standen. Das bewies, daß er für sein Haus die geschützteste Ecke ausgewählt hatte.

Wieder spähte er in die Tiefe hinab, denn er war überzeugt, daß nun das große Wolkenmeer da unten ebenfalls mit in die Höhe gestiegen war und ihm den Blick ins Tal freigab. Aber dort unten hatte sich nichts geändert. Im gleichen ruhigen Rhythmus wie vorher wogte die Wolkendecke unter ihm und versperrte ihm den Blick auf das Tiefland. Dafür gab es nur eine Erklärung: Das waren keine gewöhnlichen Wolken. Diese Dunstgebilde hingen mit der darunterliegenden Planetendecke zusammen. Diese Erkenntnis und vor allem der Umstand, daß dieses Nebelmeer so endlos schien, erfüllte Bergen mit neuer Besorgnis. Vielleicht gab es da unten gar keine Lebensmöglichkeit für ihn. Das Vorhandensein der Echse bewies noch nicht das Gegenteil. Möglicherweise gab es nur wenige Arten von Lebewesen auf diesem Stern, und die fanden ihre Nahrung irgendwo in höheren Bergregionen, in Gebieten, die ihm nicht zugänglich waren, oder doch auf die Dauer für ihn keine Lebensbedingungen boten.

Wenn er oft in den folgenden Tagen das Tier vor sich sitzen sah, denn immer wieder erschien es auf der Wiese, wie wenn es von seinem Wesen angezogen würde, dann sah er ihm lange in das fratzenhafte Gesicht und redete mit ihm: »Du, Grasgrün, du Geschöpf dieses Sterns, sag mir doch, was mich hier, was mich da unten erwartet. Seid ihr, grünes Gewürm, die einzigen Lebewesen, die dieser Weltkörper gezeugt hat? Daß ich mit dir fliegen könnte, wenn du nachts zu deiner Brut fliegst! Du, Grasgrün, bring mir etwas mit von da unten, verstehst du, einen Zweig, eine Blume . . .«

Mit rubinroten Augen starrte die Echse auf den Menschen, fraß die Fruchtreste, die Bergen ihm vorwarf, und spannte, wenn die Dämmerung kam, seine weiten Flughäute und verschwand mit schweren Schlägen hinter einer Felswand.

Nach einigen Tagen, an denen noch stundenweise dichte, zusammenhängende Nebelmassen über den Himmel zogen, strahlte die Sonne wieder wie vordem aus der seidigen Bläue des Firmaments. Trotzdem aber wollte es nicht wieder warm werden. Es blieb ein kalter, unfreundlicher Wind, und Bergen vergrub sich nachts tief in das Heu, das er inzwischen mit viel Mühe wieder leidlich getrocknet hatte. Er sehnte sich mehr denn je danach, etwas Warmes in den Magen zu bekommen. Wohl lag das Brennholz wieder getrocknet und sorgfältig aufgeschichtet in der Hütte, aber was nützte ihm das, wenn er kein Feuer hatte, um es anzuzünden. Er erinnerte sich an Abenteurergeschichten, in denen der Held ein Brillenglas in seiner Tasche fand, mit dem er in der Sonne ein Feuer entfachte. Er hatte weiß Gott schon alle Taschen mehr als einmal umgekehrt, aber weder ein Vergrößerungsglas, noch ein Feuerzeug, noch gar eine Streichholzschachtel darin gefunden ... Da starrte Bergen plötzlich vor sich ins Leere. Eine Erinnerung tauchte in ihm auf, ja, sprang ihn förmlich an, eine Szene, kurz vor dem Start des WRS I ... eine kleine, nebensächliche Begebenheit, jetzt kristallisierte sie sich wieder in allen Einzelheiten vor seinem geistigen Auge ...

... Er wollte damals eine Zigarette anstecken, gerade hatte der Tankwart den Schlauch aus dem Autotank gezogen ... da zwickte ihm Dr. Brookens das Streichholzendchen ab und steckte es ihm in die Tasche seines Overalls.

In seinem Gehirn jagten sich die Überlegungen: Welchen Monteuranzug hatte er damals angehabt? Er versuchte sich den Ablauf der Tagesbegebenheiten im Schiff wieder ins Gedächtnis zurückzurufen, alle Einzelheiten nachzudenken ... Unterdessen war er aber schon dabei, die gefundenen Kleiderreste aus ihrem Versteck zu zerren und zu sondieren. Hier war ein Stück, das konnte von der Jacke sein, die er beim Start getragen hatte ... aber es war keine Tasche daran. Er untersuchte ein zweites Stück mit dem gleichen negativen Ergebnis. Aber dann hielt er eines in der Hand mit einer oberen Seitentasche. Erregt tastete er sie ab. Mit dem Fingernagel kratzte er in den Säumen der Innenseite herum, riß die Nähte auf ...

Da! Heiß durchfuhr es ihn, er fühlte etwas Kleines, Hartes zwischen den Fingerspitzen ... Es war, durch wollige Staubteilchen fast unkenntlich gemacht, ein kurzes Streichholzendchen mit einem unverletzten, schwarzen Kopf.

Da hielt Bergen es an den Mund und küßte es ... ja, wahrhaftig, er küßte das Stückchen Streichholz. Großer Gott, flüsterte er, kein Haar fällt von unserem Haupte, ohne daß du es weißt. Mit Sorgfalt wischte er den Staub von dem Schwefelhölzchen, und dann begann eine heilige Handlung.

Ein Streichholz hatte er nur, dieses eine, einzige. Wenn das versagte, oder wenn es verlosch, bevor ein zweites Stückchen brannte, war es vorbei, unwiderruflich aus. Er suchte sich aus den Lumpen ein Stück wollenes Gewebe, zerzupfte es, so daß Faden neben Faden lag, und schichtete diese zu einem kleinen Gewölbe übereinander. Dann schnitt er aus dem trockensten Stück Holzspäne, so dünn wie gespaltene Streichhölzer und legte sie daneben bereit. Mit angehaltenem Atem und klopfendem Herzen rieb er das schwarze Schwefelköpfchen an einer rauhen Stelle des Beils, einmal, zweimal ... es knirschte leise, zischte auf und – brannte. Mit zitternden Fingern hielt er es unter die Wollfasern, solange, bis es ihm die Fingerspitzen anbrannte. Die losen Fäden fingen Feuer, die kleinen Holzspänchen züngelten auf, größere fingen zu brennen an, das ganze kleine Häufchen vor ihm loderte auf.

Er hatte Feuer. Er hätte jubeln können ... nun streute er Heu darüber, dann legte er Rindenteile darauf und wieder Holzspäne, und dann trug er das göttliche Geschenk auf der Steinplatte, auf der er es entfacht hatte, in die geschützteste Ecke seiner Hütte. Lange saß er davor, wölbte die Hände darüber und spielte wie ein Kind mit der Wärme, die davon ausstrahlte.

An diesem Abend genoß er zum erstenmal warmes Essen. Ihm war, als flösse mit der warmen Labe neues Leben in seinen Körper. Es bedurfte seiner ganzen Sorgfalt und Aufmerksamkeit, um die Glut auf dem Stein vor dem Erlöschen zu bewahren, und Bergen wachte, wie eine Vestalin, Tag und Nacht über seinem Herd.

Tage und Wochen vergingen, in denen er in seiner Einsamkeit keine wichtigere Arbeit hatte, als das Feuer zu hüten. Nur auf Stunden durfte er die Hütte verlassen. Diese Zeit benutzte er, um das Gelände in der Nähe des Kraters nach etwa noch vorhandenen Gegenständen aus dem Schiff abzusuchen, vor allem aber, um einen Abstieg in das Tal auszukundschaften.

Er hatte einen Felskamin, nicht weit vom Krater entfernt, entdeckt. In den ersten Morgenstunden konnte man an dessen unterem Ende Licht sehen. Also war er dort offen. Durch ihn wollte er, wenn es soweit war, einen Abstieg versuchen. Dazu aber brauchte er ein Seil, denn, ging dort unten kein Weg weiter, so mußte er wieder heraufklettern. Er drehte sich ein solches aus Draht und Bast, den die Bäume zur Genüge lieferten. Als er es fertig hatte, ging er damit wieder zum Kamin und ließ daran einen Stein hinab. Das Seil war noch zu kurz. Beim zweiten Versuch am nächsten Morgen hörte er das Gewicht aufschlagen und sah es tief unten, hell von der Sonne beschienen, liegen.

Vierzehn Tage noch blieb er auf der Quellenwiese. Er überlegte seinen Plan immer und immer wieder und durchdachte ihn nach allen Seiten: Erst wollte er den Weg durch den Kamin nehmen. Konnte er von dort aus nicht weiter, so mußte er wieder zurück und doch versuchen, über eine der Felswände aus dem Kessel herauszukommen, um jenseits desselben einen Abstieg zu finden. Ob dazu seine bergsteigerischen Fähigkeiten ausreichen würden, wußte er freilich nicht, aber er wollte sich nicht jetzt schon durch vorzeitige Grübeleien den Mut nehmen.

In den letzten Tagen nahm er Abschied von seiner kleinen Welt. Er ging noch einmal alle Wege, stieg noch einmal in die Höhlen, die er im Laufe der vielen Wochen in den Felswänden des Kessels entdeckt hatte. Seine Quellenwiese, so verlassen und dürftig sie auch war, sie war ihm doch für Wochen ein Zuhause gewesen. Er hatte am Morgen gewußt, wo er am Abend sein Haupt zum Schlafen hinlegen konnte. Wenn er nun fortging, so ging er von neuem in die Ungewißheit des unbekannten Sterns.

Eins allerdings hatte sich gebessert seit dem ersten Tag seines Aufenthalts auf dem Planeten: Er war wieder gesund und konnte seine Glieder ohne Schmerzen gebrauchen. Die größeren Wunden hatten zwar häßliche Narben hinterlassen, aber sie waren doch alle verheilt – und er wieder im Vollbesitz seiner Kräfte.

Eines Morgens endlich war es so weit: Mit Holzkohle schrieb er an die Felsenwand seiner Hütte: »Hier fand ich, Peter Bergen, der einzige Überlebende des Weltraumschiffes I, meine erste Zuflucht und verbrachte hier 53 Planetentage. Gott gebe mir weiter seine Hilfe.«

Dann verließ er die Quellenwiese, einem unbekannten Schicksal entgegen.

Sein Anzug bestand aus Überresten seiner Kleider, die er gereinigt und mit den gefundenen Stoffresten mit Hilfe einer Drahtnadel und Bastfasern geflickt hatte.

Einige Bergseile, das nötigste Werkzeug, Messer und Beil, und der Rest der Konserven, das war sein Gepäck. Dazu kam noch eine Dose Wasser und eine, in die er die Glut von seinem Herd gepackt hatte. Dazu ein Bündelchen Rinde und ein Bauschen Heu, um das Feuer zu nähren und neu zu entfachen.

Er war bald am Krater angelangt. Nun begann der Abstieg durch den Kamin: Er schlang das Seil um einen Felsblock, ließ das andere Ende hinabfallen und hantelte sich, indem er sich mit Knien und Füßen am Felsen abstieß oder festspreizte, langsam durch die engen Wände. Als er fast unten war, erwies sich der Ausstieg als zu eng, um ihn mit dem ganzen Gepäck durchzulassen. Mit großer Mühe löste er die Tragriemen von seinen Schultern und ließ die ganze Last hinabfallen, nur die Wasser- und die Feuerdose behielt er in der Hand. Dann zwängte er sich durch das enge Ende. Erleichtert atmete er auf, als er unten aus einer Felsspalte heraustrat: Der Weg schien tatsächlich weiterzugehen. In einer Neigung von etwa 50 Grad zog sich eine glattgeschliffene, mächtige Felsplatte in die Tiefe, um weit unten in dem geheimnisvollen Nebelmeer unterzutauchen. Nun würde er also mit dieser von der Höhe aus mit soviel Rätseln verbundenen Wolkenbildung Bekanntschaft machen.

Er band sein Bündel wieder auf den Rücken, setzte sich auf den Boden und rutschte, indem er die Beine ausstreckte und den Körper jeweils nachzog, Meter um Meter die Felsplatte hinab.

Nach schätzungsweise zwei Stunden dieser auf die Dauer anstrengenden Abwärtsbewegung näherte er sich der Wolkenzone. Obwohl er noch gut hundert Meter darüber war, umfing ihn doch schon der üble Atem, der davon ausging. Später beobachtete er, daß an der Grenze der Wolken die Felsen mit einem weißem Kristallbelag beschlagen waren. Bergen sah sich nach Grasgrün um. Das Tier war ihm von der Quellenwiese her den ganzen Weg gefolgt. Kein Zweifel, jetzt, in der Nähe der weißen Wolken, erkannte er an ihm deutliche Zeichen von Unruhe. Sollte er darin eine Warnung sehen?

Als er nach einigen Überlegungen den Weg wieder aufnahm, flog die Echse auf und blieb weit oben auf der Felsplatte sitzen. Nun kamen Bergen ernstliche Bedenken, den Weg fortzusetzen. Andererseits wollte er den Abstieg nicht aufgeben. Das Verhalten des Tiers bewies noch nicht, daß die Nebelschicht gefährlich war. Die Dämpfe konnten dem Tier auch nur zuwider sein. Vielleicht auch war die Schicht nur dünn, und er konnte unter ihr ungehindert weitergehen.

Da kam ihm ein glücklicher Einfall: Er kroch wieder die Platte hinauf bis zur Echse und band dieser hinter dem Kopf eine Bastschnur um den gehörnten Hals. Das Tier, dem die Fessel ungewohnt war, zerrte störrisch daran herum. Dann tauchte er einen Lappen in das Wasser und band ihn sich vor Mund und Nase. Danach setzte er, indem er das sich sträubende Tier gewaltsam nachzog, die Rutschpartie mit erhöhter Eile fort. Bald schlugen die ersten Nebelschwaden um seine Beine, um seinen Leib, und dann war er völlig von ihnen eingehüllt.

Sofort begann er am ganzen Körper zu schwitzen, die Augen tränten. Er setzte zwar seinen Weg fort, hatte aber dabei das dumpfe, beklemmende Gefühl, in etwas Schreckliches zu gleiten, das ihn vernichten würde. Noch fünfzig Meter mochte er hinabgekommen sein, dann spürte er ebenen Boden unter den Füßen.

Das Tier zerrte wild an seiner Fessel, flog auf und fiel wieder ungeschickt zur Erde, dabei drängte es nach einer ganz bestimmten Richtung, die fast der entgegengesetzt war, der er selbst zustreben wollte. Da ließ er die Leine abrollen und folgte laufend und springend der gespannten Bastschnur. Es ging bergauf und bergab, über Steine und durch heißen Morast, in den er bis an die Knöchel versank. Er sah, wie es um ihn kochte und brodelte. Allmählich drang der heiße, giftige Nebel durch die nassen Tücher. Quälender Husten begann ihn zu schütteln. Es war ihm, als müßte er ersticken. So taumelte er mehr als er lief hinter der gespannten Schnur, deren Ende er krampfhaft in seinen Fäusten hielt.

Da lichteten sich fast ohne Übergang die weißen Schwaden; sein Gesicht, der Körper wurden frei. Er stand wieder in der reinen Luft. Die Echse flatterte taumelnd mit krächzendem Husten immer noch vor ihm her. Sie war am ganzen Körper weiß. Da sah er an sich hinab, auch er war über und über mit einem schimmelartigen Belag überzogen, der wie Reif abfiel, als er daran klopfte.

Zuerst befreite er sich selbst von den scharf nach Salpeter riechenden Kristallen. Dann versuchte er das am Boden liegende Tier zu säubern. Es ließ sich diese Prozedur ohne Widerstreben gefallen. Als er damit fertig war, sah er, daß es nicht mehr lebte.

Da war Bergen erschüttert. Das Tier hatte mit seinem sicheren Instinkt den kürzesten Weg aus dem Nebel gefunden, in dem er ohne dessen Führung verloren gewesen wäre.

Er erstieg einen Felsblock, um, vor den aufsteigenden Dünsten besser geschützt, rasten zu können und überdachte seine Lage: Was er soeben an seinem äußersten Rand gestreift hatte, war ein vulkanisches Nebelmeer. Das also waren die geheimnisvollen Wolken, die er von der Quellenwiese aus jeden Tag beobachtet hatte. Vermutlich bildeten sich über der noch dünnen Rinde des Weltkörpers Gase, die nur so hoch stiegen, bis sie sich in einer bestimmten, kühleren Temperatur verfestigten und als Kristalle wieder in die kochende Masse zurückfielen. Nur so schien es ihm erklärlich, daß diese riesigen Nebelschwaden nicht das ganze Gebirge mit ihrem giftigen Atem erfüllten. War die ganze tiefergelegene Planetenoberfläche mit diesem Giftmeer erfüllt, so war seine Lage hoffnungslos und er auf die Berge verbannt, bei deren Unzulänglichkeit er wenig Aussicht hatte, ein größeres, zu seinem Leben ausreichendes Vegetationsgebiet zu finden; dann würde er früher oder später sein Ende in dem giftigen Planetennebel finden.

Die Sonne hatte noch nicht den Zenit erreicht, also blieb ihm heute noch Zeit, etwas zu unternehmen, und er entschloß sich, seinen Abstieg fortzusetzen, nicht, weil er sich noch einen Ausweg versprach, sondern weil er es für besser hielt, überhaupt etwas zu tun, als schon jetzt untätig das Ende zu erwarten.

So machte er sich, nachdem er ausgeruht war und sich gesättigt hatte, wieder auf den Weg. Diesmal allein, denn sein treuer Gefährte war tot.

Nach einigem vergeblichen Hin- und Herklettern gelangte er in eine Schlucht, in die sich unter Brausen und Tosen ein Sturzbach zwängte. Ihm folgte er so gut es ging, daneben oder darin watend. In vielen Windungen ging es bald steiler, bald in schwächerer Neigung abwärts. Die Wände schoben sich über ihm dunkel zusammen, und nur ein schmaler Streifen blauen Himmels spendete noch dämmeriges Licht.

Stunde um Stunde verrann, in denen er durch das eisige Wasser patschte, kletterte und rutschte. Längst hatte er schon keinen trockenen Faden mehr am Leibe, aber die starke körperliche Anstrengung machte ihm warm genug, um den Frost nicht zu spüren. Einige Male hielt er inne und überlegte, ob er diesen unheimlichen Weg fortsetzen sollte. Lange schon hatten die überhängenden Felsen das Tageslicht verdrängt. Es war stockfinster um ihn und es hatte den Anschein, als endete der Gebirgsbach in einer unterirdischen Höhle. Was aber sollte werden, wenn er wieder zurückkletterte? Was erwartete ihn dort oben? Nein, er wollte den Weg, den er nun einmal eingeschlagen hatte, fortsetzen, ganz gleich, wohin er führte. Die Schlucht wurde immer enger, das Wasser stieg ihm schon bis zur Brust und drängte mit solcher Gewalt abwärts, daß er bei jedem Tritt den Halt zu verlieren drohte. Schritt für Schritt tappte er weiter, klammerte sich an glitschigen, unsichtbaren Felskanten fest, und dann riß ihm, er konnte sich nicht mehr dagegen wehren, die Gewalt der stürzenden Wasser die Füße vom Boden weg. Er fühlte sich herumgewirbelt, suchte mit aller Kraft den Kopf aus dem Wasser zu halten . . .

Er merkte, daß er still lag, in Geröll eingebettet wie ein Felsstück unter den anderen, die er als dunkle Massen neben sich sah. Um ihn herum gurgelten die Wellen, und über ihm flimmerten am nachtschwarzen Himmel die Sterne. Überall sah er Felsen, schwarze, hohe Felsen. Aber es war kein Nebel, das allein war ihm wichtig. Bergen arbeitete sich aus dem Sand, der ein Gutteil seines Körpers bedeckte und ließ sich irgendwo an einer erhöhten Stelle nieder. Er wollte versuchen, festzustellen, wo er war:

Sterne, Nacht . . . warum Nacht? War er so lange in der Schlucht gewesen? Was waren das wieder für Felsen? So schwarz, so hoch . . .

Dann senkte sich über das arme verschlagene Erdenwesen der gütige Schlaf.

Schon halb im Traum hörte er noch dumpfe Laute.

. . . Er schritt durch die Montagehallen des Weltraumschiffes, in denen die Motoren dröhnten und die Niethämmer rasselten und schlugen.

Als er erwachte, packte ihn das Grauen. Vor ihm, keine zehn Schritte entfernt, war ein triefender, scheußlicher Kopf. Der saß an einem wurmförmigen, sich nach hinten verdickenden Hals, der aus einem gepanzerten Körper von fürchterlicher Größe wuchs. Der Koloß schob sich näher und näher. In dem Schädel lagen bösartige, listige Augen. Aus den riesigen Nasenlöchern prustete in kurzen Abständen eine widerwärtige Nässe.

Aus der Ahnungslosigkeit des Schlafes erwacht, stand Bergen in eisiger Erstarrung. Das Blut schien ihm aus dem Herzen zu weichen. Er fühlte, wie sich ihm die Haare sträubten, wie sein Gesicht sich verzerrte, sah den Schädel, den gräßlichen, sich näher schieben, näher, näher. »*Ein Saurier*«, jagte es durch sein Hirn, »*das Ende, das Ende.*« Ohne noch zu überlegen, riß er den Revolver aus der Tasche, und ehe er noch zwischen die Lichter halten konnte, krachte der Schuß durch die Felsenschlucht. Ein Knall, fünf-, zehnmal von den Wänden zurückgeworfen, zerriß die Stille.

Die Wirkung war ungeheuer. Die ganze Höhle wurde zu einem Hexensabbath, aus unsichtbaren Felsenlöchern, von überall her erhob sich krächzend und pfeifend ein Gewirr von Echsen, die Luft erfüllte sich mit Schnauben und Brüllen von aufgeschreckten Riesentieren.

Das Reptil aber, vom Schlag der Kugel gereizt, zuckte mit dem Kopf blitzschnell zurück, um im nächsten Augenblick mit der ganzen Wucht des säulenmächtigen Halses gegen den Feind vorzuschnellen.

Der Schuß hatte aber auch Bergens Starrheit gelöst. Mit einem Ruck warf er sich zur Seite, stürzte auf Händen und Füßen einige Sprünge weiter und hetzte eine Geröllhalde hinauf. Als er sich im Lauf umwandte, sah er in das aufgerissene Maul des zur maßlosen Wut gereizten Tieres. Mit vorgestrecktem Hals und tappenden Tatzen versuchte es ihm zu folgen. In dem lockeren Schutt aber fand der massige Körper keinen Halt. Bergen sprang weiter über mannshohe Felsklötze, immer weiter hinauf, bis ihm die senkrechte Wand Halt gebot. Unter ihm, am Rande der Schutthalde, stand der Saurier, peitschte mit dem langen Schweif den schlammigen Boden und schwenkte in ohnmächtiger Wut das geifernde Maul hin und her.

Mit pochenden Schläfen und keuchender Lunge preßte Bergen sich an die Felsen und dachte nur immer eins: Das ist das Ende, so gräßlich ist mein Ende. Dann jagten sich Vorstellungen in seinem Hirn: Es gab Tiere, die in ihrer Vernichtungswut die Ausdauer hatten, zu warten, bis ihr Opfer, das sich irgendwohin gerettet hatte, auf einen Baum, auf einen Felsen, vor Ermattung herabfiel und so ihre sichere Beute wurde. Die Königskobra beispielsweise verfolgt ihren Feind, den Menschen, um ihm erst nach Stunden den tödlichen Biß beizubringen. Er hatte von Elefanten gehört, die den Baum entwurzelten, um den Menschen, der dort Schutz gesucht hatte, dann unter ihren schweren Säulen zu zertrampeln.

Bergen verhielt sich unbeweglich, um das Tier nicht weiter zu reizen. Immer von neuem versuchte die wutentbrannte Kreatur ihres Feindes habhaft zu werden. Dabei schien es, als ob ihr Hals immer länger aus ihrem Körper herauswüchse. Wie dieses Maul schrille Laute der Wut ausstieß, wie es keuchte und pfiff. Doch sah Bergen, daß das Tier auf dem Geröll trotz aller Bemühungen, ihm näherzukommen, immer wieder rückwärtsrutschte.

Nach einiger Zeit nahm das Brüllen der übrigen Tiere ab, und endlich drehte sich auch der Saurier um und schob seinen massigen Leib in das Wasser zurück. Nur die Echsen flatterten noch aufgeregt kreischend durch die Luft.

Bergen aber wagte nicht, seinen unbequemen Stand zu verlassen. Zu mächtig lag ihm das Entsetzen in den Gliedern. Die geflügelten Echsen, die freilich fürchtete er nicht, obwohl sie zum Teil eine beträchtliche Größe hatten. Aber wußte er, welche anderen Schrecken auf ihn lauerten, wenn er wieder in die Schlucht hinabstieg? Würde das Untier, wenn es ihn sah, nicht von neuem einen Angriff auf ihn machen?

Was hatte er überhaupt an Leiden, Schrecken und Qualen hinter sich! Und nun war er in diese Hölle geraten, aus der es wohl kein Entrinnen mehr gab. War es nicht das beste, sich mit der nächsten Kugel selbst zu erlösen? Es wäre wahrscheinlich ein schönerer Tod, als von diesen Riesenbestien zerrissen zu werden.

Ach, den Revolver . . . das Stück kalte Eisen, womit er sich aus seiner verzweifelten Lage hätte befreien können, das hatte er nicht einmal mehr; er hatte es auf der Flucht hier herauf verloren. Er suchte mit den Augen das Gelände ab, und nun sah er erst den ganzen Umfang des Verderbens, in das er geraten war. Es waren nicht ein paar Saurier, die hier ihre Höhle hatten: In einem See, der fast die ganze Schlucht ausfüllte, wälzten sich wohl Hunderte von solchen Scheusalen. Sie streckten ihre Schlangenhälse aus dem dunklen Wasser oder schoben sich in unheimlich schwerfälligen Bewegungen über das schlammige Ufer, das sich bis zum Sturzbach erstreckte. Von allen Seiten sonst stürzten dunkle Felswände in das tintige Wasser.

Unverwandt starrte Bergen auf dieses urweltliche Bild, mit Entsetzen zuerst, aber dann mit anderen, neuen Gedanken:

So viele, so gewaltige Tiere konnten in einem so engen, abgeschlossenen Wasser nicht leben, sie brauchten Raum. Im Maul des Sauriers, dessen erinnerte er sich genau, hatte er stumpfe Zähne gesehen. Sie waren also keine Raubtiere, sondern Pflanzenfresser. Pflanzen aber gab es hier nicht, von einigen bambusartigen Bäumen abgesehen, die vereinzelt auf der Schutthalde wuchsen. Fliegen konnten die Tiere nicht, also mußte der See irgendwohin einen Ausgang haben – dahin, wo keine giftigen Nebel waren, wo es für sie etwas zu fressen gab, viel zu fressen. Die Schlucht hatte also zwei Ausgänge: die Klamm, durch die er gekommen war, und einen über den See. Zurück konnte er nicht, denn die Klamm aufwärts zu überwinden, war nicht möglich, und selbst dann wäre er nur wieder in die giftigen Nebel geraten. Eine Flucht über den See aber verbot sich von selbst. Also war er diesmal vollständig eingesperrt . . . Und wieder endete der Kreislauf seiner Gedanken bei der Kugel als der letzten Zuflucht.

Er versank ins Grübeln: Bilder von der Erde wurden wach und zogen an seiner Seele vorüber. Er dachte an seine Mutter. Sie würde um ihn weinen, weil sie ihn tot glaubte. Auch die Menschheit hatte wohl mit ihnen abgeschlossen. In den Zeitungen in den Städten der Erde würden lange, geistreiche Artikel stehen mit großen Schlagzeilen:

»Weltraumschiff I nicht zurückgekehrt! Das Marsforschungsschiff verschollen!«

Dann würden Aufsätze folgen von Dr. Brookens, von Dr. Jörgensen, von allen Sachverständigen der Erde. Man würde die Sicherungsmaßregeln aufzählen, die die Expedition für jeden Unglücksfall vorgesehen hatte. Die einen würden die Helden der Wissenschaft betrauern, die anderen schadenfroh höhnen, die dritten zu Gericht sitzen über ihre Frivolität, in die Göttlichkeit des Weltenraums vorzudringen.

Das gigantische Schiff, diese stolzeste Erfindung seit dem schrecklichen Krieg, die Kräfte der Atomzertrümmerung hatten sie aus der Gemeinschaft der Erde fortgetragen und ihn allein lebend auf diesem Stern ausgesetzt, auf einem unter Millionen und Milliarden dieser glitzernden Pünktchen, zu denen Nacht für Nacht Hunderte neugieriger Fernrohre starren, zu denen Nacht für Nacht die Liebenden ihre Sehnsucht und ihr Glück hinaufträumen. Du, Mutter, die du des Abends deinem Kinde ein Schlummerlied von den goldenen Sternlein singst, wüßtest du, welches Grauen dieses Sternlein birgt, du würdest entsetzt verstummen. Du, Verliebter, was hätte dein Lieb, wenn du ihm einen Stern vom Himmel holtest: ein schuppengepanzerter, scheußlicher Schlangenhals mit einer Teufelsfratze würde sich ihm entgegenstrecken. Giftige, heiße Nebel würden es in ihre tödliche Umarmung nehmen. Ihr Menschen, laßt die Sterne am Himmel hängen und versuchet Gott nicht! Er hat die Saurier und die Drachen erst getötet, und die Erde gnädig gemacht, ehe er den Adam in das Paradies führte.

Er, Peter Bergen, war für seine Wißbegierde fürchterlich gestraft. Er war auf einen Weltkörper verbannt, der noch erst geformt wurde von der göttlichen Hand, auf dem ein Mensch mit einem fühlenden Herzen noch keinen Platz hatte. Er war auf einen Stern geschleudert worden, der noch um viele Millionen Jahre in der Entwicklung zurück war. Furchtbar war es, das auszudenken, und er wollte sich erkühnen, inmitten dieses Schöpfungsaktes sein Leben zu erhalten. Es würde ihn zermalmen. Die Glut der herausbrechenden Feuer würde ihn verbrennen oder die scheußlichen Kreaturen der sich gebärenden Fauna würden ihn unter ihren Massen zerdrücken.

»Nein!« hielt er in seinen selbstzerfleischenden Gedanken inne. Er dachte an Grasgrün. Hatte das Tier nicht gute Augen, hatte es nicht etwas von der Anhänglichkeit eines Hundes gehabt? Auch auf diesem Stern lebte schon ein Gefühl, auch hier gab es schon eine Gnade. Er durfte den Kampf noch nicht aufgeben. Vielleicht gab es auch hier schon einen Garten für einen Adam.

Da mußte er lächeln bei dem Gedanken, daß er eines Morgens aufwachen und merken würde, daß ihm eine Rippe fehlte.

Er verließ seine Kanzel und suchte sich einen bequemeren Platz, doch so, daß er gegen den See hin durch einen Felsen gedeckt war. Unter einer vorspringenden Steinplatte schlug er sein Lager auf. Als er sich eben niederlassen wollte, flatterte eine große, braune Echse auf. Bergen versuchte, sie zu sich zu locken. Doch das Tier war scheu und äugte ängstlich von dem Ast eines Baumes, auf den es sich gesetzt hatte, zu dem fremden Wesen herab.

Es war wahrlich eine heroische Landschaft, in die er sich verirrt hatte. Drohend standen die schwarzen, nackten Felsen wie Kerkermauern um ihn. Kein Sonnenstrahl erreichte die Tiefe der Schlucht, in deren Dämmerschatten die Urwelttiere gleich anderen, lebenden Felsen hausten. Vor ihm auf dem Schutthügel, wohl dem Anschwemmungsgut aus der Klamm, hatte sich eine dürftige Grasnarbe gebildet, auf der einige schachtelhalm- oder bambusähnliche Bäume ihr sonnenloses Dasein fristeten. Hier saß er eingesperrt, inmitten kalter Felsen und seelenloser Ungeheuer, die einzig fühlende Brust.

Es war ein Wunder, daß er auf dem Weg durch die Klamm seine Habseligkeiten nicht verloren hatte. Die Feuer- und Wasserdose freilich hatten ihm die Fluten aus der Hand gerissen. Aber die Bastschnur, mit der er die übrigen Dinge zusammengebunden hatte, war unversehrt. Er mußte das Bündel im Schlaf von der Schulter gestreift haben, denn es lag noch dort, wo ihn der Saurier aus dem Traum geschreckt hatte. Seltsam, dachte er, zweimal bin ich nun von einem Tier geweckt worden: Oben in der Höhle von der Echse und nun von dem Riesensaurier. Wodurch werde ich das nächste Mal erwachen?

Mit der Ruhe, mit der auch sein inneres Gleichgewicht wieder zurückkehrte, stellte sich zugleich das Bedürfnis nach Essen ein. Aber wie sollte er zu den Konserven kommen? Er hatte schon geraume Zeit nichts mehr von den Sauriern gehört. Es war still geworden in der Schlucht, nur ab und zu hörte er noch ein Schnauben wie von einem Walroß und dazwischen das Gurren der Echsen.

Da erhob er sich und spähte über den Felsen zum See hinab. Das Wasser war leer. Da freute er sich, denn seine Annahme hatte sich als richtig erwiesen. Die Saurier waren durch einen ihm noch unbekannten Abfluß des Sees verschwunden, vermutlich auf

Nahrungssuche.

Vorsichtig geworden, lief er nicht gleich hinab, sondern überprüfte im langsamen Weiterschleichen das Terrain. Aber die Vorsorge war unnötig. Fast unbeweglich lag der tintige See. Mit ein paar Sprüngen war er bei seinem Gepäck. Es lag unberührt, wie er es verlassen hatte. Er erbrach eine Konserve und löschte seinen Durst aus dem Sturzbach. Dann begann er die Schlucht systematisch zu untersuchen. Es bestätigte sich, was er vermutet hatte: Es gab nur zwei Ausgänge aus diesem Gefängnis. Den See zu umgehen war unmöglich, da die Felswände senkrecht in das Wasser tauchten. Er mußte sich also verloren geben oder über den See und durch den unbekannten Ausgang zu schwimmen versuchen. Das erschien ihm so gut wie Selbstmord, denn es wäre lächerlich gewesen anzunehmen, daß das Wasser ohne gefährliches Raubzeug sei, ganz abgesehen davon, wie lange diese Schwimmtour dauern würde. Er brauchte einen Kahn. Um einen solchen zu bauen, fehlten ihm alle Voraussetzungen und jedes Werkzeug. Aber ein Floß! Wenn es ihm gelang, die baumstarken Schachtelhalme zu fällen, konnte er sich daraus eins zusammenzimmern, und wenn es das Geschick wollte, darauf über den See entkommen, auf dem gleichen Weg, den jetzt die Saurier gezogen waren. Es war nicht eben verlockend, hinter den reizbaren Kolossen herzufahren, und überdies, wo würde er landen?

Er kostete das Wasser. Es schmeckte salzig. Er versuchte es noch einmal, um gewiß zu sein, daß er sich nicht täuschte. Nein, es war kein Irrtum möglich, es war ausgesprochen Salzgeschmack. Salzig aber war nur das Meer. Dann war er also schon am Fuß des Gebirges angelangt. Seine Pläne beflügelten sich. Er brauchte also nur durch den Fjord, oder wie der Ausgang sonst beschaffen war, hinauszufahren und eine Stelle zu suchen, wo er an Land gehen konnte. Aber war seine Schlußfolgerung richtig? Mußte das salzige Wasser denn wirklich vom Meer stammen? Konnte es sich nicht auch um das Ende eines Salzsees handeln, der sich auf einem ausgedehnten Hochplateau befand, groß genug, um selbst Lebewesen von diesem Ausmaß Nahrung zu bieten?

Doch was sollte er sich mit diesen Fragen quälen? Wenn es ihm nur überhaupt gelang, aus diesem Hexenkessel zu entfliehen, dann würde sich auch ein Weg weiterfinden. Eine andere Frage tauchte auf. Sollte er bei Nacht zu entkommen versuchen? Irgend einmal mußten diese Tiere auch schlafen, und dann bot sich vielleicht die Möglichkeit, über den See zu kommen. Doch den Gedanken verwarf er wieder. Ohne einen Zusammenstoß mit einem der Ungetüme, die vermutlich nachts im See lagen, würde die Überfahrt sicher nicht abgehen, und was dann folgte, war bei der Bösartigkeit der Saurier unschwer zu erraten. Also mußte er es bei Tag versuchen.

Er beschloß, die Gewohnheiten der Seebewohner, die Zeiten ihres Abzugs und ihrer Rückkehr zu studieren. Bis ein Floß fertig war, hatte er ja Zeit genug, die für die Flucht nötigen Erfahrungen zu sammeln.

Unverzüglich und mit neuem Mut ging er ans Werk. Schon beim ersten Versuch aber, einen Baum zu fällen, zeigte sich, daß das Holz dieser Stämme eisenhart war. Jeder Beilschlag prallte ab, ohne daß es ihm dabei gelang, eine Kerbe in das Holz zu schlagen. Nun versuchte er es ganz unten, knapp über dem Boden, wo der bambusartige, hohle Stamm weniger federte, und hier gelang es ihm, die eisenharte Hülle aufzureißen, und dann knickte das Rohr infolge seiner eigenen Schwere ab.

Als er eben den letzten der vier Bäume, die er ausgewählt hatte, bearbeitete, wurde er durch einen ohrenbetäubenden Lärm gestört. Die Saurier kamen zurück. Da hielt er es für besser, seine Arbeit einzustellen, und er beschränkte sich darauf, von seinem sicheren Versteck aus die Tiere zu beobachten.

Mit Prusten und Pfeifen und Schnauben schob sich die ganze Herde, ein Tier hinter dem anderen, durch das unsichtbare Tor in die Schlucht. Es war nicht zu verkennen, sie spielten miteinander. Sie tauchten mit ihren gewaltigen Körpermassen unter und bespritzten sich gegenseitig aus ihren Nasenlöchern mit Wasser. Der Anblick dieser so grotesk geformten, überdimensionalen Lebewesen war schrecklich und herrlich zugleich.

Auch in der Luft wurde es wieder lebendig. Aus ihren Felslöchern stürzten sich Tausende von Echsen auf die den See füllenden Riesenleiber und pickten an deren Schuppenpanzern herum.

So also war das Verhältnis dieser beiden Tiere zueinander: Die Saurier waren sozusagen die Ernährer der geflügelten Echsen. Wenn sie von ihren täglichen Zügen zurückkehrten, holten sich die Echsen alles, was in den höckerigen Panzern an Freßbarem hängen geblieben war, wohl Schalentiere und ähnliches. Allmählich fingen einige der Saurier an, sich aus dem Wasser herauszuschieben. Eine ganze Anzahl von ihnen lag bald kreuz und quer auf dem flachen Ufer in der Nähe der Klamm. Die übrigen blieben im See, und viele verschwanden ganz unter dem Wasserspiegel. Nur ihre Schlangenhälse reckten sich empor, wohl um Luft einzusaugen. Das gab ein Geräusch wie das Quietschen und Rasseln einer verrosteten Ankerwinde.

Bergen hatte sich einen neuen Platz ausgesucht, von dem aus er, gegen den See zu geschützt, die Tiere in Ruhe beobachten konnte.

Die Körper der Saurier hatten die Form einer ins Riesenhafte gesteigerten Echse. Der ganze Rücken war von einem Plattenpanzer umschlossen, der sich über der Wirbelsäule, von der Mitte des Halses ab bis zur äußersten Schwanzspitze, zu einem etwa zwei Meter hohen, wellenförmig sich dahinziehenden Grat aufbaute. Der sich nach vorne zu verjüngende, unverhältnismäßig lange Hals war an drei Seiten ebenfalls mit einem sich in Ringen übereinanderschiebenden Panzer versehen. Daran saß der meergrüne, zu dem mächtigen Körper unwahrscheinlich kleine, schmale Schädel. Aus dem Leib wuchsen sechs kurze, mit Schwimmhäuten versehene Tatzen. So schwerfällig der Körper war, so schlangenartig wendig war der Hals, der sich immerfort in nervöser Unruhe hin und her bewegte. Mit den Hälsen schienen sie auch miteinander zu spielen. Es sah aus, als ob es sich dabei um saurierische Zärtlichkeiten handelte.

Da er die Tiere so in ihrer ungestörten Ruhe sah, kam ihm unvermittelt ein toller Einfall: Wie, wenn er jetzt von seinem sicheren Versteck aus mit dem Revolver in die Herde hineinschoß? Oder, wenn er auf einen der sich dort drüben mit einem Gefährten Herumbalgenden zielte? Was würde wohl geschehen? Ihm selbst konnte eigentlich nichts passieren, denn er blieb ja im sicheren Hinterhalt, und soviel hatte er bereits gestern festgestellt, klettern war nicht ihre Sache. Selbst wenn sie also seiner gewahr wurden, so konnten sie ihn nicht verfolgen. Dann wieder zögerte er: Sollte er ohne Zwang die Hölle neu entfesseln? Aber der Schrecken von gestern war überwunden, und so siegte die Sensationslust. Auch konnte er so ihr Verhalten, wenn sie sich angegriffen fühlten, noch einmal in Ruhe studieren. Schon hielt er die Waffe in der Hand, stützte sich bequem auf die Felskante und folgte mit dem

Visier dem Kopf, der im harmlosen Spiel die Schnauze des anderen in sein Maul nahm. Genau zwischen die Lichter hielt er hinein, überlegt und ruhig. Jetzt hielt der Kopf einen Augenblick in der ständig wechselnden Bewegung inne. Er hatte ihn klar im Visier.

Mit einem Knall peitschte der Schuß durch die Schlucht. Mit offenem Rachen schnellten die Schädel der Riesengeschöpfe in die Höhe. Sie pfiffen, fauchten vor Erregung. Aus den Felsen ergoß sich wieder eine Flut flatternder Echsen.

Und der getroffene Saurier? Wie bei einer Schlange schnellte der Hals zurück, und einem Pfeile gleich sauste der spitze Kopf auf seinen Gefährten, den vermeintlichen Gegner los, verbiß sich das Maul von unten her in dessen Hals. Der Angegriffene versuchte nun seinerseits mit aufgesperrtem Rachen den anderen zu fassen. Dabei wanden sich die Hälse in natternhafter Verschlingung. Gegenseitig gruben sich die Kiefer in die ungepanzerte Halsseite. Dabei schoben sich die Vorderkörper in die Höhe. Aus dem schwarzen Schlamm schoben sich gelbe Leiber, schleiften die gräßlichen Schwänze nach. Die Pranken hieben durch die Luft und die Saurier hieben einander in die nackten Bäuche, überstürzten sich ohne Halt und wanden sich, halb auf dem Rücken liegend, mit peitschenden Tatzen. Zwei Urweltgeschöpfe kämpften einen Kampf auf Leben und Tod. Ohrenbetäubend war das Gebrüll der Herde, die vor den Kämpfenden in den See zurückwich und ihre Erregung in allen Lauten ihrer urweltlichen Vitalität kundtat. Dazu gesellte sich das kreischende Gewirr der aufgescheuchten Echsen.

Der Kampf der beiden schien kein Ende zu nehmen. In qualvoller Zerfleischung zerhieben und verbissen sie sich immer aufs neue, begrub eine Fleischmasse die andere unter ihrer tonnenschweren Wucht. Der Schlamm mischte sich mit schwarzrotem Blut. Jetzt löste sich ein von Blut triefender Kopf und stieß im nächsten Augenblick in den schon aufgerissenen Leib des Gegners, einmal, zweimal, immer wieder, und riß dem in seinem Schmerz schauerlich Brüllenden Masse um Masse des quellenden Gedärms aus dem Leibe.

Der riesenhafte Körper des besiegten Sauriers zuckte und zitterte bis zur letzten Schwanzspitze im Todeskampf. Erst als er leblos da lag, ließ der Angreifer ab. Aber in der Erregung des Kampffes und wohl vom Schmerz der eigenen Wunden gepeinigt, kroch er unentwegt von der einen Seite der Schlucht zur anderen.

Unbeweglich, kalten Schweiß auf der Stirn, den Revolver noch in der Hand, so stand Bergen hinter dem Felsen. Was hatte er getan! Einer Laune war er gefolgt und hatte dieses erschütternde Drama entfacht. Es war unverantwortlich und gemein von ihm gewesen, aus Neugierde die unvernünftige Kreatur gegeneinander zu hetzen.

Sicher, das Leben, das vernichtet wurde, wenn man eine Raupe, eine Schnecke zertrat, war so gut wie das dieser Riesen. Aber wenn ein Leben von solch urgewaltiger Vitalität ausgelöscht wurde, so mußte dies ihn, der ohne Not den Funken des Kampfes entzündet hatte, mit Schuld erfüllen.

Bergen schämte sich und schwor sich, nie mehr die Waffe gegen ein Geschöpf zu erheben, und sei es auch das geringste, wenn nicht die wirkliche Not es erforderte. Trotz aller guten Vorsätze aber folgte die Strafe für seine Tat auf dem Fuße. Der aufgerissene Bauch des Sauriers mit dem zerfetzten Gedärm verbreitete schon nach wenigen Minuten einen so durchdringenden Pestgestank, daß ihn Übelkeit befiel. Um das Maß des Widerlichen voll zu machen, mußte er noch zusehen, wie sich der ganze Schwarm der fliegenden Echsen auf die noch rauchenden Gedärme stürzte, wie sie sich darum bissen und schlugen.

Der Ekel würgte ihn. Er warf sich auf den Boden und grub seinen Kopf tief in das Gras, um den kühlen, herben Pflanzengeruch einzuatmen und der gräßlichen Mahlzeit nicht länger zusehen zu müssen. Er tat wohl, dieser moorige Ruch der jungen Schachtelhalmtriebe. Darüber schlief er ein.

Bevor er am nächsten Morgen mit seiner Arbeit begann, band er sich ein nasses Tuch vor Mund und Nase, denn die ganze Schlucht war erfüllt von dem Pesthauch des Kadavers. Sobald die Saurier ihre Frühstücksreise angetreten hatten, hieb er den letzten Baum um, säuberte die Stämme von den Seitenästen und zog sie dann, einen nach dem anderen, zum See hinab. Dabei führte ihn der Weg jedesmal an dem toten Saurier vorbei, und obendrein mußte er durch den mit Blut und Kot vermischten Schlamm waten. Jedesmal, wenn er einen Stamm hinter sich herziehend, an dem Kadaver vorbeikam, erhoben sich ganze Schwärme der geflügelten Hyänen in die Luft, um gleich darauf wieder über ihre stinkende Mahlzeit herzufallen. Sie hatten in der Nacht einen Großteil der Gedärme und noch dazu ein großes Loch in den Bauch der Saurierleiche gefressen.

So verhaßt ihm gestern die Echsen geworden waren, jetzt sah er die Sache anders an: Diese in Massen auftretenden Tiere hatten offenbar von der Natur die Aufgabe, für Sauberkeit zu sorgen. Wo eine Leiche war, waren wahrscheinlich auch sie, und ehe das Aas dazu kam, zu verwesen, wurde es von ihnen verzehrt.

Mit dem Riesensaurier würde das wohl noch eine Zeit dauern, und trotz Mund- und Nasenbinde war der Pesthauch kaum zu ertragen. Er arbeitete mit allen Kräften, um nicht noch eine Nacht neben dieser Tierleiche verbringen zu müssen.

Mit den Bastseilen verschnürte er die glatten, hohlen Stämme untereinander. Dazu hatte er sie vorher bis zur Hälfte in das Wasser geschoben, denn war das Floß erst fertig, so war er allein wohl nicht mehr imstande, es fortzubewegen.

Nun schien Bergen die höchste Eile geboten, denn schon ging es auf Mittag, und er mußte das Felsentor hinter sich haben, ehe die Saurier zurückkamen. Wäre der Aufenthalt in der Schlucht nicht so unerträglich gewesen, er hätte mit seinem Wagnis, mit der Flucht, gern bis zum nächsten Morgen gewartet. Er hätte dann einen ganzen Tag bis zur Rückkehr der Tiere vor sich gehabt. So aber erschien es ihm unerträglich, noch länger zu bleiben. Es war zuviel für seinen Magen, und obwohl ihn der Hunger quälte, würgte der Ekel ihm jeden Bissen, den er zu sich nahm, wieder herauf.

Wie verwünschte er seine Unbesonnenheit von gestern. Aber mit der Reue allein wurde seine Lage nicht besser. Er mußte nun handeln. In aller Eile band er seine Habseligkeiten auf dem Floß fest und zerrte dann so lange daran, bis es endlich im Wasser schwamm. Nun sprang er selbst hinauf, und indem er eine Stange, an der er eine abgerollte Konservendose festgebunden hatte, als Ruder gebrauchte, schob er sein Fahrzeug langsam über den See auf die Richtung zu, wo er den Ausgang vermutete. Einmal glaubte er den Kopf eines großen Tieres aus dem Wasser tauchen zu sehen, und ab und zu bewegte sich das Wasser so, als ob Schlangen darin herumschwämmen.

Er hatte schon mehr als die Hälfte des Sees hinter sich und näherte sich der Stelle, wo die Saurier am Morgen verschwunden waren, aber so sehr er auch die Felswände absuchte, er konnte weder einen Tunnel noch irgendeinen Riß entdecken, in den der See hätte abflleßen können. Aber dort, richtig, dort war die Öffnung. Unvermittelt tat sich vor ihm eine Art Klamm auf, in der der See sich fortsetzte, breit genug, um die großen Tierkolosse durchzulassen.

Da die Schlucht immer im dämmerigen Licht lag, und es so auch keine Schattenwirkung gab, blieb dieser Bergriß, der noch dazu durch eine Art Felskulisse verdeckt war, jedem, der nicht unmittelbar davorstand, verborgen.

Da Bergen in nautischen Dingen ganz unerfahren war, kostete es ihn viel Mühe, sein ungeschlachtes Fahrzeug in die enge Fahrrinne zu lenken. Was er dann vor und über sich sah, war ein Felsenriß, ähnlich dem, durch den er in die Schlucht gekommen war. Es mußte derselbe Bergriß sein, der sich durch das ganze Felsmassiv zog und sich dabei stetig verbreiterte.

Bei jeder Biegung, die die Klamm machte, begann ein schwieriges Manöver, das schwere Floß um die Ecke zu bringen. Es war ihm unverständlich, was die Saurier bewog, jeden Tag zweimal diesen für sie engen Weg zu passieren.

Bergen stieß und ruderte sich weiter und trieb sich zu immer größerer Eile an. Er hatte über dem stundenlangen Sichabmühen mit dem Floß jedes Zeitmaß verloren, und der schmale Himmelsstreifen über ihm ließ den Sonnenstand nicht erkennen. Was nun, wenn plötzlich die Saurier durch den Kanal drängten?

Wieder war er vor einer Felsbiegung angelangt. Da vernahm er ein eigentümliches Geräusch. Es schien immer näher zu kommen, wurde stärker und stärker, um mit einem seltsamen Schnalzen plötzlich zu verschwinden. Horch, da war er wieder, dieser Ton . . . Das Grauen saß ihm im Genick. Warteten auf ihn hinter der nächsten Biegung die Saurier? Er lauschte gespannt, ob er kein Pfeifen hörte, kein Schnauben, nein, es war ein anderes Geräusch, jetzt wurde es wieder stärker und stärker. Da durchfuhr ihn wie ein Blitz die Erkenntnis. Die jagte ihm das Blut in die Schläfen: Das Meer! Ja, so rauschte nur eine Woge. Jetzt begann es wieder, rollte heran und schwoll und schwoll, um in einer donnernden Brandung zu ersticken. Das aber, was er als Schnalzlaute gehört hatte, war wohl das Klatschen der Wellen, die an die Kanalwände schlugen.

Er griff die Ruderstange wieder auf und begann sein Fahrzeug um die Biegung zu schwenken. Mit den Händen schob er sich an der Felswand entlang, ruderte wieder . . . da, ein Schrei drang aus seiner Brust, und die Felsen, die seelenlosen Wände, wiederholten den Jubellaut bis in den letzten Winkel: Das Meer! Das Meer! Das Meer!

Im Moor

Trichterförmig weitete sich die Klamm, und dann lag vor ihm azurblau die unermeßliche Fläche des Meeres. Im Dunst der Ferne standen weiße, dünne Vulkankegel, von denen sich lockere Rauchfahnen in die Luft kräuselten. Mit weißen Schaumkronen schoben sich die Wellen heran, überschlugen sich, bildeten sich neu, wurden größer und größer und zerschellten im rauschenden Schwall an den kupferroten Felswänden. Über diese Brandung mußte er hinweg. Er band sein Ruder am Floß fest und schob sich an der Felswand entlang der Brandung entgegen. Das Floß schaukelte in der schweren Dünung, so daß er fast den Halt verlor. Knirschend und ächzend wurden die Stämme an die Felsen gepreßt. Jetzt kam die nächste Welle, jetzt mußte es sein. Auf grünschillernden Wogen ritten die weißen Schaumpferde heran, hohl rollte die Welle . . . Bergen warf sich auf den Boden des Fahrzeugs und klammerte sich mit den Händen an den Seilen fest. Ein Donnern war um ihn, ein Rauschen und Sausen. Er fühlte sich emporgehoben, und gleich darauf stieß er hinab in den Wellengrund. Die Wasser schlugen über ihm zusammen, aber nur einen Augenblick lang, dann war es wieder Licht um ihn. Das Floß stand so steil, daß es umzukippen drohte, und klatschte dann vornüber auf das Wasser. Mit einem mächtigen Schwung glitt es auf das Meer hinaus. Die Brandung lag hinter ihm.

Er richtete sich auf, er schrie, er jubelte, so mächtig war das Gefühl der Befreiung über ihn gekommen. Dann sah er sich um. In dräuenden Wänden erhob sich das Gebirgsmassiv aus dem Meer. Darin der Einschnitt der Klamm, durch die er gekommen war, wie ein unheimlich drohender Schlund. Hinter diesem Spalt, hinter diesen in den Abendfeuern glühenden Felsen lag das Grauen, lagen die Todesnebel und die Schluchten der Hölle. Vor ihm aber war das Meer. Das freie, weite, offene Meer hatte ihn aufgenommen. Er ließ sein Floß in den Wellen treiben. Was hätte er auch auf seinem ungelenken Fahrzeug mit dem krummen Ast als Ruder dagegen tun sollen. Es folgte auf- und abwiegend dem Wogen der Wellen und der Strömung. Bald erkannte er, daß er auf eine zu seiner Linken liegende Bucht zutrieb, die dicht bewaldet zu sein schien. Es war gut so, daß sein Fahrzeug von selbst diesen Kurs nahm. Dadurch wurde es ihm erspart, doch noch den Versuch zu unternehmen, selbst lenkend in die Fahrt seines Bootes einzugreifen. In der Bucht wollte er an Land gehen. Dort aber mußte aller Vermutung nach auch der Weidegrund der Saurier sein. Er lief also wieder Gefahr, in ihre Nähe zu kommen, doch schien die Bucht so ausgedehnt, daß er nicht unbedingt mit der Herde zusammenstoßen mußte. Sicher lauerten dort auch andere, neue Gefahren auf ihn, aber jetzt, da die drückende Last der ihn umschließenden Berge von ihm genommen war, fühlte er sich befreit und stark, und er konnte nicht glauben, daß das Geschick, das ihn erwartete, schlimmere Schrecknisse barg, als die, die er überstanden hatte.

Er entledigte sich seiner nassen Kleider und hing sie an seine Ruderstange, die er zwischen zwei Stämme wie einen Mastbaum gezwängt hatte. Seine ganze Arbeit bestand darin, darauf zu achten, daß das Floß die Richtung zur Bucht beibehielt. Daß es nicht direkt auf das Land zutrieb, sondern sich dabei mehr und mehr von dem hinter ihm liegenden Gebirge entfernte, war ihm nur recht, denn damit verringerte sich gleichzeitig die Gefahr, mit den Sauriern zusammenzustoßen.

Im Näherkommen unterschied er eine talartige Senke und dahinter bewaldete Höhen. Schachtelhalme begannen aus dem Wasser zu ragen, einzeln oder in Gruppen. Das Wasser veränderte seine Farbe und wurde gelb und schmutzig. Nach einiger Zeit stellte er plötzlich fest, daß er keine Fahrt mehr hatte. Er versuchte, mit der Stange auf den Grund zu kommen. Er fand Halt, stakte und schob sich nun zwischen den immer dichter werdenden, aus dem Wasser ragenden Gebüschgruppen auf das vermeintliche Land zu. Er befand sich in einem Moorwald. Neben dichtem Farngebüsch und Schachtelhalmgewächsen wucherte fremdartiges, kakteenförmiges Gezweige. Dann wieder schob er sich an meterhohen Mooswänden entlang, vorbei an dornenbewehrtem Gestrüpp, das sich in undurchdringlichen Knäueln verfilzte.

Von den Sauriern war nichts zu sehen, wenn er nicht die Fahrrinnen im Moor und die zum Teil abgerauften Gebüsche als Zeichen ihrer Anwesenheit ansehen mußte. Er horchte. Er kannte ihre vitalen Laute gut genug, um sie aus hundert anderen Geräuschen herauszuhören. Sicher war jetzt die Herde zur Schlucht zurück, denn die Sonne berührte schon das Meer, und das hieß für die Saurierfamilie Schlafenszeit. Eine Biegung der Schlucht verlegte ihm die Sicht, sonst hätte er jetzt ihren Zug vielleicht sehen können. Vermutlich wären aber dabei nur ihre Hälse zu sehen, und dafür war er nun schon viel zu weit vom Gebirge entfernt.

Wohin sollte er selbst sich heute Nacht zur Ruhe legen? Hier in diesem Dschungel war es ihm nicht geheuer. Es barg sicher noch eine Menge anderes Getier, vor dem man auf der Hut sein mußte. Aber er wollte versuchen, irgendwelche Früchte zu finden, mit denen er seinen Durst stillen konnte. Es hingen die verschiedenartigsten Fruchtgebilde an den Sträuchern und Moosen, grüne und schwarze Beeren und rote und braune Kapseln, aber alles, was er versuchte, war entweder trocken oder hatte einen so bitteren Geschmack, daß es den Zweck, seinen Durst zu löschen, nicht erfüllte.

Unentwirrbar und mit tausend Rätseln war das Moor um ihn. Würde er es mit dem Floß durchqueren können? Oder mußte er es durchwaten?

Aber was sollte er sich um das Morgen kümmern. Heute war ihm das Geschick gnädig gewesen. Wollte es ihn vernichten, es hätte, weiß Gott, längst Gelegenheit dazu gehabt.

Hier jedoch, in diesem unübersichtlichen Moorgestrüpp, durfte er die Nacht über nicht bleiben. So schob er mit vieler Mühe sein Floß wieder in das offene Wasser und band es dort an zwei Schachtelhalmstämmen fest.

Es war eine nasse Nacht, die er vor sich hatte, denn bei jeder ankommenden Welle schwappte und spritzte das Wasser zwischen den stark gelockerten Stämmen hoch. Er erbrach eine seiner drei letzten Konserven und verschlang gierig die Fleischstücke.

Die Dunkelheit war hereingebrochen. Nun zeigte es sich, daß er etwas versäumt hatte. Er hätte im Moor Moose oder Farne abhauen und sich daraus auf dem Floß ein Lager richten sollen. Dann hätte er wenigstens einigermaßen bequem ruhen können. Jetzt war es zu spät dazu. Da er müde war, versuchte er, sich hinzulegen. Aber das war nicht auszuhalten. Stehend oder hockend, die Hände vor den Knien verschränkt, verbrachte er die endlosen Stunden. Der Durst quälte ihn. Aus der Ferne hörte er das Donnern der Brandung, um sein Floß gluckste und schwappte das Wasser, und aus dem Moor vernahm man die Geräusche des nächtlichen Dschungels.

Da gellte irgendwo ein Schrei, einmal, zweimal, der Todesschrei einer gemordeten Kreatur. Dann war wieder Stille.

Ganz in der Nähe hörte er etwas Schweres ins Wasser plumpsen. Weiter entfernt war ein Gekeife wie von aufgeschreckten Affen, und dann vernahm er deutlich das Brüllen und Pfeifen eines Sauriers. Also doch! Die Tiere aus der Schlucht waren es nicht, demnach war hier noch eine andere Herde, vielleicht mehrere. Würde er am nächsten Morgen mit ihnen zusammenstoßen?

Unklar und unbestimmt war das, was ihm die Nacht erzählte, aber es war deutlich genug für ihn. Vorsicht, hieß es, du armseliges Erdenmenschlein, hab acht, wenn du deinen Fuß in diese Wildnis setzt.

In der Richtung, in der er am Tag die Vulkankegel gesehen hatte, rötete sich der Himmel. Das war eine Eruption. Der Schein wurde stärker, breitete sich aus. Eine halbe Stunde lang vielleicht loderte es in allen Farben, grün, rot, schwefelgelb; dann versank das Fanal. Die Dunkelheit umgab ihn wieder. Sternschnuppen ohne Zahl fielen aus dem samtenen Himmel, und eines der glitzernden Pünktchen, die über ihm standen, war seine Heimat, die Erde.

Schnell, fast ohne Übergang, kam der Tag, der ihn neuen Abenteuern entgegentragen sollte. Mit dem ersten Licht löste er die Haltetaue. Er wollte sobald wie möglich das Moor durchqueren, noch bevor die Saurier aus der Schlucht zum Äsen kamen und noch bevor die anderen Herden in der Bucht auf Nahrung ausgingen. Er wollte die Hügel erreichen, die er gestern im Hintergrund der Bucht gesehen hatte, denn dort mußte der Sumpf zu Ende sein. Den gleichen Weg wie gestern schob er sein Floß an das Moor heran. Dann zog er sich mit den Händen an den Stengeln der Farnkräuter und den Ästen der Schachtelhalme immer weiter hinein, bis sein Floß so eingekeilt war, daß es sich nicht mehr bewegen ließ. Nun band er es fest, knotete sich das Gepäck über den Rücken und sprang auf den Grund.

Von Grasbüschel zu Grasbüschel setzte er seine Sprünge. Dabei klammerte er sich an den scharfkantigen Stielen der Farnkräuter und an dornigem Strauchwerk fest und zerkratzte sich Gesicht und Hände. Bei jedem neuen Schritt versank er bis zu den Knien im unter den Blättern verborgenen Schlamm oder in dem ölig schillernden Wasser. Es wurde schon bald ein schweres und gefahrvolles Sichvorwärtsarbeiten. Aber er kam schnell tiefer in den Dschungel hinein.

Plötzlich wich er entsetzt zurück. Aus dem schwarzen Morast hatte ein Tier nach ihm geschnappt. Jetzt schoß es wieder aus der tintigen Brühe hervor. Er sah einen aufgesperrten Rachen. Ein Krokodil! Nein, es sah eher aus wie ein Riesenlurch, aber Bergen hatte nicht die Zeit, dieses riesenhafte, mit Schlamm bedreckte Etwas näher zu betrachten. Mit der ganzen Wucht seines Körpers warf er sich zur Seite, sank dabei ins Wasser, riß sich an einer Luftwurzel wieder hoch und hetzte irgendwohin, nur weiter, weiter, um aus der Reichweite dieses Rachens zu kommen.

Erst als er sicher war, daß ihm das Tier nicht folgte, verlangsamte er seine Sprünge. Nun hieß es, doppelt auf der Hut sein. Ängstlich suchte er mit den Augen jeden Fleck ab, auf den er mit dem nächsten Schritt treten wollte. Immer mehr wurde es um ihn her lebendig: Langschwänzige, schlangenartige Reptilien saßen im Gezweige der Farne, in den Ästen der Schachtelhalme, verschwanden vor ihm im Sumpf. Das ganze Gewürm der Hölle, ihre widerwärtigsten und abscheulichsten Geschöpfe schienen in diesem Pfuhl ihren Unterschlupf zu haben.

Um das Maß des Grauens voll zu machen, sah er, auf einer Lichtung stehend, nicht weit von seinem Platz vier oder fünf Riesenhälse von Sauriern über dem Dschungeldickicht. »Großer Gott!« Wenn er auf eines dieser Ungeheuer traf, war er verloren. Hier in diesem Morast gab es kein Entrinnen.

Der rinnende Schweiß umflorte ihm den Blick, und die Beine und Hände zitterten vor Überanstrengung. Aber von den Furien von allen Seiten gehetzt jagte er weiter. Nur ab und zu hielt er inne, um auf das Meer zu lauschen. Die Brandung mußte er im Rücken behalten, sonst lief er im Kreise und dann war sein

Schicksal besiegelt. Nahm denn dieses Moor, dieser furchtbare Sumpf, kein Ende? Die rettenden Hügel konnten doch nicht mehr so weit sein. Hatte er sich so getäuscht, als er vom Meer aus ihre Entfernung maß?

Aber das Moor dehnte sich noch weit, es hielt ihn noch Stunde um Stunde in seinen morastigen Armen.

Mit frohem Mut war er am Morgen in diese rätselhafte Wildnis eingedrungen, mit dem letzten Rest der erlahmenden Kräfte schleppte er sich jetzt dahin, kaum noch fähig, dem nach ihm schnappenden Gewürm auszuweichen.

Er war zerschunden von Dornen und stahlharten Astspitzen und erschöpft von dem Kampf mit dem moorigen Grund, der sich an seinen Füßen, seinen Beinen festsaugte, seine Schritte lähmte und ihn hinabzuziehen drohte. Aber es gab jetzt kein Ausruhen, hier nicht; hier kroch das Verderben aus jedem Loch, aus jedem Gestrüpp, aus jedem Tümpel.

Weiter, Peter! Das Moor muß ja bald zu Ende sein! Und Peter Bergen kämpfte sich weiter, und das Glück war ihm wieder hold, denn allmählich wurden die Rasenstücke größer, wurden zu geschlossenen kleinen Inseln. Er konnte schon fünf, zehn Schritte gehen, ohne über einen Tümpel springen zu müssen. Merklich fing auch die Vegetation an, sich zu ändern: Aus dem knorpeligen, verwachsenen Gestrüpp wurden hohe und gerade Halme. Es wuchs ein Wald empor, in dem nur noch in kleinen Teichen und Rinnsalen das ölige, schwarze Wasser stand. Dann begann das Gelände anzusteigen.

Anstelle der Dornengestrüppe wuchsen mit Blüten übersäte Sträucher, und über ihnen schossen riesige Schachtelhalme, vielmal höher als die höchsten Tannen, kerzengerade in die Luft.

Das Moor war zu Ende. Er arbeitete sich noch eine Strecke weiter, bis er den Sumpf weit genug hinter sich glaubte, um vor dessen Tieren sicher zu sein. Dann ließ er sich erschöpft zu Boden fallen.

Eine geraume Zeit blieb Bergen keuchend liegen, um dem Körper eine Rast zu gönnen. Nur langsam kamen die überanstrengten Lungen, die zitternden Muskeln zur Ruhe, kam der Schlag seines Herzens wieder in das gewohnte Gleichmaß und wurde aus dem stoßenden Keuchen ein gleichförmiges Atemholen.

Der Schrecken über das tausendfache Verderben, dem er wieder entronnen war, packte ihn erst jetzt ganz, da er die letzten Stunden nochmals überdachte. Aber dann stieg die Freude in ihm auf und der Stolz über seinen Sieg, die Gewißheit, daß ihm das Schicksal gnädig war.

Mit verschränkten Armen lag er in einem weichen, kühlen Mooskissen auf dem Boden des Waldes und sah über sich die fremdartigen Gebilde der Baumkronen, sah in das verwirrende Gewölbe eines seltsamen, tropischen Urwaldes. Seine Augen folgten mit wachsendem Erstaunen den mannigfaltigen Formen der Äste und Blätter, den filigranhaften Verästelungen der Schachtelhalmkronen und anderer Gewächse, für die es in der Geschichte der Erdenflora nichts gab, womit er sie hätte vergleichen können. Nur die Lianen hingen hier wie in den tropischen Wäldern der Erde von den Zweigen und Stämmen.

Da blieb sein Blick an einer großen, weißen Blüte haften, die hoch droben aus dem grünen Blätterdach schimmerte. Das waren die Blüten der Vanillefrucht. Er kannte sie sofort wieder. Mit einem Sprung war er in der Höhe und dabei, den Stamm, zu dem die Blüten gehörten, ausfindig zu machen. Er hatte ihn auch bald entdeckt. Eine Menge Früchte hingen daran, wohl doppelt so groß wie die auf der Bergwiese. Aber was sollten ihm die Früchte und Blütenkelche nützen, sie hingen viel zu hoch, unerreichbar für ihn, und bei der Struktur der Äste war an ein Hinaufklettern nicht zu denken. Sicher gab es aber genug junge Bäume in der Nähe, und bald stand Bergen vor einem mittelgroßen, bei dem er ohne Mühe die Blüten und Früchte erreichen konnte. Nun konnte er seinen Hunger und Durst stillen, und mit Wonne aß er wieder die köstliche Frucht und trank das Wasser aus den großen, weißen Kelchen. Er war vollkommen mit Schlamm besudelt und seine Kleider durch die Dornen und spitzen Äste aufs neue völlig zerrissen. Um diese zu reinigen, hätte er fließendes Wasser gebraucht oder wenigstens einen großen Behälter, um sie darin waschen zu können. So mußte er sich damit begnügen, den gröbsten Schmutz zu entfernen. Immerhin reichte die Flüssigkeit in den Blüten, um wenigstens Gesicht und Hände wieder sauber zu bekommen. Als er damit fertig war, suchte er sich einen Fleck um auszuruhen. Bald fiel er in einen totenähnlichen Schlaf.

Die Sonne stand am neuen Tag schon hoch am Himmel, als er wieder erwachte. Erst glaubte er, daß er nur kurze Zeit geschlafen hatte, da es ja noch immer Tag war. Bald aber stellte er fest, daß die Sonne inzwischen schon einmal untergegangen und wieder aufgegangen sein mußte. Da erschrak er. Hatte er wirklich ohne jede Vorsicht hier im Urwald so lange geschlafen – und nichts hatte seine Ruhe gestört? Kein Tier war gekommen, ihn anzugreifen? Das schien ihm ein gutes Zeichen. Der Wald schien ohne Gefahr zu sein.

Zeitig brach er auf. Nach dem Kampf durch das Moor dünkte ihm das Vorwärtskommen nun leicht. Wohl zwang ihn der starke Unterwald, viele Umwege von seiner eingeschlagenen Richtung zu machen. Aber er konnte auf festem Boden gehen. Wo er hintrat, hielt der Fuß, und jeder Schritt, den er machte, war ein Schritt vorwärts.

Hier bewährte sich nun auch sein Beil. Er konnte damit die Knoten von Schlinggewächsen und Ästen einfach durchschlagen, wenn sie ihm vollkommen den Weg versperrten. Freilich, die gefällten Baumriesen, die im Buschwerk des Unterwaldes lagen, mußte er überklettern oder versuchen, darunter hindurchzukriechen. Es kamen aber auch Stellen, wo er weder Beil noch Messer brauchte, wo er gemächlichen Schrittes dahinschreiten konnte wie in einem blühenden Garten.

Hatte ihm im Sumpf bei jedem Fußtritt, bei jedem Sprung ein neuer Tod entgegengegrinst, so lachte ihn hier das Leben an. Ein herrliches und im Übermaß strotzendes Leben. Immer wieder hielt er inne, um den märchenhaften Zauber dieses Waldes ganz in sich aufzunehmen. Um meergrüne, gelbe und schwarze Schachtelhalmbäume rankten sich lianenartige Gewächse mit großen, lappenartigen oder feingefiederten Blättern. Haushohe Farne von Zitronengelb bis zum Zinnoberrot und ebenso hohe, in allen Farben spielende Moose gaben der strotzenden Wildnis eine verwirrende Buntheit. Ganze Kaskaden von weißen Blütenbüscheln hingen von den Ästen der Bäume und zogen sich wie ein Brautteppich über den Urwaldboden. Und Früchte gab es, Früchte lagen auf dem Boden, hingen an den Ästen, an den Stämmen: Beeren, Kapseln, muschelartige Gebilde, die mit einem Knall aufsprangen und ihre Sporen in die Luft schleuderten, wenn er sie berührte. Zitronenartig duftende, längliche Früchte, die sich wie Schwämme drücken ließen und dabei einen erfrischenden Duft zerstäubten, und dazwischen immer wieder die Blütenkelche und die hier zur riesigen Größe entwickelten Früchte der Vanillefruchtbäume.

Und die Tiere: Über die Blätter und Moose, an den Stämmen entlang, über den Boden huschten Echsen, große und kleine, schwarze, grüne; ach, in allen Farben, und alle mit seltsamen Flughäuten versehen, die sie zum Springen benutzten oder mit denen sie wie Fledermäuse oder Vögel durch die Luft flogen. Salamander mit gesträubten Rückenflossen, wachsweiße Molche, die, wie ein lebendes Stoffmuster anzusehen, rote und gelbe Warzen über den ganzen Körper verstreut hatten, fliegende Geschöpfe, deren Schmetterlingsflügel in allen Farben des Regenbogens schillerten.

Manchmal beschlich ihn auch hier ein Gefühl des Unbehagens, wenn er nach einigen Schritten freien Weges wieder gezwungen war, in die bunte Wildnis einzudringen, wenn es überall um ihn herum huschte, schlich und sprang. Aber keine von all diesen Kreaturen der Wildnis zeigte sich bösartig. Selbst große, drachenartige Tiere, die er – anfangs mit Entsetzen – zu Gesicht bekam, sie waren gut dreimal so groß wie die Echsen in der Saurierschlucht, machten keine Anstalten, ihn anzugreifen, sondern flohen, sobald er sie im Dickicht aufschreckte.

Gegen Abend stieß Bergen auf einen rasch fließenden, kleinen Bach. Das Wasser war kühl und süß, und sogleich benutzte er die willkommene Gelegenheit, seine verdreckten Kleider zu säubern.

Später setzte er seinen Weg fort, um den Rest des Tageslichts noch soviel wie möglich zu nützen. Dabei hielt er sich aber in der Nähe des Bachlaufs, zumal der ihn in derselben Richtung weiterführte, der er selbst zustrebte, nämlich immer direkt vom Moor weg.

Da blieb Bergen plötzlich stehen, wie wenn jemand ihn angerührt hätte. Wohin willst du noch gehen, sagte etwas in ihm. Wonach suchst du noch auf diesem Stern? Allein wirst du überall sein, denn du bist hier der einzige Mensch. Bleibe in diesem Wald und laß ihn dein Paradies sein. Hier findest du Nahrung, so viel du bedarfst, und Wasser für den Durst, und Blumen, die dich erfreuen können.

Ja, wozu wollte er noch weiter? Die Berge hatte er verlassen müssen, weil sie ihm für länger keine Lebensmöglichkeit boten. Aber was er dort als Ziel vor Augen hatte, den Garten Eden, den hatte er hier gefunden. Je mehr er es sich überlegte, desto mehr reifte in ihm der Entschluß, hier seine Wanderung zu beenden. Er wollte den Wald noch durchforschen, wollte erkunden, ob nicht wieder in nächster Nähe ein Moor, eine Schlucht lag, aus der ihm Gefahr drohte oder die ihm gegebenenfalls den weiteren Weg versperrte, denn er mußte sich frei fühlen, mußte die Gewißheit haben, wegzukönnen, überall hin, wenn es einmal notwendig wurde.

Die warme Luft hatte seine Kleider am Körper schnell wieder vollends getrocknet. Zwar war er noch nicht so erschöpft, daß er nicht noch hätte weitergehen können, aber es kam die Nacht und setzte seinem heutigen Wandern ein unvermitteltes Ende.

Im tiefsten Urwald, in einem Zimmer, dessen Wände grünes Moos, Blütenkaskaden und brennrote Farne waren, legte er sich zur Ruhe. Er konnte lange keinen Schlaf finden; der starke, betäubende Duft der Blumen, die schwüle Luft der heißen Tropennacht machten ihn beklommen und verursachten ihm fast Atembeschwerden. Aber von Müdigkeit überwältigt, sank er schließlich doch in einen unruhigen Schlummer, der erfüllt war von wirren Träumen, in dem Drachen und Ungeheuer aller Art aus Mooren und Felsen auf ihn stürzen wollten.

Mitten in der Nacht erwachte er. Er war in Schweiß gebadet. Irgend etwas Widerwärtiges mußte ihm soeben über das Gesicht gelaufen sein. Unheimlich war diese undurchdringliche Finsternis . . .

Was waren das für rote Punkte; lauter rote, glimmende Lichter, vor ihm, auf beiden Seiten, über ihm? Er sprang auf, schlug mit den Händen danach, um sich von den gespenstischen Lichtern, die ihn umgaben, zu befreien. Er hörte ein Flattern, Schreien, Gurren, Krächzen; da wußte er, woher die leuchtenden Punkte kamen: Es waren die Augen der Flugechsen. Wie sie wieder auf ihn gerichtet waren, so unbeweglich wie vorher. Konnten sie auch bei Nacht sehen, oder starrten sie nur in die Richtung ihrer Witterung? Was wollten sie von ihm? Eine widerwärtige Vermutung bemächtigte sich seiner: Sie warteten auf seine Leiche, auf seinen Kadaver. Nein, nun wollte er nicht mehr weiterschlafen. Das Gefühl war zu ungemütlich. Sicherlich hatten auch in der letzten Nacht diese gierigen Hyänen seinen Schlaf belauert, auf seinen letzten Atemzug gewartet. Er schritt hin und her, und wo er die roten Punkte sah, scheuchte er sie mit Füßen und Armen weg. Aber die Echsen flogen nicht davon, sie wichen nur zurück, um gleich danach wieder still irgendwo zu sitzen und ihn anzustarren.

Da, wieder diese Schreie aus dem Wald, wie er sie schon aus dem Moor gehört hatte. Das waren wieder Schreie des Todes. Hatten etwa die Echsen Grund, auf seine Leiche zu warten? War er in Gefahr? Vielleicht lauerte irgendwo im Gebüsch, im Gewirr der Farne ein Raubtier, bereit, über ihn herzufallen, und die hungrigen Echsen witterten die Gefahr, witterten in ihm die sichere Beute. Tiere hatten oft seltsame Gaben, die Ereignisse vorauszuspüren.

Wie durchdringend süß doch die Blüten dufteten. Er spürte den Duft wie einen Alpdruck auf sich lasten . . . Und die roten Lichter über ihm, vor ihm, überall . . .

Er hatte doch noch geschlafen diese Nacht, und als er erwachte, da lächelte er über den nächtlichen Spuk und seine Furcht. In überschwenglicher Fülle fielen die Blütenbüschel über Lianen und Moose, und die Farne brannten in den Strahlen der Frühsonne, die ihr gleißendes Licht in den erwachenden Wald schüttete. Das Leben hatte wieder ein lachendes Gesicht.

Es war gut, daß sich, als er weiterwanderte, wenigstens ab und zu das grüne Dach über ihm auftat, um ihn den Stand der Sonne ahnen zu lassen, denn nun war er vom Meer schon zu weit weg, um noch das Rauschen seiner Brandung hören zu können, und er hatte nur noch die Sonne, nach der er seinen Weg richten konnte.

So zog Bergen durch den riesigen, geheimnisvollen Wald, unbelästigt von allen Tieren, die darin hausten und war des Glaubens, daß diese großen Urwälder harmlos und ohne Gefahren seien. Aber wie sehr täuschte er sich darin, wie ganz anders konnte das Gesicht dieses blühenden Paradieses werden. Doch das sollte er viel später erfahren.

Noch drei Nächte verbrachte er in diesen grünen Mauern. Am vierten Tag lichtete sich mehr und mehr die Wildnis, die Farne und Moose blieben zurück, und frei und licht standen die riesigen Schachtelhalme und gaben den Blick frei in ein offenes Gelände. Er hatte den Rand des Urwaldes erreicht.

Das Land, das sich vor ihm ausbreitete, wirkte überwältigend groß in der Einfachheit seiner Formen: In halbkreisförmigen Stufen senkte sich die Höhe in ein sattes, grünes Tal, um jenseits, in weiter Ferne, wieder zu einem in ruhigen Linien sich hinziehenden Gebirge anzusteigen. Vereinzelte Sträucher und Baumgruppen waren über das Tal und die Hügelstufen verstreut, und mittendurch zog ein Fluß in endlosen Windungen seinen Weg.

Hier beschloß Bergen zu bleiben. In diesem Paradies, am Rande des reichen Waldes, wollte er sich wieder eine Hütte bauen. Nein, nicht eine Hütte, ein festes Haus sollte es diesmal werden, mit allen Bequemlichkeiten versehen, deren er zu seinem Wohlbefinden bedurfte. Es sollte am Rande des Waldes stehen, damit er sich frei fühlte und die Schönheiten der offenen Landschaft und die Üppigkeit des tropischen Urwaldes gleichermaßen genießen konnte. Früchte gab es hier in Mengen, und sicher fand er auch eine Art von Tieren, deren Fleisch er essen konnte. Wo aber sollte er Feuer hernehmen?

Diese Frage beschäftigte ihn wieder seit den Stunden, die er naß und frierend in der Schlucht der Saurier verbracht hatte. Ein zweites Streichholz hatte ihm Mr. Brookens leider nicht in die Rocktasche gesteckt. Es blieb also nur ein Weg dazu, wenn er überhaupt wieder zu Feuer kommen wollte: der Versuch, sich eins durch Aneinanderreiben von zwei Hölzern zu entfachen. Wie dumm, daß in allen Schulen der zivilisierten Erde den Kindern erzählt wurde, wie die Naturvölker auf diese Weise trockenes Gras zum Brennen bringen und daß es keinem Lehrer einfiel, dieses Verfahren selbst auszuprobieren und es seinen Schülern zu zeigen. Aber was den Wilden Afrikas gelang, mußte schließlich auch er fertigbringen. Zeit, es immer wieder zu versuchen, hatte er ja.

Ach, er hatte nun so viel Zeit. Es stand kein Dr. Brookens mehr hinter ihm, der ihm auf die Schulter klopfte und sagte: »Na, Herr Bergen, wie weit sind Sie mit Ihrer Erfindung? Das Werk wartet.« Herr Dr. Brookens, jetzt warte ich. Wann schicken Sie ein Schiff aus, um die Toten und mich zu suchen?

O doch, der gute Brookens würde eins aussenden, er würde nicht ruhen Tag und Nacht, bis das zweite Schiff auf die Startbahn rollte und die Erde verließ, um nach den Vermißten zu forschen.

Aber was half ihm das? Angenommen, WRS II würde auf seinem Stern landen, wie sollte man ihn hier finden? Zwei Jahre mußte er warten, ehe er frühestens mit der Ankunft des Schiffes rechnen konnte. Bis dahin mußte er an mehreren Stellen dieses Planeten, im großen Tal da unten und auf hohen Bergen weithin sichtbare Zeichen errichten, die sie, wenn sie mit ihren mitgeführten Flugzeugen den Stern absuchten, vielleicht entdecken konnten. Es war ein Spiel mit tausend Wenn und Aber und Vielleicht. Eins zu einer Million war die Wahrscheinlichkeit, daß man überhaupt auf diesen Stern stieß und ihn hier fand. Aber er wollte sich nicht selbst vorwerfen müssen, diese einzige Möglichkeit nicht unterstützt zu haben.

Zwei Jahre lang mußte er mindestens hierbleiben. Wie aber sollte er wissen, wann auf diesem Stern zwei Erdenjahre um waren? Aber das ließ sich vielleicht errechnen: Achtzig Schläge machte sein Herz in einer Erdenminute. Auf diesem Stern schlug sein Herz schneller. Er hatte auf der Erde oft seine Pulsschläge gezählt und hatte es noch genau im Gefühl, in welchem Tempo er dabei die Zahlen aussprach. In den stillen Tagen auf der Quellenwiese hatte er festgestellt, daß, wenn er im gleichen Rhythmus zählte, die Blutschläge ihm vorauseilten. Diese Beschleunigung mußte an der verringerten Anziehungskraft der Sternmasse liegen. Er hatte ausgerechnet, daß hundert Herzschläge hier einer Erdenminute gleichkamen. Also trafen eine Erdenstunde sechstausend Schläge. Wenn er von Sonnenaufgang bis Sonnenuntergang immer sechstausend Herzschläge zählte, dann mußte er wissen, wie viele Erdenstunden ein Tag auf diesem Weltkörper dauerte.

Die ersten Tage in seinem Garten Eden benutzte Bergen dazu, Baumaterial für sein Haus zu suchen. Die Wände würde er aus Schachtelhalmstämmen machen. Zwei Zimmer sollte es haben und einen kühlen Vorratsraum unter dem Boden. Er würde das Haus auf Pfosten stellen, um es vor der Nässe der Nachtregen zu schützen. Über eine Treppe sollte man auf eine Veranda und von dort aus in den Wohnraum gelangen.

Und ein Tagebuch wollte er schreiben: »Zwei Jahre auf dem . . .« Ja, wenn er nur wüßte, auf welchem Stern er war!

Dünner, geglätteter Bast mußte das Papier abgeben. Mit einem gespitzten Schachtelgrasstiel würde er schreiben, und irgendein farbiger Saft würde sich in einer Frucht oder Beere wohl finden, der sich als Tinte eignete.

Er würde auch eine Insektensammlung anlegen: Die kleinen Tiere mit den großen Schmetterlingsflügeln mit der für die Erde unvorstellbaren Spannweite von mindestens einem Meter, die weißen und farbigen Molche, die winzigen, drachenartigen Insekten, alle diese Kleintiere wollte er ausstopfen. Von allen Blättern und Blüten würde er eine Sammlung anlegen. Viel Arbeit würde das geben, aber die brauchte er, um nicht vor Einsamkeit zu sterben.

»Hier«, würde er zu Dr. Brookens sagen, »habe ich zwei Jahre lang gelebt als einziger Mensch unter den Tieren der Urwildnis. Wissen Sie, was das heißt?« »Na, und?« würde Brookens antworten. Aber dann würde er ihm auf die Schulter klopfen: »Alle Achtung, Peter«, würde er sagen, »das haben Sie brav gemacht. Und nun kommen Sie, auf daß die Erde Ihnen den verdienten Lorbeer auf die Stirn drücke.«

Auch einen Zaun wollte er sich um das Haus ziehen, spann er seine Pläne weiter. Vielleicht gelang es ihm sogar, einige fliegende Echsen als Haustiere zu zähmen.

Zuerst mußte er sich eine Nothütte bauen, und er begann auch gleich damit, sich zwischen drei im Winkel zueinander stehenden Bäumen aus dicht beblätterten Ästen eine Art Zelt zu errichten, das ihn gegen die hier starke Sonne und einigermaßen auch gegen den nächtlichen Gewitterregen schützte. Freilich, einem Unwetter wie auf der Quellenwiese würde dieser provisorische Unterschlupf nicht standhalten.

Schon in den nächsten Tagen wollte er darum mit dem Bau seines Hauses beginnen.

Aber Peter Bergen baute sein Haus nicht mehr. Es trat ein Ereignis ein, das seine ganzen Pläne mit einem Schlag über den Haufen warf.

Peter Bergen war auf der Suche nach geeignetem Material zum Bau seines Hauses auf die Losung eines großen Tieres gestoßen. Zuerst dachte er an Saurier. Die aber hielten sich in der Nähe des Meeres auf. Die Entdeckung machte ihn unruhig, und er suchte noch am selben Tag die nähere Umgebung des Waldes ab, um Gewißheit zu haben. Wenn hier große Tiere wechselten, so mußten ihre Spuren im zerstampften Unterholz zu erkennen sein. Aber er fand nichts, was auf ihre Anwesenheit schließen ließ. Vielleicht waren die Fährten schon wieder überwuchert, oder aber die Tiere hielten sich im Grasland auf. Auf jeden Fall mußte er, bevor er den Bau seines Hauses begann, wissen, was sich in seiner Nähe herumtrieb. Er machte sich auf und zog ins Tal hinab, um es zu durchforschen. Er war noch nicht lange unterwegs, als er wieder auf eine Losung stieß, und nun entdeckte er auch eine frische Fährte, die im hohen Gras noch deutlich zu erkennen war. Er folgte ihr, die sich in großen Windungen und Schleifen auf das Flußbett zuzog. Dort verlor sie sich im kiesigen Grund. Eine Zeitlang suchte er das flache Ufer nach beiden Richtungen ab, um vielleicht Fußabdrücke entdecken zu können, aber ohne Erfolg.

Als er eben wieder umkehren wollte, blieb sein Blick wie zufällig an einem der vielen glänzenden, bunten Steine hängen, die im grauen Kies verstreut waren. Er hob ihn auf, und als er näher besah, was in seiner Hand lag, durchfuhr es ihn wie ein elektrischer Schlag: Das kleine, weiße Ding, das naß in der Sonne glitzerte, war eine Pfeilspitze. Es war ein zugeschliffenes Muschelstück, und wenn er noch an ein zufälliges Spiel der Natur geglaubt hätte, das dem Schalenstück auf seiner Wanderung durch das Wasser vielleicht diese rautenartige Form gegeben hatte, so beseitigte eine dünne Bastfaser, die mit einem regelrechten Knoten an dem stumpfen Ende befestigt war, jeden Zweifel über die Herkunft und den Zweck des kleinen Gegenstandes. Also menschliche Wesen! Der Schluß war zwingend. Es gab Menschen hier außer ihm. Menschen! Der Gedanke daran wühlte sein Innerstes auf. Hundert Fragen überstürzten sich in seinem Gehirn: Wo waren diese Menschen? Wie sahen sie aus? Auf welcher Stufe der Entwicklung standen sie? Waren sie wie die Neandertaler der Erdensteinzeit, wild und tierhaft, oder sahen sie überhaupt anders aus als die

Lebewesen mit Verstand, die man auf der Erde als Gottes Ebenbild bezeichnete? Standen sie noch auf der untersten Stufe ihrer Erschaffung, waren sie noch wie Tiere, nur mit dem Trieb nach Nahrung und Fortpflanzung ausgestattet, oder hatten sie bereits Formen von Kultur und Zivilisation, und wo und wie würde er sie antreffen? Die Pfeilspitze, die im Geröll gelegen hatte, bewies, daß diese Menschen von hier nicht weit entfernt waren, zumindest aber zum Jagen oder zu sonstigen Beschäftigungen hierher kamen. Er untersuchte den Bastfaden. Er hatte noch die Windungen, mit denen er einmal am Pfeilschaft festgebunden gewesen war. Er konnte also auf keinen Fall lange Zeit im Wasser gelegen haben, also auch nicht von weither angeschwemmt worden sein, auch nicht lange im Regen gelegen haben. Der Mensch, von dem die Pfeilspitze stammte, war demnach vor kurzem hier gewesen. Ob er wiederkam?

Ein plötzlicher Entschluß veranlaßte ihn, eilig zu seinem Lager zurückzukehren. Er trug als Waffe nur das Messer bei sich und fühlte sich so im offenen Gelände einem etwaigen Angriff mit Pfeilen wehrlos ausgeliefert. Er lief mehr als er ging und war froh, als er den Waldrand erreichte. Hier im Buschwerk und unter den Bäumen hatte er, wenn er mit ihnen zusammenstoßen sollte, zumindest eine bessere Verteidigungsmöglichkeit.

Aber würden sie denn überhaupt kommen? Es konnte Tage, es konnte Monate dauern, bis einer dieser Menschen wiederkam. Vielleicht auch waren sie Nomaden und hatten dieses Gebiet nur durchzogen, um es nie wieder zu betreten. Vermutlich traf er sie überhaupt nicht, wenn er hier wartete . . . und dieses große Rätsel würde immer ungelöst bleiben. Sollte er also wieder weiterwandern und sie suchen?

Stundenlang in den nächsten Tagen saß Bergen nun oft vor seiner Hütte, hielt das kleine, unscheinbare Muschelstückchen in der Hand, das die großen Geheimnisse barg, und sinnierte, ohne auch nur eins davon enträtseln zu können, ohne zu einem Schluß zu kommen.

Er war eines Morgens damit beschäftigt, die Wände seines Zeltes mit Schlingpflanzen zu verdichten. Dabei stand er mit dem Rücken dem Tal zugekehrt. Da hörte er hinter sich einen seltsamen Laut. Gewohnt an ständige Abwehrbereitschaft, wandte er sich blitzschnell um und blieb, noch in der Drehung seines Körpers begriffen, wie angewurzelt stehen.

Vor ihm stand der Mensch. War es ein Mensch?

Ein Wesen stand ihm gegenüber, so bizarr und seltsam, daß er nicht wußte, sollte er den Anblick gräßlich oder schön empfinden. Ein Lebewesen, das aufrecht stand und an dessen Armen und Beinen sich grünliche, fischflossenartige Hautlappen vibrierend bewegten. Ein schmaler Leib schillerte wie ein perlmutternes Schuppengebilde. Aus einem schlanken, fast dünnen Hals wuchs ein Kopf, ein weißschimmerndes Gesicht, darin zwei Augen, tiefschwarz und unnatürlich groß.

Er mußte sich bewegt haben, denn das Wesen machte eine abwehrende Geste. Dabei zog sich der ganze Körper in tierhafter Geschmeidigkeit, zitterten die Hautgebilde bis zu den ausgespreizten, mit Schwimmhäuten verbundenen Fingern. Ja, er täuschte sich nicht, die langen, schlanken grünen Finger waren untereinander mit dünnen Häuten verwachsen. Ein Gefühl des Unangenehmen, Widerlichen wechselte in ihm mit dem des Entzückens. Er wollte sprechen, aber die Kehle war ihm wie zugeschnürt.

Das war also ein Mensch dieses Planeten; dieses echsenhaft gebildete und doch wieder so schön anzusehende Wesen. Wie so ganz anders hatte er sich die Menschen vorgestellt: als halb affenartige Geschöpfe, behaart, mit engstehenden, tiefliegenden Augen und vorgewölbten Stirnknochen.

Bergen trat auf es zu, die beiden Hände vorgestreckt: »Ich komme von der Erde«, sprachen seine Lippen, aber vor Erregung kam nur ein verschlucktes, hilfloses Krächzen aus seinem Mund.

Seine Stimme oder die Bewegung seiner Hände mußte das Menschenwesen erschreckt haben. Die Hautlappen spannten sich plötzlich, es warf die Arme hoch, und wie ein grotesker Vogel schnellte es sich in die Luft. Mit großen, fliegenden Sprüngen hetzte es davon. Unbeweglich sah Peter Bergen ihm nach, wie seine schuppenglänzenden Beine schnellfüßig über den Boden liefen, sich wieder in die Luft erhoben und es in immer gleichem Wechsel von Fliegen und Laufen in das Tal hinabjagte. Schließlich verschwand es hinter einem Hügel.

Er war schon lange wieder allein, als er zu sich kam und bemerkte, daß er in der einen ausgestreckten Hand das Beil hielt, so, wie er es zum Ausbessern der Hütte eben gebraucht hatte, und in der anderen einen Baumast, den er im Begriff gewesen war, in den Boden zu rammen. Noch hielt er beide Gegenstände vor sich, wie zur Abwehr oder zum Schlag bereit.

Hatte sich das Menschenwesen angegriffen gefühlt? Ja, vor den ihm entgegen gehaltenen Waffen und vor seiner unartikulierten Stimme war es geflohen. Oder, war es wie er vor Überraschung und Schreck starr gewesen und hatte die Flucht ergriffen, als er durch seine Stimme diese Starrheit gelöst hatte? Oder war alles nur ein Trugbild seiner überreizten Phantasie?

Bergen fuhr sich über die Augen, kniff, biß sich in den Arm, um zu erwachen, wenn er nur träumen sollte.

»Es ist ja nicht möglich«, sagte er immer wieder laut zu sich selbst, »Millionen Menschen auf Erden tragen seit Tausenden von Jahren die Sehnsucht in ihrem Herzen, zu wissen, was auf den anderen Sternen lebt. Zu wissen, ob noch andere Menschen geschaffen sind, Menschen mit Verstand, die lieben und hassen können, gleich denen auf der Erde, und ich, der Junge, Unwürdige bin begnadet, als Erster ihn zu sehen, den anderen, den Bruder Mensch, der vielleicht ein Herz hat wie wir Menschen auf dem anderen Stern Erde.«

In dieser Nacht schlief Peter Bergen nicht, so ungestüm war alles in ihm aufgewühlt. Immer und immer wieder ließ er die einzelnen Phasen des Geschehens dieser Minuten an seinem Geist vorüberziehen, sah diesen Menschen vor sich mit seinem Schuppenleib und den vibrierenden Flugflossen. Wie geschmeidig dieser Körper gewesen war, dieses glatte, faltenlose Gesicht: es war eine Menschenfrau gewesen!

Nun mußte er fort, mußte diese Menschenfamilie suchen. Er würde nicht ruhen, bis er sie fand. Ach nein, er würde sie nicht zu suchen brauchen. Sie würden wiederkommen. Ob dieses Mädchen ihn für ein Tier, einen anderen Menschen oder einen Gott gehalten hatte: diese Menschen würden wissen wollen, wer das Wesen war, das einem von ihnen im großen Wald begegnete. Heute vielleicht schon – oder morgen – würden sie kommen, denn sie konnten nicht weit entfernt sein.

Peter Bergen brauchte nicht lange zu warten. Er sah, als er am nächsten Tag wieder am Rande des Waldes stand und in das Tal hinabschaute, dort etwas Unbestimmtes sich bewegen. Später unterschied er zehn bis zwölf dunkle Punkte, die sich der Höhe näherten. Er beobachtete die eigenartige Weise ihrer Fortbewegung. Sie schienen weder richtig zu laufen, noch eigentlich zu fliegen, sondern machten große Sprünge, wobei ihre Flughäute gespannt waren. Sie kamen rasch näher. Dann verschwanden sie hinter einer Hügelstufe. Jetzt tauchten sie mit flatternden Sprüngen auf der Höhe auf. Sie schienen ihn gesehen zu haben, denn sie blieben stehen. Er erkannte das Mädchen unter ihnen. Die anderen waren vermutlich Männer, denn sie waren größer und kräftiger gebaut und hielten in den Händen verschiedene Dinge, große Steine, Keulen, bogenartige Hölzer und Speere.

Peter Bergen stand angelehnt an den vordersten Baum des Waldes, die Hand an der Pistole. So erwartete er sie. Er sah das Mädchen auf ihn deuten. Er sah die Männer gestikulieren. Dann lösten sich drei aus der Gruppe und kamen auf ihn zu, nicht fliegend und springend, sondern in ruhigen, gleichmäßigen Schritten. Jetzt waren sie vielleicht noch hundert Meter entfernt, jetzt fünfzig, zehn Meter – jetzt blieben sie stehen. Sie redeten nicht, sie bewegten sich nicht. Welch großer Augenblick! Keine Furcht, keine Unsicherheit hemmte Bergens Denken, und er empfand mit heiligem Schauer die Einmaligkeit und Größe dieser Stunde.

Sie standen sich noch immer gegenüber, die Menschen von zwei Sternen, und sie sahen sich unverwandt, unbeweglich an. Warum kamen sie nicht näher? Sollte er sie anrufen, sie auffordern herzukommen? Nein, das war sinnlos. Wie sollten sie begreifen, was er sagte, und was hätte er sprechen sollen? Vielleicht: »Hallo, Boys, good bye«, oder sollte er vielleicht »Grüß Gott« sagen oder »Guten Tag«? Da streckte er den Arm aus und winkte mit der Hand. Drüben entstand eine Bewegung. Einige hoben ihre Waffen, dann standen sie wieder unbeweglich. Was sollte nun geschehen? Sollte er in die Luft schießen, ihnen damit Furcht einflößen, schon durch den starken Knall, den er wie aus dem Nichts zu erzeugen vermochte, ihnen zeigen, daß er ein mächtiges Wesen war?

Da war es der Mensch in ihm, der rief: »Pfui, Peter Bergen, findest du, der du Jahrtausende Kultur hinter dir hast, der du dich erhaben dünkst über diese Wesen, kein anderes Zeichen deiner Überlegenheit, als den Knall eines Revolvers?« Und von einem glücklichen Instinkt getrieb hob er den Arm und riß einen Zweig von dem Baum, unter dem er stand. Dann ging er ruhig und ohne

Hast den halben Weg auf die anderen zu und legte ihn mit deutlich sichtbarer Geste auf den Boden. »Komm«, wollte er sagen, »komm mir auf halbem Weg entgegen, du Mensch, wenn du eine Seele hast wie ich, die dich und mich über die Tiere erhebt und uns zu Brüdern macht. So anders auch die Hülle ist, in der diese lebt, laß uns die Hände reichen.« Und der Mensch des fremden Sterns verstand diesen Akt der Freundschaft.

An eigenartigen Lauten, die die Männer von sich gaben, erkannte er, daß sie miteinander sprachen. Jetzt gingen sie auf die Stelle zu, wo der Zweig lag und legten, – ein Glücksgefühl stieg in ihm auf, als er es sah – ihre Waffen vor ihm zu Boden.

Sie standen sich gegenüber, Auge in Auge, die bei diesen Menschen groß und feucht wie schwarze Perlen in den Gesichtern lagen. Sie waren nicht schön zu nennen, diese männlichen Gesichter. Die Züge kamen ihm müde vor und waren ohne Straffheit.

Die Männer sprachen aufgeregt mit gutturalen, gurrenden Lauten, die ganz hinten aus dem Rachen kamen.

Nach einer Zeit fingen sie an, seine Hände zu berühren, seine Beine, seine Haare, seinen Anzug und brachen bei jeder neuen Feststellung in aufgeregte Töne aus.

Ihr größtes Interesse galt offensichtlich den Haaren und seinem Rock. Sie hatten selbst keine Haare und keinen Bart, dafür hingen von der Schädeldecke schmale, lanzettförmige, perlmuttschimmernde Lappen, die wie Blätter wirkten. Immer wieder machten sie sich an seinen zerfetzten Kleidern zu schaffen. Offensichtlich hielten sie sie für Flughäute, die er ausbreiten konnte, um mit ihnen durch die Luft zu springen. Da zog er sich den Rock aus, so daß er mit nacktem Oberkörper vor ihnen stand. Dieser Vorgang schien sie ungeheuer zu beeindrucken. Ihre Flughäute spannten sich, und mit aufgeregten Gebärden schnellten sie sich in die Luft und umsprangen ihn mit großen Flügelschlägen. Sie sahen aus wie aufgescheuchte Riesenraben, denen die Flügel gestutzt waren und die deshalb beim Flugversuch nicht recht in die Höhe kamen. Bergen schlüpfte wieder in seinen Kittel, ging zum Baum zurück, unter dem er sie zuerst erwartet hatte, und setzte sich dort auf den Boden. Ganz allmählich nur beruhigten sich die Menschen wieder und kamen näher. Er fing nun an, ihnen alle Gegenstände zu zeigen, die er besaß: Konservendosen, Draht, Knöpfe und führte ihnen schließlich den Gebrauch von Messer und Beil vor. Unter großem Redeschwall reichten sie sich die Gegenstände von Hand zu Hand. Dann machte er sich seinerseits an die Untersuchung ihrer Waffen. Es waren Keulen aus schwerem, schwarzen Holz, ein Pfeilschleuder-Geschoß, eine Waffe, die sie, wie er später beobachtete, mit viel Erfolg zu handhaben verstanden, dann eine Steinschleuder aus Haut und mehrere Pfeile mit Stein- und Muschelspitzen, ähnlich der, die er im Flußbett gefunden hatte. Peter Bergen bemerkte das Mädchen, das noch allein an der Stelle stand, wo die Ankommenden zuerst halt gemacht hatten. Er wollte auf es zugehen, doch sobald er näherkam, ergriff es wieder die Flucht.

Bergen versuchte, mit den Männern eine Unterhaltung anzuknüpfen. Er deutete auf sich, zum Himmel und dann auf den Boden und wollte ihnen damit zu verstehen geben, woher er kam. Aber sie begriffen ihn nicht. Der Gedanke war ihnen zu fremd. Da machte er die Bewegung des Kauens und Essens, denn er hatte Hunger. Das verstanden sie. Einer lief in den Busch, um gleich darauf mit einer kleinen, zappelnden Echse zwischen den Fingern zurückzukommen. Die bot er Bergen an, indem er sie ihm vor das Gesicht hielt. Der wehrte entsetzt ab und hielt sich den Mund zu. Das machte die Männer ratlos. Hatte der Fremde nicht eben zu verstehen gegeben, daß er Hunger hatte, und jetzt lehnte er diesen saftigen Bissen ab? Dann riß der selbst mit einer geschickten Fingerbewegung dem Tier den Kopf sowie die zwei seitlich abstehenden Flossen ab, und schon war der Rest in seinem Mund verschwunden. Pfui Teufel! Das waren gute Aussichten. Es würgte ihn, wie er den Mann schmatzen sah. Ob er das auch einmal lernen mußte? Aber die Männer verachteten auch die Vanillefrucht nicht, die Bergen ihnen nun seinerseits anbot, und sie verzehrten sie, wie es schien, mit großem Genuß.

Gegen Abend machte sich die Abordnung der Planetenmenschen auf zum Rückflug. Sie sprachen auf ihn ein und deuteten dabei immer wieder auf das jenseits des Tales gelegene Gebirge. Dann nahmen sie ihre Waffen auf, und einer nach dem anderen erhob sich mit ausgebreiteten Flugflossen. Als er ihnen nicht folgte, kehrten sie wieder um, um auf ihn zu warten. Bergen aber dachte nicht daran, mitzugehen. Wußte der Himmel wo die heute noch hinwollten, wo ihr Lager oder ihre Nester waren. Und überdies: Vorsicht war immer am Platz. Diese Männer hatten sich freundlich gezeigt, schienen wie Kinder, ohne List und Falschheit. Aber dort, wohin sie ihn führen würden, gab es sicher noch andere Menschen, deren Sinn er nicht kannte. Und noch dazu bei Nacht in ihr Dorf zu kommen, schien ihm eine unnötige Gefahr. Er machte ihnen durch Gesten klar, daß er hierbleiben und schlafen wollte und verursachte dadurch unter ihnen große Ratlosigkeit. Immer wieder flogen sie auf und deuteten auf die Richtung ihres Weges, um kurze Zeit später wieder zurückzukehren. Da beendete Bergen die fruchtlose Debatte, indem er sich einfach auf den Boden zum Schlafen niederlegte. Nun hatten sie begriffen. Sämtliche Männer legten ihre Waffen vor Bergens Zelt nieder. Dann hockten sie sich einzeln oder zu zweit in seine Nähe und verhielten sich ruhig. Wollten sie nun auf ihn warten oder wollten sie ihn bewachen? Er nahm das erstere an, denn sonst hätten sie wohl nicht ihre Waffen aus der Hand gelegt. Als es vollständig dunkel geworden war, schlüpfte Bergen unbekümmert um seine Gäste unter sein grünes Zelt.

Es war ein belustigendes Bild, das sich ihm bot, als er am nächsten Morgen aus der Hütte kroch: Wie wenn Eidechsenvögel gymnastische Übungen machten, so nahmen sich die Bewegungen aus, die die Männer weit verstreut auf der Wiese ausführten. Sie liefen eilig auf allen Vieren auf eine Stelle zu, um dann hastig nach etwas zu greifen, oder stürzten sich zu demselben Zweck aus dem Flugsprung auf den Boden herab. Eine Zeitlang rätselte Bergen, was das bedeuten könnte. Endlich wurde es ihm klar: Sie frühstückten. Es mußte zwischen den Gräsern irgendwelche Tiere geben, Schnecken oder Würmer, die sie suchten und verspeisten. Tiermenschen sind das, dachte er, Wesen, die noch in der Mitte ihrer Entwicklung vom Tier zum Menschen stehen. Später aber, als er diese Menschen näher kannte, mußte er ihnen ob seines voreiligen Urteils Abbitte tun und hatte dann auch für ihre Vorliebe, gelegentlich lebendes Gewürm zu verspeisen, mehr Verständnis. Und übrigens, pflegten nicht auch auf der Erde gerade die Menschen, die sich als die höchsten Vertreter der Zivilisation fühlen, lebende Muscheln, eine schleimige, formlose Masse, genießerisch in den Mund zu schlürfen? Im Augenblick allerdings sah er nur die widerliche Art, mit der diese Menschen wie die Tiere fraßen und fühlte sich abgestoßen.

Als Bergen sich entschlossen hatte, den Menschen zu folgen –

er war sich in der Nacht darüber klargeworden, daß sein Leben in ihrer Gesellschaft, und sollten ihre Lebensgewohnheiten noch so primitiv und fremdartig sein, der Einsamkeit unter den Tieren der Wildnis vorzuziehen war –, gab er selbst das Zeichen zum Aufbruch. Er schulterte also seine Habseligkeiten und ging einfach los. Die Menschen stellten ihren Eidechsenfang sofort ein und flogen, nachdem sie ihre Waffen geholt hatten, neben ihm, vor ihm und hinter ihm her. Er kam sich, von den elf ihn umfliegenden Trabanten begleitet, in seiner zerlumpten Aufmachung wie ein alttestamentarischer Prophet vor, als er so über die Wiese zu Tal zog.

Sie waren geduldig und drängten nicht. Wollte er rasten, so taten sie dasselbe, und als er am Fluß im Tal halt machte, um von seinen mitgenommenen Vorräten zu essen, benutzten auch sie die willkommene Gelegenheit, um ihr unterbrochenes Schneckenfrühstück fortzusetzen. Als er den Fluß überquerte, brachte sie seine Hilflosigkeit, mit der er schwimmend und kletternd den breiten, in der Mitte reißenden Strom zu durchqueren sich bemühte, wieder in höchste Erregung. Sie hatten es freilich leichter. Springend flogen sie von einem aus dem Wasser ragenden Felsen zum anderen. Für sie war der Fluß kein Hindernis. Nachdem Bergen das andere Ufer des Flusses erreicht hatte, zog er erst seine Kleider aus, um sie in der Sonne zu trocknen. Er selbst legte sich in den Sand, um sich von der Strapaze des Flußübergangs auszuruhen.

Der Weg schien noch weit, und so brach er bald wieder auf. Sie kamen von Stunde zu Stunde näher an die Berge heran. Er sah, daß die Gebirge, einem zerrissenen Kanon gleich, sich fast ohne Übergang aus dem Tal erhoben. Dicht bewaldete Plateaus wechselten mit kahlen Felspartien. In diesen Bergen also wohnten sie. Ob es Dörfer waren, in denen sie in Familiengemeinschaften zusammenlebten, mit richtigen Hütten und Herden, oder ob sie wie die Steinzeitmenschen der Erde in Höhlen und Löchern hausten? Nun, er würde es ja bald erfahren.

Er wurde in seinen Betrachtungen gestört durch ein wildes Gekrächze, das seine fliegenden Begleiter erhoben. Er folgte mit den Augen der Richtung, wohin sich ihr Interesse zu wenden schien und sah auf der offenen Prärie ein Rudel großer, schwarzer Tiere, die in einer Entfernung von vielleicht eineinhalb Kilometern langsam ihren Weg zogen. Saurier, an die er sofort wieder dachte, konnten es nicht sein, denn die hätte er an den langen Hälsen erkannt. Für eine Büffelherde, an die er ebenfalls dachte, waren die Tiere zu groß. Aber Mammuts konnten es sein. Allerdings paßte auch dieser Name nicht ganz auf sie, denn sie schienen lange, nachschweifende Schwänze zu haben. Doch glaubte er an ihren Köpfen etwas wie Stoßzähne ausmachen zu können. An dem Benehmen der Männer, die ihre Waffen schußfertig machten, merkte er, daß sie auf das Rudel Jagd machen wollten. Wie lange aber würden sie dadurch aufgehalten! Er aber war müde und hoffte, bald irgendein Ziel zu erreichen und dort zur Ruhe zu kommen. So ging es unbeirrt die vorher eingeschlagene Richtung weiter. Nach einiger Zeit, in der sie alle dem ausgemachten Wild nachgeeilt waren, kamen sie, einer nach dem anderen, wieder zurück und setzten ihre Begleitung an seiner Seite fort.

Nun glaubte er übrigens auch zu wissen, von welchem Tier die Losung stammte und die Fährte, die er neulich verfolgt hatte und der er den Fund der Pfeilspitze verdankte. Es war sicher ein Einzelgänger dieser Mammutart, über dessen Gefährlichkeit, wäre er ihm begegnet, er sich keinem Zweifel hingab.

Sie hatten die ersten Stufen des Gebirges erreicht. Während die Männer mit ihren Flughäuten ohne Schwierigkeiten die Höhen nahmen, bedeutete es für ihn nach all den Strapazen des langen Tages – sie mochten gut eine Strecke von 40 Kilometern zurückgelegt haben – eine große Anstrengung, über die Felsen in die Höhe zu klimmen.

Seine Begleiter wurden plötzlich wieder sehr unruhig. Sie flatterten ihm voraus, verschwanden in Bergspalten und hinter Bergmassiven – nun kamen wieder einige von ihnen zurück. Nein, das waren ja andere! Es wurden immer mehr und mehr, die um ihn herumflogen und die ihn kreischend anstarrten. Da waren auch kleine darunter, offensichtlich Kinder mit unnatürlich großen Köpfen, die ihn neugierig umhopsten und umflatterten.

Nun würde bald der Ort kommen, wo sie hausten. Es ging noch einige Felsstufen hinauf, durch enge Felsspalten, dann höher und höher, dann bogen sie rechts in eine Schlucht, ähnlich der, durch die er aus der Saurierhöhle entflohen war, und dann stand er mit einem Mal vor ihrem Lager, nein, vor der seltsamsten Stadt, die man sich vorstellen kann.

An den beiden Felswänden der Schlucht, bis in schwindelnde Höhen hinauf, hingen in- und übereinander geschachtelt, wie eckige Vogelnester anzusehen, weiße Hütten. Dazwischen ein Gewirr von Brücken, Treppen und Steigen, die wie an die Wände geklebt schienen, oder sich von Wand zu Wand spannten und die Nestergruppen miteinander verbanden. Und Vögeln gleich hingen auch die geflügelten Menschen auf den Balkonen und Erkern ihrer Hütten oder flatterten aufgeregt auf und nieder.

Es war Abend und in der Schlucht schon dunkel. Verschiedentlich leuchteten kleine Feuer auf. Diese im Ungewissen aufflakkernden Lichter und dünne Rauchschwaden, die wie Nebelstreifen zwischen den Felswänden lagen, gaben dieser Vogelmenschenstadt eine phantastische Wunderlichkeit.

Lange blieb Bergen stehen, in sprachlosem Staunen. Dann folgte er den Begleitern, die ihn über enge, wacklige Stege zu einer Hütte drängten, die durch ihre Größe besonders auffiel. Sie hatte, wie die anderen, weiße Wände. Der Eingang, die einzige Öffnung, war umrahmt von klobigen, schwarzen Balken, in die in primitiver, kaum erkenntlicher Form Tier- und Menschengestalten eingeschnitzt waren. Was dabei sofort Bergens größtes Interesse erregte, war der Umstand, daß bei diesen Figuren anstelle der Augen große, golden schimmernde Metallbrocken eingelassen waren.

Von einem Balkon aus betrat man das Innere der Hütte. Es dauerte geraume Zeit, bis er in der fast völligen Finsternis des Raumes, die nur durch schwelendes Feuer aus einer Ecke erhellt war, etwas unterscheiden konnte. Inzwischen drängte eine Menge Menschen durch die Öffnung nach und lagerte sich auf dem Boden.

Als das Auge sich an das Dunkel gewöhnt hatte, sah er sich um. Die Hütte hatte vielleicht fünf mal zehn Meter im Ausmaß und war hoch genug, um die Arme nach oben ausstrecken zu können. An den Wänden entlang hockten die Männer mit ihren Waffen. Bergen stand in der Mitte. Vor ihm, auf einem erhöhten Sitz hockte ein, soweit er sehen konnte, steinalter Mann, der ihn aus harten Augen bewegungslos anstarrte.

Bergen war gespannt, was man von ihm wollte. Offenbar schien es sich hier um eine Art Empfang zu handeln, und der Greis vor ihm war vermutlich der Häuptling oder König des Stammes. Da die Männer alle in Waffen waren, behielt auch er die Hand am schußbereiten Revolver. Außerdem hatte der Blick des Mannes vor ihm etwas an sich, das ihn zur Vorsicht mahnte, wenn auch das flackernde Licht des Feuers den harten Ausdruck des Gesichts noch verstärken mochte.

Der Alte ging auf Bergen zu, betrachtete ihn, indem er um ihn herumging, von allen Seiten, ohne jedoch das geringste Zeichen der Erregung zu äußern. Er betastete seine Haare, die Haut seiner Hände, seinen Anzug, wie die anderen im Urwald es getan hatten. Er tupfte mit den Fingern vorsichtig auf das Bündel, das Bergen auf dem Rücken trug. Dann ging er wieder auf seinen Platz zurück, stellte sich vor den Thron und fing an zu reden.

Es waren vokallose Laute, die aus seinem Munde kamen. Sie wechselten zwischen verhaltenem Gurren, scharfem Zischen und lautem, heiseren Krächzen. Dazu waren seine Reden von theatralischen Gesten der dürren Arme begleitet, von denen die Flugflossen nicht schimmernd und vibrierend, sondern ekelhaft lappig herunterhingen.

Nachdem er geendet hatte, sah er im Kreis herum seine Männer an, als ob er von ihnen eine Antwort erwartete. Dann ging er auf Bergen zu, berührte mit seinem Speer den Boden vor dessen Füßen und setzte sich auf seinen Thron. Nun erhoben sich alle im Raum, einer nach dem anderen, und sie machten alle die gleiche Geste, die der Greis eben vollführt hatte.

Bergen, der diese Zeremonie schon bei der ersten Begegnung im Urwald kennengelernt hatte, wußte, daß es das Zeichen des Friedens war. Er war nun wohl als Gast aufgenommen.

Als der letzte der Männer die Freundschaftsbezeigung geäußert hatte, löste sich die drückende Stille, die bis dahin außer der Rede des Alten während des ganzen Vorgangs geherrscht hatte, und unter Gestikulieren und Krächzen geleitete man ihn wieder aus der niederen Tür, hinab über Treppen und Brücken bis zu einer Stelle, wo ein offenes Feuer brannte. Weiber und alte Männer drehten darüber an Holzspießen große Fleischstücke.

Der Häuptling nötigte Bergen, sich neben ihm niederzulassen und bot ihm auf einem harten, wachsartigen Blatt ein noch ungares, von Blut triefendes Stück an. Die Menschen fielen mit gierigen Zähnen über die Mahlzeit her. Bergen holte sein Messer hervor und schnitt sich Stück für Stück mundgerecht ab. Das erregte aufs neue ihr größtes Erstaunen. Sie umringten ihn, um ihm zuzusehen, und vor allem ließ der Häuptling es mit offensichtlicher Freude geschehen, daß Bergen auch seinen Anteil in kleine, handliche Stücke zerlegte. Jetzt kam jeder mit seinem Stück Fleisch heran, um es sich von ihm tranchieren zu lassen. Über dieser anstrengenden Tätigkeit kam er selbst kaum dazu, seine Mahlzeit zu verspeisen. Das Fleisch schmeckte saftig und zart. Leider fehlte daran das Salz. An dessen Stelle bestreuten sie es mit einem grauen Pulver, das aber Bergen schon nach dem ersten Versuch wieder wegließ, weil es bitter und sandig schmeckte und ihm den ganzen Genuß verdarb.

Hinter den Männern hockten die Weiber und Kinder, und in der nächsten Nähe brannten noch verschiedene Feuer, an denen ebenfalls Fleisch gebraten wurde.

Das Essen vollzog sich unter lautem Lärmen und, wie es Bergen schien, unter großer Fröhlichkeit. Dabei verschlangen diese Menschen unvorstellbare Mengen. Wer satt war, legte sich, wo er gerade saß, der Länge nach auf den Boden und begann zu schlafen. Dabei hatten sie eine besondere Art, die Arme über der Brust zu kreuzen und sich so, Fledermäusen ähnlich, in ihre Flughäute einzuhüllen.

Als die meisten Männer schon schliefen und die Feuer schon am Erlöschen waren, führten der Häuptling und einige Männer, voraus einer mit einer brennenden Fackel in der Hand, Bergen durch die nächtliche Schlucht zu einer abseits von den übrigen Häusergruppen gelegenen Hütte. Es war dies in der Dunkelheit, in der nur das schwach brennende Scheit ein unsicheres Licht auf die schwankenden Stege und Brücken warf, für ihn ein halsbrecherischer Weg, und nur schwer konnte er den eilig Voranstrebenden folgen.

Der Raum, in den man ihn führte, war niedriger als der, in dem die Begrüßung stattgefunden hatte. Die Öffnung war durch eine lederartige Haut verhängt. Im Innern in einer Ecke lag ein Haufen aus Blättern und Moos, der wohl das Lager darstellen sollte.

Bergen wollte lieber im Freien übernachten. Sicher gab es in diesen Behausungen Ungeziefer, und außerdem konnte er sich dem Alten gegenüber eines Gefühls des Mißtrauens nicht erwehren. Vielleicht war diese Furcht ganz unbegründet, denn wie sollte er aus diesen ihm gänzlich fremden Gesichtszügen Schlüsse ziehen können. Nach allem, wie ihm diese Menschen begegnet waren, hatte er keinen Grund, ihre friedliche Gesinnung zu bezweifeln. Aber trotz alledem hielt ihn eine letzte Vorsicht zurück, ihrer Freundschaft rückhaltlos zu trauen.

Als er aus diesem Grunde Anstalten machte, die Hütte wieder zu verlassen, um sich einen Lagerplatz im Freien zu suchen, versperrte der Häuptling ihm mit ausgespannten Flugflossen den Weg. Bergen versuchte mit allen Möglichkeiten der Zeichensprache, ihm seinen Wunsch zu verdeutlichen, oben auf dem Plateau schlafen zu wollen. Aber entweder verstand ihn der Alte nicht oder er wollte ihn nicht fortlassen.

Sollte er sich nun mit Gewalt den Ausgang erzwingen? Damit beleidigte er vielleicht den Häuptling und verletzte die Gastfreundschaft. Überdies war es nicht ratsam, in der Finsternis allein das Felsplateau zu erklimmen. Möglicherweise fand er in der Dunkelheit gar nicht den Weg dorthin. Es war also das Klügere, sich im Augenblick zu fügen. Freilich, das bereitete Mooslager würde er nicht benutzen.

Als der Alte und die übrigen Männer ihn verlassen hatten, legte er sich auf den unebenen, harten, aus Ästen zusammengefügten Boden, so bequem es ging, und horchte mit wachen Sinnen in die Schlucht hinaus, aus der noch lange die fremdartigen Laute an sein Ohr drangen. Ganz allmählich wurde es stiller, und dann lag die lautlose Nacht zwischen den Felsen.

Da schreckte ihn ein Geräusch aus seinem Halbschlaf. Er schlug das Türfell zurück und spähte hinaus. Über der Schlucht standen die zwei Monde, die er schon in den Nächten auf der Bergwiese beobachtet hatte, und gossen ihr weißes Licht auf die Felswände. Unter ihm auf einer Brücke bewegte sich ein Schatten, der mit einem anderen, den er nicht sehen konnte, sprach. Waren diese Menschen zufällig wach oder mußten sie aufpassen, daß der Fremde nicht entwich? War er ein Gefangener? Mit angespannten Sinnen verbrachte er die langen Stunden in der dumpfen Schwüle des niedrigen Raumes. Bevor die Dunkelheit sich löste, zog ein Gewitter über das Gebirge, von einem kurzen, rauschenden Regen begleitet. Eine Zeitlang hörte er auf das Klatschen auf seinem Dach – darüber schlief er ein.

Am Morgen erschien der Häuptling in der Tür und forderte ihn auf, mitzukommen. Bergen beobachtete ihn, als er ihm über die Treppen und Stege zu seinem Haus folgte. Die Art und das Gebaren dieses Mannes zeigten etwas Verschlossenes und Hartes. Wenn er mit ihm sprach, so hatte er sogar in der Gestik der Zeichensprache etwas Herrisches an sich. Es war überhaupt nicht so, wie Bergen sich das Zusammentreffen mit diesen Menschen vorgestellt hatte, daß sie nämlich in bedingungsloser Unterwürfigkeit vor ihm, dem überlegenen Wesen, im Staube kriechen würden. Im Gegenteil schienen sie sich bei aller Scheu vor ihm ihrer Kraft wohl bewußt zu sein, und vor allem dieser Alte benahm sich ihm gegenüber sogar mit einer gewissen Überheblichkeit. Das war nicht gut für ihn. Er mußte sich, wollte er bei diesen Menschen bleiben, von vornherein eine geachtete Stellung sichern. Diese Urmenschen konnten fliegen, was ihnen ihm gegenüber, der nur auf seine Beine angewiesen war, einen großen Vorteil verlieh. Sie hatten in ihrer Naturverbundenheit sicher auch weit stärkere Körperkräfte und schärfere Sinne als er. Er war ihnen also nur durch seinen entwickelten Geist überlegen und durch seine Waffe. Letztere aber wollte er nicht gebrauchen, wenigstens nicht, solange es nicht unbedingt nötig war.

Der Alte führte ihn in seine Hütte. Sie war, wie das Beratungshaus – so nannte er bei sich den Raum, in dem gestern die Begrüßung stattgefunden hatte – mit schweren, verzierten Türpfosten ausgestattet, zu deren Schmuck in besonders reichem Maße das goldene Metall verwendet war. Auch war der Fußboden mit Basttüchern ausgelegt.

Eines von den Weibern, die in einer Ecke am Feuer saßen, brachte eine Art Brotfladen, die, warm gegessen, angenehm schmeckten und ihn entfernt an den Geschmack von Erdnüssen erinnerten. Dazu gab es in flachen Muscheln geknetetes Fleisch der Vanillefrucht, die sich, wie er schon festgestellt hatte, auch bei diesen Menschen großer Beliebtheit erfreute. Sie verstanden es, wie er später erfuhr, sie mit irgendwelchen Zutaten geknetet, lange haltbar zu machen. Sie büßte dabei wohl ihren Wohlgeschmack ein, war aber für die fleischlose Zeit, die es für diese Menschen jedes Jahr gab, eine wertvolle Hilfe.

Der letzte Gang des Frühstücks traf wieder nicht ganz Bergens Geschmack. Aus einem Holzgefäß – es war dies ein Stück Schachtelhalmstamm, dessen Höhlung für flüssige und feste Gegenstände als Gefäß verwendet wurde – griff der Gastgeber mit sicheren Fingern ein paar zappelnde, kleine Echsen, die er, nachdem Bergen abgelehnt hatte, in der schon bekannten Art mit genießerischen Schmatzlauten verspeiste. Auch die Weiber holten sich ungeniert und mit sichtlichem Appetit die lebenden Delikatessen aus dem Topf, wobei sie beim Öffnen des Deckels die übrigen behenden Tierchen, die noch nicht an der Reihe waren, verspeist zu werden, mit großer Geschicklichkeit am Entkommen hinderten.

Die Verdauungstätigkeit des Häuptlings, der er sich mit großer Ungeniertheit, als wäre er allein im Raum, hingab, wurde durch ein neues Ereignis gestört:

Mehrere Männer trugen eine wimmernde Frau in die Hütte. Sie hatte offene, eiternde Wunden im Gesicht und am Hals. Der Alte war also wohl auch der Medizinmann des Stammes, und Bergen war neugierig darauf, was er nun zu sehen bekommen würde.

Die Weiber brachten auf Geheiß des Alten ein Gefäß. Es war wieder ein Stück Schachtelhalmrohr, das mit einem Steindeckel verschlossen war. Soviel Bergen sehen konnte, war der Behälter mit Figuren geschmückt, die mit dicker, lehmartiger Farbe aufgemalt waren. Es schien sich um einen Inhalt von großem Wert zu handeln, denn der Alte nahm es unter der Aufmerksamkeit aller mit theatralischer Pose in seine Hände und ließ einen krächzenden Redeschwall auf die stöhnende Kranke niederprasseln. Dann rückte er vorsichtig den Steindeckel zur Seite, bis ein fingerbreiter Ritz entstand. Es dauerte nicht lange, so erschien aus der Öffnung ein heller Tierkopf und danach ein wurmartiger Leib einer weißen, kleinen Natter, das heißt, ganz konnte man sie nicht so nennen, sie hatte am Körper entlang eine Reihe krallenbesetzter Füßchen und auf dem Rücken erhoben sich nadeldünne Stacheln.

Als das Tier mit seinem Leib aus dem Käfig herausragte – die Beinchen klammerten sich dabei in den erhöht aufgemalten Figurenformen der Außenwand fest –, packte der Medizinmann es geschickt hinter dem Kopf und erwürgte es. Dabei wand sich der Natternleib im Todeskampf um die Hände seines Mörders, was diesen aber nicht weiter störte. Darauf fing er unter ständigem Reden an, das sich noch windende Tier mit einem runden Stein in einer Muschelschale wie in einem Mörser zu zerstoßen, bis eine zerquetschte, mit Blut und Kot durchsetzte Masse entstand. Dabei verdrehte er die Augen, bis nur noch das Weiße zu sehen war, und seine und die Flügel- und Rückenflossen der anwesenden Männer und Weiber vor Erregung bebten und zitterten. Bis hierher hatte Bergen dem Hokuspokus des Alten halb angewidert, halb belustigt zugesehen. Als der nun aber daran ging, den ganzen Dreck aus der Schale seinem kranken Opfer auf die eiternden Wunden zu schmieren, wurde es ihm zuviel.

Mit einem Satz war er bei der Kranken, stieß den Verrückten zur Seite und entfernt die schaurige Salbe von den Wunden. Er kümmerte sich nicht um den Lärm der Umstehenden und das wütende Gekrächze des Alten, sondern suchte alle Gefäße im Raum nach Wasser ab und wusch, als er eines gefunden hatte, das ihm sauber genug erschien, damit die offenen Wunden, so gut es ging. Noch damit beschäftigt, spürte er sich von dem Alten gepackt. Da stieß er ihn mit einem Hieb zur Seite und verließ, ohne sich noch weiter um ihn und die übrigen Menschen zu kümmern, die Hütte.

Er ging nicht mehr zu seinem Haus zurück, sondern stieg über Leitern und Stege immer höher, bis er auf dem Plateau stand. Von hier aus sah er auf die Ebene hinab, über die er gestern gekommen war. Verschwommen im Dunst des Horizonts standen die gewaltigen Gipfel des Gebirges, in dem das Schiff gelandet war. Nach der anderen Seite versperrten bewaldete Höhen den Blick. Bergen setzte sich auf einen Stein und überdachte seine Lage.

Er hatte sich in dem Häuptling einen Feind geschaffen. Wenn er auch nicht wußte, wie groß dessen Macht unter diesen Menschen war, so war der Umstand doch unangenehm und er mußte auf der Hut sein. Er hatte die Eitelkeit des Alten verletzt und vielleicht dessen Ansehen untergraben. Sicher würde er nun versuchen, ihm zu schaden, ja ihn vielleicht sogar aus dem Weg zu räumen. Sollte er das Dorf verlassen? Doch das würde ihm wenig nützen. Man würde ihn verfolgen, und vor der Rache dieser Naturmenschen würde ihn auch sein Revolver auf die Dauer nicht schützen können. Nein, er mußte schon versuchen, mit ihnen irgendwie auszukommen.

Eben wieder im Begriff, zu seiner Hütte hinabzusteigen, kam ihm ein Mann aus der Schlucht entgegen. Als er Bergen gewahrte, blieb er stehen und hielt ihm ein Stück der Vanillefrucht entgegen. Also eine neue Freundschaftsbezeigung. Sollte der Alte ihn geschickt haben, um ihn wieder versöhnlich zu stimmen? Er hatte zwar keine Ahnung von den Vorgängen in den Seelen dieser Menschen, aber diese Auslegung schien ihm doch zu unwahrscheinlich. Auch wäre der Häuptling in diesem Fall wohl selbst gekommen.

Bergen nahm die Frucht, aß sie aber nicht. Sie konnte vergiftet sein. Er war mißtrauisch.

Der Mann deutete in die Richtung gegen das Gebirge in ihrem Rücken. Sie schlugen den Weg dorthin ein. Während sie so nebeneinander gingen – der Mann machte keine Anstalten, sich seiner Flughäute zu bedienen –, grübelte Bergen darüber nach, was diesen wohl veranlaßt haben mochte, zu ihm zu kommen. Der andere seinerseits befühlte im Gehen Bergens Kleider und Hände. Da nahm Bergen Gelegenheit, umgekehrt dasselbe zu tun und nun in aller Ruhe eines dieser Menschenwesen zu studieren: Die Hände und Füße hatten sechs Finger bzw. Zehen. Sie waren lang und schmal und bis zum vordersten Glied mit dünnen, durchsichtigen Häuten verbunden. Die Nägel waren zu Krallen gebildet. Die Haut faßte sich widerwärtig glatt und fischig an. Sie hatte eine schuppenartige Beschaffenheit und schillerte grün, doch spielte sie, wie er auch jetzt wieder beobachten konnte, im Zustand seelischer Erregung in verschiedenen gelben und weißlichen Nuancen, und zwar zog sich das Flimmern und Schillern je nach der Stärke der Gemütswallung in schnelleren oder langsameren Wellen vom Halse ausgehend über den ganzen Körper.

Das Gesicht war glatt und hatte einen helleren, fast weißlichen Farbton, wobei die Lippen und die nach allen Richtungen beweglichen Ohrmuscheln einen rötlichen Hauch zeigten.

Die aus der Kopfhaut wachsenden blätterartigen Gebilde hatten eine perlmuttartige Struktur und waren ebenfalls in ständigem Schillern, das sich in diesem Augenblick bei dem Menschen vor ihm bis zu einem fast irisierenden Leuchten steigerte.

Die Arme waren mit dem Brustkorb durch eine großflächige, flossenartige Haut verbunden, die bei herabhängenden Armen in weichen Falten, einem Mantel nicht unähnlich, um den Körper fielen.

Vom Hals über das ganze Rückgrat hinweg zog sich eine Rückenflosse, die sich über beide Beine bis zu den Fersen hinab fortsetzte. Sie konnten sich aufrichten und gerieten dabei in wellenartige schwingende Bewegung.

Er mußte sich gestehen, daß, so tierhaft diese Menschengestalt war, sie doch gerade durch das Schillern und Schimmern der Haut und durch die ständig vibrierende Bewegung der Flug- und Rückenflossen etwas Schönes und Reizvolles bekam. Das Schuppenkleid, die Bildung der Hände und Füße, die Flügel und Flossen erinnerten wohl an eine fisch- oder vogelähnliche Gestalt, aber nachdem er sich einmal an diesen Anblick gewöhnt hatte, begann er immer mehr Positives in dieser Form zu finden.

Bergen hatte die Frucht heimlich weggeworfen. Nun reute es ihn. Dieser Mensch schien in der Tat keine bösen Absichten zu haben. Er gewann mehr den Eindruck, daß er aus Neugier oder Interesse für ihn seine Gegenwart gesucht hatte. Er sah die schwarzen Augen, in die bei diesem Mann kleine gelbe Punkte eingesprenkelt lagen, in ruhiger Stetigkeit auf sich gerichtet. Gewann er sich in ihm vielleicht einen Freund?

Sie waren weiter in die Höhe gestiegen, und er sah zu seiner größten Verwunderung unter sich eine neue Schlucht, an deren Wänden ebenfalls Häuser hingen. Das eigene Dorf konnte das wohl nicht sein. Es war also eine andere Stadt. Sofort beschleunigte er seine Schritte, um diese Entdeckung in Augenschein zu nehmen. Da aber hielt ihn sein Begleiter mit allen Anzeichen des Entsetzens zurück. Er deutete auf die fremde Schlucht und auf Bergen und machte dabei die Geste des Schlagens. Als noch dazu im selben Augenblick in der Tiefe ein Mensch sichtbar wurde, da packte er Bergen am Ärmel und zog ihn hastig zurück.

Die beiden Stämme waren also Feinde. Aber was ging das ihn, den Erdenmenschen, an? Er folgte zwar dem aufgeregten Mann, der eilig zurückstrebte, war aber fest entschlossen, sobald wie möglich diese andere Siedlung aufzusuchen. Vielleicht fand er dort einen sorgloseren Aufenthalt, dann war er der ganzen Auseinandersetzung mit dem alten Häuptling in seinem Dorf enthoben. Sein Begleiter führte ihn wieder in Richtung auf die eigene Schlucht zurück, dabei nahm er aber nicht den gleichen Weg, den sie gekommen waren, sondern bog in eine schmale Seitenschlucht ab, durch die ebenfalls ein Laufsteg führte. Bergen folgte ihm mit großer Neugierde: Offenbar wollte ihm dieser Mann noch andere Dinge zeigen. Das war ihm sehr recht, denn er hatte ohnehin wenig Lust, jetzt schon in die Schwüle seiner Hütte zurückzukehren.

Das ganze Gebirgsmassiv schien in zahllose Blöcke zerrissen.

Dadurch entstand ein wahres Labyrinth von schmalen und schmalsten Felsspalten, die oft so eng waren, daß kaum ein mannsbreiter Steg zwischen den Wänden Platz fand. Eine Zeitlang ging es auf und ab, um viele Ecken und Kehren. Manchmal schoben sich die Felswände so über ihnen zusammen, daß es vollkommen dunkel um sie wurde. Plötzlich aber wichen die Felsen zurück, der Steg, über den sie schritten, lief auf einen Felsgrat hinaus, der sich schmal und lichtübergossen über einem tief unter ihnen liegenden Talkessel erhob. Der Felsenweg mochte gut vier Meter breit sein, doch fielen die Wände zu beiden Seiten so unvermittelt in die Tiefe ab, daß er beim Weiterschreiten gegen ein aufsteigendes Schwindelgefühl ankämpfen mußte. Das Ziel dieser Wanderung schien ein riesiger Felsblock zu sein, auf den der Grat zulief.

Durch eine Art Tor betraten sie das Innere dieses Naturbauwerks, das eine Laune der Schöpfung oder eine Naturkatastrophe gebildet hatte. Tiefe Dunkelheit nahm sie auf. Erst mit der Zeit gewöhnte sich Bergens Auge an das dämmerige Licht. Er erkannte, daß er sich in einem höhlenartigen, geschlossenen Raum befand. Der Boden, auf dem sie standen, war ein derber Holzrost. Unter ihnen gähnte der schwarze Abgrund. Die nach oben gewölbten Höhlenwände waren über und über mit Figuren bemalt. Bergen betrachtete die Bilder. Es war ein und dieselbe Szene, die in immer abgewandelten Variationen in primitiver, kunstloser Weise mit rotem und weißem Lehm auf den Felsen gemalt war. Eine rote Gestalt, an seinem Gesicht und den Flughäuten als Mensch erkenntlich, wurde von einer weißen Schlange erwürgt.

Ein eigenartig schabendes Geräusch schreckte ihn aus der Betrachtung der Darstellungen auf. Blitzschnell drehte er sich um. Sein Blick suchte die Ecke, aus der der Ton kam. Fragend sah er seinen Begleiter an. Der führte ihn an eine Stelle, die von den schrägen Strahlen, die durch das Tor in das Innere fielen, beschienen war. Bergen konnte zuerst nichts erkennen. Angespannt suchte er mit den Augen den Boden ab, aber umsonst, er sah nichts. Und doch war da immer dieses schabende Geräusch.

Aber hier, ja richtig, hier war eine Art Falltür in dem Rost. Sie war mit Querleisten noch enger gefügt, und daneben ragte ein verdorrter Baumstumpf durch das Gitterwerk. Von dorther, er erkannte es jetzt genau, aus der Tiefe unter dieser Stelle, kam das

Geräusch. War dort unten ein Mensch? War das ein Kerker? Aber während er noch rätselte, sah er etwas sich an den Gittern entlangschieben. Etwas Helles, Gleitendes wurde vom Sonnenlicht getroffen. Bergen beugte sich nieder und spähte angestrengt in das Verließ, um genauer zu sehen. Da prallte er zurück. Der Leib einer ungeheuren, weißen Schlange schob sich an den Gitterstäben vorbei. Den Kopf sah er nicht, aber der mächtige Umfang dieses Leibs ließ ihn erschauern. Das mußte ein riesenhaftes Tier sein, von der Größe, wie die Erde es nicht kannte. Jetzt bewegte sich der Baum. Weiße Ringe wanden sich unter den Gitterstäben an ihm empor. Trotz des Grauens, das ihn gepackt hatte, forschte er, weit über das Gitter gebeugt, nach dem Kopf des Untiers. Da, einen kurzen Moment lang, sah er ihn. Es war ein triefendes, mit Haaren bewehrtes Natternmaul, dessen Anblick das Blut erstarren machte.

Sekundenlang starrte er diesem Entsetzlichen nach, das schleichend wieder in der Finsternis der Tiefe verschwand, dann verließ er wie gejagt die schauerliche Felsenkammer.

Auf dem Weg zum Dorf zurück erklärte ihm sein Begleiter durch Zeichen, daß von dieser Schlange ihre Feinde getötet würden.

Wie grausam waren doch auch diese Menschen. Trotz all der Kindlichkeit und Naivität ihres Gemüts verübten sie solche Scheußlichkeiten.

Aufs neue kam das Gefühl der Verlassenheit und Verzweiflung über ihn, das ihn schon in der Saurierschlucht an den Rand des Selbstmords gebracht hatte. Unter welche Lebewesen war er geraten! Würde nicht, ja mußte nicht auch ihn auf diesem Stern ein schauerliches Ende erwarten, ganz gleich, ob er bei diesen Menschen blieb oder in die Wildnis zurückging?

Als er am Abend mit den Männern des Stammes am Feuer saß, da erschien es ihm wieder unvorstellbar, daß diese Menschen, die wie arglose Kinder zueinander waren, so satanische Taten vollbringen konnten.

Der Häuptling war heute schweigsam und wies Bergens Anerbieten, ihm seine Fleischstücke zurechtzuschneiden, zurück. Er war also erzürnt. Aber ganz im Gegensatz zu den anderen, deren Gesichter jeden seelischen Vorgang widerzuspiegeln schienen, verriet sein Gesicht nichts von dem, was in ihm vorging.

Er führte nach beendeter Mahlzeit Bergen wie am Vortag zu seiner Hütte und verließ ihn, nachdem er sich überzeugt hatte, daß sein Gast oder Gefangener sich zur Ruhe niederlegte.

Bergen hatte sich in den ungemütlichen Stunden der letzten Nacht vorgenommen, frisches Laub und Moos aus den Bergwäldern zu holen, um sich daraus ein neues Lager zu bereiten. Durch die Entdeckung der anderen Stadt aber schien ihm diese Mühe unnötig. Schon morgen in der Frühe wollte er hinübergehen, und wenn ihn niemand begleiten wollte, allein den Abstieg in die andere Schlucht suchen.

Fand er dort günstigere Umstände für seinen Aufenthalt, so wollte er dem griesgrämigen Alten hier Lebewohl sagen.

Zwischen Wachen und Schlafen verlief die Nacht. Von Zeit zu Zeit schob er behutsam und geräuschlos das Türfell zurück und überzeugte sich, daß der Schatten von gestern Nacht auch heute unbeweglich auf der Brücke stand. Es war kein Zweifel möglich, er wurde bewacht.

Am nächsten Morgen wiederholte sich dasselbe Spiel wie tags zuvor. Der Häuptling holte ihn in seine Hütte, um dort gemeinsam mit ihm zu frühstücken. Nichts an seinem Gebaren verriet seinen Ärger über den gestrigen Auftritt. Um nicht noch einmal unfreiwilliger Zeuge einer etwaigen Krankenbehandlung zu werden, verließ Bergen, sobald sein Gastgeber beim Verdauungsteil der Mahlzeit angelangt war, dessen Hütte und machte sich unverzüglich auf den Weg zum Plateau. Als er dabei an seinem Haus vorbeikam, saß dort auf dem Balkon vor der Tür ein Mensch. Er schien auf ihn gewartet zu haben, denn er erhob sich bei Bergens Erscheinen und stieg zu ihm herab. Erst als der Unbekannte neben ihm stand, erkannte er an den gelben Sprenkeln in dessen Augen seinen Begleiter von gestern. Er bedeutete ihm mitzukommen und schlug mit ihm die Richtung zur feindlichen Stadt ein.

In der feindlichen Stadt

Den ganzen Weg über das Plateau folgte er Bergen willig. Als aber zu ihren Füßen die andere Schlucht sichtbar wurde, wollte er ihn wieder, wie gestern daran hindern, weiterzugehen. Diesmal packte Bergen ihn an der Hand, um ihn so zu bewegen, mit ihm zu gehen. Der aber riß sich los, und mit eiligen Sprüngen sah ihn Bergen in das Dorf zurückfliegen. Da ging er allein weiter.

Das war allerdings im weiteren Verlauf nicht so einfach, wie er es sich vorgestellt hatte, denn da hier kein künstlicher Steg angelegt war, mußte er sich den Abstieg über das unwegsame Gelände durch große Umwege und gefährliche Kletterpartien erarbeiten. Der Mann hätte sicher einen schnelleren und müheloseren Weg gewußt. Nur langsam kam er seinem Ziel näher.

Von der anderen Stadt aus hatte man sein Kommen längst beobachtet, und als er schließlich vor der Schlucht stand, sah er sich einer geschlossenen Gruppe von Menschen gegenüber, die mit ihren Waffen eine feindliche Haltung einnahmen. Der Umstand, daß sie ihn aus der Richtung der feindlichen Nachbarn hatten kommen sehen, würde eine freundschaftliche Annäherung sicher sehr erschweren. Bergen wurde sich dessen beim Anblick der vielen Männer sofort bewußt und versuchte sein Heil in der gleichen Geste – diesmal aber mit voller Überlegung, die er bei der Begegnung im Urwald rein gefühlsmäßig angewandt hatte. Er riß von einem der verstreut wachsenden Büsche einen Zweig, ging, ihn in der ausgestreckten Hand haltend, auf die Abwehrbereiten zu und legte ihn einige Schritte vor ihnen auf den Boden. Er hoffte, daß diese Zauberformel auch hier ihre Wirkung nicht verfehlen würde, und er hatte sich nicht verrechnet. Nach kurzem Palaver trat ein Mann auf ihn zu und berührte mit seiner Keule neben dem Zweig den Boden. Nacheinander folgten alle anderen.

Der Mann, der zuerst vorgetreten war, redete jetzt auf Bergen ein. Er fuchtelte dabei mit den Armen herum und deutete dabei immer wieder in die Richtung des Tales, durch das er gekommen war. Soviel wurde Bergen jedenfalls klar, daß sie von seinem Auftauchen bereits vorher unterrichtet waren. So war es auch zu erklären, daß sie jetzt bei seinem Erscheinen nicht die gleiche, fassungslose Überraschung zeigten, die er bei der ersten Begegnung mit den Menschen des anderen Stammes erlebt hatte.

Nach und nach aber kamen sie doch alle voll Neugierde heran, mit ihnen der Häuptling, und befühlten und betasteten seine Hände, seine Kleider und vor allem seine Haare, deren Struktur auch bei ihnen das ganz besondere Interesse erregte.

Später gesellten sich zu den Männern auch die Weiber und Kinder, umflatterten, befühlten und bestaunten ihn mit Gekrächze und zitternden Flossen.

Die Begrüßungszeremonie, zu der man ihn geleitete, vollzog sich bis aufs Haar auf die gleiche Weise, wie er sie schon einmal erlebt hatte. Der König oder Häuptling indes, der ihn hier in den Stamm aufnahm, gefiel Bergen um vieles besser als der böse blikkende Alte in seinem Dorf. Er sah zwar ebenfalls schon runzlig und eingetrocknet aus, doch wirkte er in seinen Bewegungen nicht so senil und verfallen. In seinem Benehmen zeigte er die gleiche kindliche Freundlichkeit wie seine übrigen Stammesgenossen. Sein Gesicht wies tiefe Wundnarben auf, und die Flughäute waren eingerissen und zerfetzt, vermutlich die Überbleibsel eines Kampfes mit Menschen oder Tieren. Er bot Bergen an, seine Hütte mit ihm zu teilen, und man machte ihm klar, daß man ihm ein Haus bauen wolle.

Am liebsten wäre Bergen gleich hiergeblieben, aber drüben in seiner Behausung lagen noch seine Siebensachen, vor allem das Beil, das er auf keinen Fall zurücklassen wollte. Außerdem widerstrebte es ihm, aus seinem Dorf heimlich zu verschwinden.

Er machte sich also auf, um noch vor einbrechender Nacht die andere Schlucht zu erreichen.

Die Menschen suchten ihn zurückzuhalten, brachten ihm Früchte und Fleisch, um ihn zum Bleiben zu bewegen. Vergeblich versuchte Bergen ihnen verständlich zu machen, daß er wiederkommen würde. Sie wollten ihn nicht gehenlassen. Doch wirkte ihr Benehmen bei aller Dringlichkeit nicht feindlich. Um nicht noch mehr Zeit zu verlieren, drängte er die ihm im Wege Stehenden zurück und verließ über die hängenden Brücken und steilen Leitern und Stege die Stadt. Sie würden es ja merken, wenn er wiederkam.

Der Aufstieg zum Plateau war verhältnismäßig mühelos. Er kannte den Weg, den er gehen mußte, und überdies war das Hinaufsteigen gefahrloser, als es der unübersichtliche Abstieg gewesen war.

Die Dunkelheit war schon hereingebrochen, als er sein Dorf erreichte. Überall in der Schlucht brannten die Abendfeuer, und die Männer, Weiber und Kinder saßen in lauter Unterhaltung um die rauchenden Spieße. Das erschien ihm eine günstige Gelegenheit, um den hier Versammelten seine Absicht kundzutun. Er stieg zum

Hauptfeuer hinab und nahm seinen gewohnten Platz neben dem Häuptling ein.

Als er aus der Dunkelheit im Scheine des Feuers auftauchte, verstummte mit einem Schlag das Durcheinander der Stimmen. Sie wußten also Bescheid, woher er kam und behandelten ihn nun feindselig. Da er diese Menschen ohnehin morgen verlassen würde, machte er sich nichts weiter aus diesem Benehmen. Er tat, als ob alles in Ordnung wäre und schnitt in aller Gelassenheit sein Stück Fleisch vom Spieß. Unverwandt fühlte er die Blicke aller auf sich gerichtet. Trotz der zur Schau getragenen Ruhe wurde ihm die Situation doch reichlich ungemütlich. Er stand, während noch die meisten an ihrer Mahlzeit kauten, auf, und zum Häuptling gewandt machte er ihm und den Männern durch große, theatralische Gesten, denn die schienen sie zu lieben, klar, daß er sie verlassen und in die andere Stadt ziehen würde.

Ob sie ihn verstanden hatten? Seine Zeichensprache, die er der größeren Wirkung halber mit einem tönenden Redeschwall begleitete, fand jedenfalls keinerlei Erwiderung oder Echo. Da kehrte er den Männern den Rücken zu und verließ erhobenen Hauptes und mit ruhigen Schritten den Feuerplatz, um seine Hütte aufzusuchen.

Er war glücklich, daß er den Entschluß der Umsiedlung gefaßt hatte, und sicher würde der Alte ebenfalls froh sein, den gefährlichen Fremdling so schnell wieder loszuwerden. Durch diese Fügung wurde er der unvermeidlichen Notwendigkeit enthoben, es diesem gegenüber auf eine Kraftprobe ankommen zu lassen.

Weil er von dem anstrengenden Marsch ermüdet war, schlief Bergen trotz der Härte seines Lagers und der guten Absicht, wach zu bleiben, schnell ein.

Die weiße Schlange

Er wurde wachgerüttelt. Man zerrte an ihm herum. Feuerschein blendete ihn. Als er aufspringen wollte, hielt irgend etwas seine Beine fest. Er versuchte mit den Händen um sich zu schlagen. Da erst wurde er ganz wach und merkte, daß er gefesselt war. Der ganze Raum war voll von Männern. Einige waren damit beschäftigt, an den Schnüren, mit denen sie ihn gebunden hatten, herumzuknoten – und dort neben dem, der die brennende Fackel hielt, sah er den Medizinmann.

Blitzartig erfaßte nun Bergen, was hier vorging. Der Alte nahm seinen Besuch in der feindlichen Stadt zum Anlaß, um ihn selbst als Feind zu behandeln.

Das also war jetzt seine Rache. Wie hinterhältig und feige von ihm, ihn im Schlaf zu überlisten. Sollte er um Hilfe rufen? Aber was hatte das für einen Sinn. Die Männer des anderen Stammes, die ihm in diesem Fall vielleicht hätten helfen wollen, waren durch ein Gebirge von ihm getrennt, und unter diesen Männern hier gab es außer dem Häuptling keinen, der die Macht hatte, ihn zu retten.

Nachdem sie ihn fest genug gebunden hatten, verließen die Krieger, als letzter der Häuptling, schweigend den Raum, wie überhaupt der ganze Überfall ohne einen Laut vor sich gegangen war. Vier Männer blieben zurück, um ihn zu bewachen. Man hatte die Bastschnüre stark angezogen. Sie schnitten schmerzend in das Fleisch und hemmten die Blutzirkulation. Allmählich schliefen ihm die Beine ein, die Arme; ein entsetzliches Gefühl war das.

Was hatte man mit ihm vor? Wahrscheinlich hatte man gestern seine Abschiedsrede ganz richtig gedeutet und wollte ihn jetzt hindern, den Stamm zu verlassen. Möglicherweise blieb er von nun an ein Gefangener. Dann allerdings mußte ihm seine Waffe helfen. Für dauernd konnten sie ihn doch nicht gefesselt lassen, und sobald er die Hände freihatte, würde er handeln. Es war dem Alten aber auch zuzutrauen, daß er ihn tötete und sich so durch diese günstige Gelegenheit seines scheinbaren Gegners entledigte. Wenn er nur die Sprache dieser Menschen verstünde, wenn er reden könnte, sicher würde er sie von seiner freundschaftlichen Gesinnung überzeugen können.

Als es hell wurde, holte man ihn ab. Man löste ihm die Fußfesseln und führte ihn in das Beratungshaus. Es dauerte eine geraume Zeit, bis das Blut in seinen Gliedern wieder zirkulierte und er gehen konnte.

Mit finsteren Mienen empfing ihn der ganze versammelte Stamm. Er bemühte sich unter den am Boden Hockenden ein bekanntes Gesicht zu entdecken; er suchte nach Gelbauge, aber er fand ihn nicht.

Man band ihn an einen in der Mitte des Raumes stehenden Balken. Dann begann der Medizinmann eine Rede mit dem Mund und den Händen, ja, sein ganzer Körper geriet dabei in Ekstase. Bergen sah es den Männern an ihren zitternden Flughäuten an, wie erregt sie dem Redeschwall folgten.

Nach dessen Beendigung erhoben sich die Männer einer nach dem anderen – es war fast wie bei seinem Empfang, aber jetzt erlebte er die Geste der Feindschaft: jeder warf seinen Speer oder Pfeil so vor Bergens Füße, daß er mit schwankendem Schaft im Boden steckenblieb.

Armer Peter Bergen, nun ist dein Schicksal besiegelt. Weißt du, was dich jetzt erwartet? Hätte dich der Vulkan in seinen feurigen Schlund aufgenommen, hätten dich die giftigen Nebel in ihrer tödlichen Umarmung behalten, hätte dich der Todesstoß des rasenden Sauriers zermalmt, ja, hätte selbst ein Fehltritt im Sumpf dir das Ende gebracht, es wäre schaurig gewesen, aber es wäre noch eine Gnade gewesen gegen den grauenvollen Tod, den man dir zugedacht hat.

Als Peter Bergen, geführt von zwei Kriegern und gefolgt von den Männern des Stammes, das Haus der Beratung verließ, da fühlte er, daß er nun dem Vollzug eines Urteils entgegenging. Man führte ihn nicht über die großen Treppen, die zum Ausgang der Schlucht führten. Es waren kleine, enge Stege, über die er gehen mußte, die plötzlich in eine enge Felsspalte abbogen. Kreuz und quer, in schwindelnde Höhe führte der halsbrecherische Weg. Wo, um Gottes willen, wollte man hin mit ihm?

Helles Licht strömte ihm entgegen, die Wände weiteten sich, in leuchtenden Schwaden lag der Glanz der Sonne auf einem Felsen, der als schmaler Grat in die Weite eines Felstales hinausragte – und als Abschluß desselben ein dunkler, mächtiger Felsblock. Das Schlangenhaus!

Peter Bergen konnte keinen Fuß mehr bewegen. Langsam, ganz langsam drehte er sich um. Er sah in zwei schwarze, nasse, tiefliegende Augen, hinter denen kein menschliches Gefühl mehr lebte.

Die fliegenden Echsen hatten ihn angestarrt, lauernd, voll Angst und Bosheit. Die Augen des Sauriers waren voll Zorn und Wut gewesen. Hinter diesen Augen sah er nur den Haß.

Da schrie Bergen auf in Verzweiflung und ohnmächtiger Wut, in furchtbarer Angst vor der grauenvollen Umschlingung der Riesennatter, die ihn erwartete.

Er zerrte an seinen Armfesseln. Mit der ganzen Wucht seines Körpers warf er sich zur Seite, gegen seine Henker. Lieber hier hinabstürzen und dort unten zerschmettern, aber nur fort von diesem Weg.

Aber es war vergebens. Man packte ihn, zerrte ihn hoch und stellte ihn wieder auf die Beine. Eine Mauer von Menschen schob sich von den drei Seiten eng an ihn heran und schob ihn mit ihren Körpern vorwärts. Und so ging Peter Bergen Schritt für Schritt weiter über den Felsgrat. Er konnte nicht mehr schreien. Willenlos ging er Schritt für Schritt dem schwarzen Tor entgegen, hinter dem die Natter wartete.

Das Licht des Tages war um ihn erloschen. Die dämmerige Nacht des Felsen hatte ihn aufgenommen. Hinter ihm drängten lautlos die Krieger nach, die Menschen, die begierig waren zu sehen, wie die Schlange ihn erwürgte.

Langsam gewöhnte sich das Auge an das Dunkel. Da kroch es aus der Tiefe herauf, von der Farbe eines Molches. In gierigen Windungen glitt ein weißer Leib an den Gittern entlang.

Peter Bergen, nun ist es soweit!

Man löste und riß ihm die Stricke vom Leib, von den Händen. Er fühlte sich mit einem Ruck auf das hölzerne Gitter gehoben. Die Falltür wurde aufgerissen, er spürte einen Stoß und stürzte. Noch im Fallen hörte er einen Knall über sich, man hatte das Gitter über ihm zugeschlagen.

Einige Sekunden lang blieb es still um ihn. Nichts geschah. Dann schob es sich von irgendwoher auf ihn zu, langsam, mit leisem, schabendem Ton. In großen, furchtbaren, in der Finsternis phosphoreszierenden Ringen wand es sich näher und näher. Dann stellte sich die Natter auf. Ein weißer, flacher Kopf ohne Augen stand vor seinem Gesicht. Er fühlte einen harten Schlag um seine Knöchel. Es schob sich in tödlichen Schlingen um die Waden, um die Knie, um die Schenkel . . .

In einer heißen Welle loderte zum letztenmal in Peter Bergen der Lebenswille auf. Sein Gehirn, seine Muskeln arbeiteten wieder. Der Revolver! Mit einem Ruck riß er ihn heraus, hob die Hand und schob ihn gegen den Kopf, den mit schleimigen Haaren umtrieften Kopf, und hielt ihn genau in die Mitte. Während er mit der ganzen Willenskraft die Hand, die die Waffe hielt, ruhig zu halten suchte, spürte er es sich an seinem Leib festsaugen, höher, immer höher ...

Der Schuß krachte, brach sich mit ungeheurem Knall in der Enge des Felsenhauses. Wie ein abgehacktes Seil klatschte der weiße Schlangenleib vor ihm zu Boden. Peter Bergen hörte einen Schrei über sich, einen Tumult, aber er hörte alles nur mit halbem Ohr. Er suchte nach seinem Messer. Wo war es nur, wo ... Aber irgendwie hatte er es plötzlich in der Hand und arbeitete sich damit aus den wie Eisen um ihn gepreßten Schlingen frei. Er mußte immer wieder von neuem ansetzen, weil immer wieder das Messer an den knorpeligen Panzerringen abglitt. Der Tod des Tiers nahm der Umschlingung die Kraft und machte es ihm möglich, seine Beine, seinen Körper daraus zu lösen. Mit ein paar Sätzen war er auf dem Baum, riß die Falltür auf und zwängte sich durch die Öffnung. Der Fremde hatte die weiße Schlange getötet, er war mächtiger als der Medizinmann!

Niemand hinderte ihn, als er aus dem Felsen trat. Männer und Weiber umringten ihn mit Krächzen und Gurren. Zweige fielen vor ihm auf den Boden.

Er aber schritt müde, vom Grauen dieser Stunde zerbrochen, durch die Gasse, die ihm die lärmenden Menschen öffneten, und suchte seine Hütte. Was sollte jetzt geschehen? Er würde zurückgehen in den Urwald. Morgen! Heute war er zu kraftlos dazu, heute konnte er nicht mehr. Sollte er in die andere Stadt gehen? Nein! Fort von diesen Menschen, fort, fort!

Er dachte an die Heimat, an die Erde. Mutter, wollte er sagen, laut, um den Klang dieses Wortes zu hören. Aber sein Ohr vernahm nichts, seine Stimme war gelähmt.

Am nächsten Tag band Bergen seine Habseligkeiten zu einem Bündel und machte sich auf, das Dorf zu verlassen. Als er die Schlucht zur Hälfte hinter sich hatte, vertraten ihm eine Anzahl Männer den Weg. Was wollten sie von ihm? Wollten sie ihn aufs neue in ihre Gewalt bringen? Ein zweites Mal sollte sich keiner mehr an ihm vergreifen. Aber wie diese Menschen so vor ihm standen, verlegen, fast hilflos, machten sie nicht den Eindruck, als ob sie sich im nächsten Augenblick auf ihn stürzen würden. Er sah, daß sie Früchte in den Händen hielten. Weil Bergen noch stand und überlegte, was das zu bedeuten habe, hatten sie Zeit, ihm die Geschenke, worunter auch Blütenzweige waren, zu Füßen zu legen. Dieses kindliche, verzeihungsheischende Gebaren stimmte ihn, der so gern an diese Menschen glauben wollte, versöhnlich. Empfand er doch auch jetzt noch ein Gefühl der Freundschaft für sie.

Trotzdem aber mußte er sie jetzt verlassen, denn der alte Häuptling würde sicher auch in Zukunft sein Feind bleiben. Also hob er einen Zweig und eine von den Früchten zum Zeichen der Versöhnung auf und suchte sich dann an den Männern vorbeizudrängen. Sie aber ließen ihn nicht weitergehen, umringten und umflatterten ihn und drängten ihn zurück.

Anfangs folgte er nur widerstrebend. Weil aber der freundschaftliche Sinn ihres Verhaltens offenkundig war, ließ er sich von ihnen zurückgeleiten, bis sie vor dem Haus des Häuptlings standen. Nun wurde er neugierig. Sie schienen etwas ganz Bestimmtes zu wollen. Das Haus war leer, und nicht nur das, es war gesäubert und mit frischen Matten ausgelegt.

Wie wenn sie sich irgendwo in der Nähe versteckt gehalten hätten, waren jetzt plötzlich alle Männer des Stammes vor dem Haus, drängten sich in den Raum und erwiesen ihm aufs neue ihre Freundschaftsbezeigungen. Dabei legten sie – eine Geste, die er noch nicht kannte – in einer Art Umarmung ihre Flughäute um ihn. Bergen dämmerte der Sinn dieses ganzen Vorgangs. Er fragte sie nach dem Häuptling und verstand aus ihren Zeichen, daß er weit fort sei und nicht wiederkomme. Man schleppte aus dem Nebengelaß alle Zauberdinge herbei, mit denen der Medizinmann seinen Hokuspokus verübt hatte: getrocknete Echsen- und Schlangenköpfe und solche von ihm unbekannten Tieren, Knochen, Krallen und Zähne, und auch eine Reihe von verdeckten Töpfen, die mit großer Behutsamkeit behandelt wurden. Darin befanden sich wohl die lebenden Wundsalben, Nattern und anderes Gewürm.

Der Häuptling war also geflohen oder sie hatten ihn getötet, nachdem mit der weißen Schlange auch seine Macht zu Ende war, und nun sollte er, der starke Fremde, der sie vernichtet hatte, seine Stelle einnehmen.

Einer von den Männern hielt eine Rede, wobei viel dazwischengesprochen wurde. Bergen achtete nicht auf das, was um ihn vorging. Er war ganz mit seinen Gedanken beschäftigt.

Sollte er an seinem Entschluß, wieder in die Einsamkeit des

Waldes zu gehen, festhalten, oder diese günstige Gelegenheit ergreifen und Häuptling des Dorfes werden? Aber, wenn er ihrem Wunsch folgte, würde er denn überhaupt imstande sein, sie zu betreuen, er, der kaum einige Tage unter ihnen weilte, der nichts von ihnen wußte, nichts von ihrem Wesen, kaum etwas von ihrer Art zu leben, er, der kaum eine Ahnung hatte von den Erfordernissen, die diese ganz andere Welt an die in ihr lebenden Menschen stellte?

Würde er sich nicht in tausend Schwierigkeiten verstricken und dadurch neue Konflikte heraufbeschwören?

Andererseits sah er vor sich die Gefahren, die ihn in der Wildnis erwarteten. Vielleicht konnte er unter diesen Menschen sein Leben erhalten. Und die Vernunft, die ihm schon einmal geheißen hatte, mit ihnen zu gehen, traf auch jetzt wieder die richtige Entscheidung.

So wurde Peter Bergen der Häuptling eines Volkes von Planetenmenschen.

Doch blieb er nicht in dem Haus des Häuptlings. Es war ihm unmöglich, in den gleichen Räumen zu leben, die seinem so grausamen Feind als Wohnung gedient hatten. Um den Männern zu zeigen, daß er ihre Berufung annahm, ließ er sich die Zauberutensilien in seine Hütte bringen.

Peter Bergen blieb bei den Menschen und fing an, sich um die Fragen und Sorgen ihres Alltags, ihrer kleinen Welt zu kümmern. Er versuchte sie zu verstehen und ihnen zu helfen, er, der Mensch aus einer ganz anderen Welt, der nicht einmal ihre Sprache kannte, der nichts mitbrachte für seine Aufgabe als den guten Willen und die ehrliche Freundschaft, die ihn zu diesen Frühmenschen zog.

Die Jagd

Dem Stamm war das Fleisch ausgegangen. Zwar wuchsen eßbare Früchte genug in der Nähe, und in den Bergwäldern gab es die mächtigen Vanillefruchtbäume, die voll hingen von Blüten und reifen Früchten, aber ihre Sucht nach Fleisch war groß. Sie verzehrten davon Mengen, von denen sich Erdenmenschen keine Vorstellung machen. Außer den kleinen Echsen und verschiedenen Arten von walzenförmigen Tieren, die sie gerne lebend verspeisten, verzehrten sie auch Flugechsen und Molche. Den Hauptbedarf an Fleisch aber deckten sie durch erlegtes Großwild.

Bergen war sofort bereit, selbst mitzugehen, als die Männer des Stammes eines Morgens zu ihm kamen und erklärten, daß es wieder an der Zeit sei, auf Jagd zu gehen. Um ihm dies verständlich zu machen, führten sie ihn in ein tief im Felsen liegendes Naturgewölbe, das durch daran vorbeifließende unterirdische Bäche eine kühle Temperatur aufwies. Hier war ihre Fleischvorratskammer – jetzt war sie fast leer.

Der Aufbruch zur Jagd war ein großes Ereignis, an dem sich das ganze Dorf bis zum kaum krabbelnden Kind beteiligte. Bis ins Tal hinab wurden die Jäger begleitet. Dann mußten die anderen zurückkehren.

Der Jagdzug bestand aus fünfzig Männern, von denen aber nur etwa die Hälfte Waffen trugen. Die übrigen, meist ältere oder ganz junge Leute, schleppten in Lederbündeln Pfeile und Speere. Daneben führte man mehrere zusammengerollte, große Häute mit, deren Zweck Bergen noch unbekannt war.

Mit ihren Flughäuten kamen die Männer natürlich viel schneller vorwärts, als Bergen ihnen folgen konnte. Sie kehrten jedoch, wenn sie eine Strecke vorausgeflogen waren, immer wieder zurück, um ihn nicht zu verlieren. Nur einige sonderten sich bald ab und eilten in verschiedene Richtungen auseinander, wohl um das Wild auszumachen. Dabei sah Bergen diese Menschen zum erstenmal richtig fliegen. Das hatte er bis jetzt nicht beobachtet. Warum taten sie es nicht immer und hopsten nur in kurzen Flugsprüngen über die Erde? Den Grund hierfür erfuhr er später, als er schon längere Zeit unter ihnen lebte. Sich mit den Flughäuten wie ein Vogel in der Luft zu halten, kostete große körperliche Anstrengung, und nur die kräftigsten unter ihnen, und auch die nur in ihren besten Jahren, brachten es zu dieser Leistung.

Sicher würde dieses Flugvermögen mit der auch hier einsetzenden Zivilisation mehr und mehr verlorengehen. Vielleicht sogar bildeten sich dann die großen Flugschwingen zurück, und spätere Jahrhunderte würden von der Flugfähigkeit der Urmenschen nur durch die Sage wissen.

Es entging Bergen nicht, daß es die Männer große Überwindung kostete, ihren Jagdeifer durch seine Langsamkeit immer wieder zähmen zu müssen. Da kam ihm beim Anblick der mitgetragenen Tierhäute ein rettender Einfall: War es nicht möglich, daß er sich in eine dieser Häute setzte und sich von zwei Jägern wie in einem Hängestuhl durch die Luft tragen ließ? Gedacht, getan. Statt komplizierter Zeichensprache hielt er zwei der Männer an, rollte die Haut, die sie trugen, auseinander, und gab jedem davon ein Ende in die Hand. Dann setzte er sich darauf und bedeutete ihnen, mit ihm fortzufliegen. Schneller als er gehofft hatte, verstanden die Männer, was er wollte, und setzten in großen Sprüngen mit ihrem lebenden Paket über den Boden.

Das ging nun allerdings schneller, als zu Fuß zu gehen. Aber er wurde dabei wie ein Sack gezerrt, geschleift und hin und her gestoßen und landete nach jedem Sprung höchst unsanft auf der harten Grasnarbe. Bald war die ganze Jagdgesellschaft um ihn versammelt und palaverte eifrig mit den beiden, die sich ganz offensichtlich sehr zu plagen schienen.

Die Idee schien Bergen auf jeden Fall gut, die Sache mußte nur noch mehr geübt werden. Obwohl er nach einigen hundert Metern den schmerzenden Stellen nach bereits am ganzen Körper grün und blau sein mußte, gab er den Versuch nicht auf.

Später wechselte er die Träger mit neuen Männern, die ihm stärker erschienen. Einer davon war Gelbauge. Diese beiden waren kräftiger und offensichtlich auch geschickter. Sie blieben über eine Strecke von vierzig bis fünfzig Metern in der Luft und ermöglichten es Bergen, durch ihr gleichmäßiges Aufsetzen und Hochfliegen, sich auf jede neue Landung und jeden neuen Start vorzubereiten.

So flog bald der ganze Jagdzug mit Bergen in der Mitte ohne Aufenthalt über die Prärie, und die neue Erfindung schien diesen Menschen nicht weniger Spaß zu machen als ihm selbst.

Sie überquerten das Tal, durch das er damals vom Urwald gekommen war, bis etwa zur Hälfte, bogen dann aber nach Osten ab. Dabei stießen sie auf einen großen Strom, in den der Fluß, den Bergen schon kannte, mündete, und dessen Lauf sie nun folgten.

Vereinzelte Baumgruppen wechselten mit größeren Flecken kakteenartigen Gestrüpps. Ab und zu standen riesige Schachtelhalme in der Ebene, die ihre feinen Astkränze bis in unvorstellbare Höhen in den Himmel reckten.

Die Späher kamen zurück und bedeuteten Bergen, daß sie das

Wild entdeckt hatten. Es war interessant, zu beobachten, wie geschickt sie nun vorgingen. Sie dämpften sofort die bis dahin laut krächzend geführte Unterhaltung. Sie flogen auch nicht direkt auf die angegebene Richtung zu, sondern folgten den Spähern, die die bezeichnete Stelle in großem Bogen umgingen. Offensichtlich wollten sie dem Wild nicht zu früh in den Wind kommen. Sie beschleunigten ihr Tempo, aber die Träger blieben mit ihrer schweren Last nicht zurück. Nachdem sie so nochmal fünf bis sechs Kilometer zurückgelegt hatten, ließen sich alle zu Boden. Sie machten sich zum Angriff fertig, legten Steine in die Schleudern, klemmten Pfeile in ihre Wurfgeschosse und versorgten sich von ihren Pfeil- und Speerträgern mit einer Menge Ersatzgeschossen, die sie mit Bastschnüren um den Leib banden.

Vor ihnen äste eine Herde großer Tiere, wie es Bergen schien, von derselben Art, wie sie ihnen auf dem Weg vom Urwald her begegnet waren. Diesmal war man ihnen allerdings näher. Man konnte die hellen, gebogenen Stoßzähne gut sehen. Von der gleichen Größe wie die Saurier zogen sie auch einen ähnlichen Schweif hinter sich her, während die vordere Hälfte der kurzhalsigen Kolosse an Elefanten oder Mammuts erinnerten.

Was wollten diese Menschen mit diesen Riesen? Ihr Fleisch war sicher zäh und ungenießbar, und er konnte sich nicht vorstellen, daß die saftigen Bissen, die sie ihm von ihren Spießen angeboten hatten, von einem solchen Wild stammten. Nun, er würde ja Gelegenheit haben, es zu probieren. Im Augenblick verdrängte die Aufregung der Jagd alle weiteren Überlegungen.

Sie waren inzwischen der Herde so nah gekommen, daß die Männer sich nur noch gehend fortbewegten, um nicht durch das Rauschen ihrer Flughäute die Tiere vorzeitig aufmerksam zu machen. Mit wieselhafter Behendigkeit krochen sie, in der einen Hand die Waffe, durch das Gras vorwärts, das hier hoch genug war, um sie in dieser Haltung völlig zu verdecken.

Auch Bergen hatte seine Traghaut verlassen und folgte gebückt mit seinen Begleitern den Jägern. Doch zog er es von jetzt ab vor, sich etwas zurückzuhalten, denn es war möglich, daß die aufgescheuchten Kolosse die Richtung auf ihn zu nahmen, und dann dauerte es eine Zeit, bis seine Träger ihn aus der Gefahrenzone tragen konnten.

Die Herde äste in der gleichen Ahnungslosigkeit wie vorher

weiter und nichts mehr verriet die Anwesenheit der Menschen.

Da, plötzlich warf das Leittier den Kopf in die Höhe und stieß einen pfeifenden Ton aus.

Fast im selben Bruchteil dieser Sekunde erhoben sich die Jäger knapp vor den Tieren – es sah aus, als wenn ein Schwarm Fledermäuse aufflöge –, und stürzten sich auf eines der Tiere. Dabei sauste ein Hagel von Speeren, Pfeilen und Steinen auf das Opfer nieder, das mit schrillen Trompetenstößen, gefolgt von der ganzen Herde, davonjagte. Sie nahm eine Richtung, die in großer Entfernung an Bergen vorbeiführte.

Großer Gott! Wer unter diese lebende Walze geriet, dessen Knochen waren nur noch eine Breimasse. Schon atmete er auf, weil die ganze wilde Jagd, die für ihn, der sich nur mit seinen zwei Beinen unter diesen Menschenvögeln reichlich hilflos vorkam, ungemütlich zu werden begann, sich von ihm entfernte. Da bog die Herde, aus weiß der Himmel welchen Gründen, im Winkel ab, und ehe Bergen den Ernst der Lage ganz übersah, spürte er unter seinen Füßen auch schon das Dröhnen, mit dem diese lebenden Felsen auf seinen Platz zurasten. Er sah noch, wie seine Träger sich mit wildem Krächzen in die Luft hoben, eben, als er sich nach ihnen umwandte. Er wollte sie noch zurückwinken – es war zu spät.

Er stand allein und hatte nur noch seine Beine, um wegzulaufen. Aber wohin? Nach links, nach rechts? Auf welcher Seite war die Rettung?

Sekunden nur hatte seine Ratlosigkeit gedauert, aber Sekunden zu lange, denn schon sah er eine breite, schwarze Wand auf sich zustürmen. Der Boden zitterte. Ein paar Sprünge machte er noch, dann warf er sich der Länge nach ins Gras und krallte sich mit den Nägeln in den Boden. Ich hätte noch einige Sprünge weiterkommen können, konnte er noch überlegen, dann war ein Donnern um ihn, ein Erbeben, daß ihm der Atem stockte. Er fühlte Schläge auf seinem Körper – dann war die wilde Jagd vorüber.

Eine Zeit blieb er noch liegen und getraute sich nicht aufzustehen, weil er dachte, es müßte noch etwas nachkommen. Daß er überhaupt noch lebte!

Er betastete seine Knochen, ob es auch Wirklichkeit war, daß sie noch alle heil waren. Aber dann stand er fest und gesund auf seinen Beinen. Die Schläge, die er abbekommen hatte, waren Erd-

brocken gewesen, die von den dahinrasenden Tieren umherge-
schleudert worden waren. Ein paar blaue Flecken mehr an diesem
Tag, aber was bedeutete das. Er hatte wieder einmal Glück ge
habt, unvorstellbares Glück. Keine zehn Schritt von ihm entfernt
– er sah es an der breiten Straße der aufgerissenen Grasnarbe –
hatte das Verderben seinen Weg genommen, und erst jetzt überkam ihn der ganze Schrecken der überstandenen Gefahr. Aber wo
waren seine Träger, wo waren die Jäger, wo war das Wild?

Die ganze Jagd hatte sich weit von ihm entfernt. Als er mit den
Augen danach suchte, sah er in großer Ferne eine dunkle Masse,
um die wie Vögel die Jäger schwirrten. Um ihn aber kümmerte
sich niemand mehr. Die Männer hatten jetzt anderes zu tun, als
nach ihrem Häuptling zu suchen. Im Ablauf ihres gewöhnlichen
Alltags, im Bereich ihres Dorfes fühlte er sich ihnen überlegen.
Hier aber, wo ihre ganze urmenschliche Kraft und Geschicklichkeit zur Auswirkung kam, kam er sich mit seinem hochentwickel-
ten Gehirn, das allein er ihren vitalen Fähigkeiten entgegenzuset-
zen hatte, wie ein hilfloses Kind vor, das man wohl mitnahm, aber
im Augenblick des wirklichen Handelns nicht brauchen konnte.

Er war beschämt und verärgert zugleich. Am besten versuchte
er zum Dorf zurückzukehren, um dort auf die Rückkehr der Jäger
zu warten.

Auf welche Weise sie wohl diese Riesen-Mammutechsen zur
Strecke bringen würden? Was konnten die Steine, die sie schleuderten, die dünnen Pfeile und Speere gegen einen so mächtigen,
gepanzerten Körper ausrichten? Sie konnten das Tier reizen, es in
Wut bringen, aber wie sie es töten wollten, war ihm ein Rätsel.

Seine Betrachtungen wurden unterbrochen durch die Rückkehr
der beiden Träger. Er hatte ihr Kommen gar nicht bemerkt. Irgendwie waren sie plötzlich wieder da, breiteten, als ob nichts gewesen wäre, vor ihm die Haut aus, und bedeuteten ihm, er möge
sich wieder daraufsetzen.

Was sollte er nun tun? Sie hatte ihn im Augenblick der Gefahr
einfach im Stich gelassen. Nicht einen Fremden oder Gast, sondern ihren Häuptling und Medizinmann. Sollte er sie bestrafen?
Aber auf welche Weise? Wenn er wenigstens hätte sprechen können. Sie hätten ihn nicht verstanden, aber sie hätten aus seinem är-
gerlichen Ton die Zurechtweisung gespürt. O, daß er stumm war!
Wie das alles erschwerte! Bergen tat das, was ihm im Augenblick

als das einzig Ratsame erschien: Er ließ sich zwar von ihnen forttragen, gab aber seine Weisungen mit so mürrischer Geste wie nur möglich und merkte an ihrer Stummheit, daß sie sich über das Unrichtige ihrer Handlungsweise wohl im klaren waren.

Hätte die Jagd sich in der eingeschlagenen Richtung weiterbewegt, so hätte Bergen sie schwerlich eingeholt. So aber zog sie sich in ständig wechselnder Richtung durch das breite Tal auf das Gebirge zu. So kam er dem Treiben wieder näher. Bald erkannte er auch, daß die Herde nicht mehr geschlossen war. Sie hatte sich in Einzelgänger und einzelne Gruppen aufgespalten. Die Jäger aber konzentrierten ihren Angriff nur auf eine Gruppe, und in ihr wieder nur auf das eine Tier. Dadurch aber, daß jetzt einzelne Mammutechsen, wie es schien, planlos in verschiedenen Richtungen das Tal durchzogen, wuchs die Gefahr eines ungewollten Zusammentreffens von neuem, und er hielt sich deshalb ständig in Bereitschaft, um nicht wieder überrumpelt zu werden.

Ganz allmählich wurde ihm die Absicht der Jäger klar. Sie versuchten, das Tier durch immer neue Angriffe in eine ganz bestimmte Richtung zu treiben. Durch ihre Flugfähigkeit waren sie in der Lage, sich ihm von oben her immer wieder zu nähern und es mit Speeren, Pfeilen und Steinen immer aufs neue zu bewerfen. Rannte das gereizte Tier dann gegen seine Angreifer los, so lief es mit seinen furchtbaren Stoßzähnen ins Leere. Durch dieses ständig wiederholte Manöver brachten die Angreifer ihr Opfer dahin, wo sie es haben wollten. Im weiteren Verlauf wurde es von seiner Gruppe abgesondert und, nachdem es einmal allein war, ziemlich rasch auf die Berge zugetrieben. Die ganzen nichtgepanzerten Körperteile waren gespickt von Pfeilschäften und Speeren. Auch war nicht zu verkennen, daß seine Gegenstöße langsam an Wucht nachließen.

Bergen ließ sich jetzt ganz nahe herantragen, um das Ende besser beobachten zu können. Es war grausam, wie man das Tier langsam zu Tode quälte. Die Jäger suchten mit ihren Geschossen ganz bestimmte Stellen zu treffen, die Bauchseite des Tieres, die Stelle hinter den Ohren. Hier schien vor allem seine »Achillesferse« zu sein. Ein anderes Ziel waren die Augen, die sie zu blenden suchten, und so oft das Tier das Maul aufriß, flog ihm dazu ein ganzer Hagel von Speeren in den aufgerissenen Rachen. Alle diese Verletzungen konnten das Tier zwar ermüden und schwächen, aber nicht töten. Man näherte sich dem Gebirge und lenkte die Bewegungen des Tiers auf eine der vielen Felsspalten zu. Es war Bergen klar, sie wollten es durch ständig neue Angriffe in den Spalt treiben oder richtiger gesagt, locken. Dort sollte es eingeklemmt und bewegungsunfähig werden. In seiner Wut folgte es auch instinktlos, bis es mit dem letzten Vorstürzen den eigenen Körper wie einen Keil zwischen die Felswände trieb und mit dem breiten Panzer und den Stoßzähnen festsaß. Schauerlich klang sein Trompeten in der engen Schlucht, und dazwischen das krächzende Geheul der Jäger, die nun ihres Sieges sicher waren. Am liebsten wäre Bergen weggelaufen, um das qualvolle Ende nicht miterleben zu müssen. Aber er mußte wissen, wie diese Menschen es anfingen, den Koloß zu töten.

Es konnte jetzt weder den schweren Schädel noch den Körper bewegen. Nur der gepanzerte Schweif peitschte mit mächtigen Hieben auf und nieder. Während noch einige Männer dem Tier von vorn mit Pfeilen und Speeren zusetzten, um ihm immer weiter den Drang nach vorwärts zu geben, sprangen andere Beherzte auf den Rücken bis hinter den Kopf und hieben mit großen Muscheln und Steinäxten so lange auf die Stellen hinter den Ohransätzen, bis diese in großen Strömen zu bluten begannen. Dies war noch jetzt, da das Tier wehrlos war, ein gefährliches Unternehmen, denn der ganze Körper schüttelte sich unter der Wucht der Gegenwehr, und glitt einer von dem gepanzerten Rücken ab, geriet er zwischen den Körper des Tieres und den Felsen, dann war es um ihn geschehen. Ihre Flughäute aber konnten die Jäger in der Enge dieser Schlucht nicht entfalten. Dazu hieb der Rüssel der Mammutechse mit solcher Wucht um sich, daß mehrere von ihnen verletzt wurden.

Nun, da Bergen das Ende wußte, verließ er den Schauplatz des langsamen Mordens. Er dachte an den Kampf in der Saurierschlucht. Hier bei diesen Menschen hatte das Töten wenigstens einen Sinn. Sie brauchten Fleisch zum Leben, und der Stärkere, in diesem Fall der Listigere, überwand den Schwächeren. Er aber hatte damals das Morden heraufbeschworen aus Lust an der Sensation.

Bergen wartete vor der Schlucht, bis die Todesschreie des gemarterten Opfers aufgehört hatten. Als er wieder zurückkehrte, waren alle dabei, an dem toten Körper herumzuhacken. Mit großen Beilen trennten sie die elefantenartigen Ohren vom Kopf ab, andere bemühten sich, die äußerste Spitze des gepanzerten Schweifs abzuhacken. Außer diesen Trophäen waren es noch verschiedene Fleischteile, die sie wohl als die Hauptleckerbissen gleich mitzunehmen beabsichtigten.

Es war Nacht, als man zur Rückkehr aufbrach. Jetzt zeigte sich, wozu die mitgeführten Häute bestimmt waren. In der gleichen Weise, wie er von seinen Trägern durch die Luft getragen worden war, transportierten sie jetzt die ersten Beutestücke in ihr Dorf. Ein Teil der Jäger blieb bei dem erlegten Wild zurück. Hunderte von rotglühenden Augenpaaren, die fliegenden Echsen, die Schakale und Aasgeier dieses Sterns, warteten auf ihre Mahlzeit. Die Männer mochten die Nacht über genug zu tun haben, um sie von dem toten Tier fernzuhalten.

Bergen aber ließ sich inmitten der heimkehrenden Jäger in das Dorf zurücktragen. Wie in einem Siegeszug wurden sie am Eingang von den Weibern und Kindern empfangen. Überall brannten die Feuer, und während er sich müde auf sein Lager warf, drehten sich draußen über den prasselnden Flammen die Spieße, und die hungrigen Jäger verschlangen die ersten, wohlverdienten Leckerbissen ihrer Beute.

Der Kranke

Beim ersten Morgengrauen brachte man ihm einen Verletzten ins Haus. Die Träger hatten ihn in eine Haut gewickelt und trugen ihn wie ein Lederbündel herein. Zuerst hielt Bergen ihn für tot, aber an den Herzschlägen erkannte er, daß er noch lebte. Aus dem Mund sickerte Blut. Sonst konnte er keine Wunden an ihm entdecken. Er prüfte durch Abtasten den Körper auf schmerzempfindliche Stellen. Als er dabei die Bauchgegend erreichte, gab der Kranke schwache Wehlaute von sich. Die Stelle schien auch verfärbt und geschwollen. Es waren also innere Verletzungen. Was sollte er tun? Er hatte sich nie im Leben mit medizinischen Fragen beschäftigt und verstand nicht mehr von solchen Dingen als jeder andere Erwachsene auf der Erde.

Der Kranke mußte schon bei der eigentlichen Jagd in der Prärie verunglückt sein, denn die Verletzungen, die später in der Felsspalte durch das eingezwängte Wild noch vorgekommen waren, waren alle harmloserer Natur gewesen. In diesem Fall wäre ein chirurgischer Eingriff nötig gewesen. Diese Dinge aber waren ihm ein Buch mit sieben Siegeln. Aber irgend etwas mußte er als Medizinmann tun. Er beschränkte sich darauf, das Gesicht von dem verkrusteten Blut zu reinigen und kühlende Blätter auf die schmerzende Stelle des Körpers zu binden. Dann ließ er ihn neben sein eigenes Lager betten.

Das war den Männern, die ihn gebracht hatten, und nun neugierig herumstanden, zu wenig. Sie holten denn auch unaufgefordert verschiedenen Zauberkrimskrams seines Vorgängers aus der Ecke des Raumes, wohin er die Sachen hatte stellen lassen und bedeuteten ihm, er möge nun seinen Zauber üben.

Um sie nicht zu vergrämen und nicht wieder ein Unheil heraufzubeschwören, machte er ihnen verständlich, daß er dazu mit dem Kranken allein sein müsse und schob die ganze Gesellschaft – sie hatte sich inzwischen noch um einige Köpfe vermehrt – mit vielsagender Geste zur Tür hinaus.

Dann saß er bei dem Kranken, benetzte von Zeit zu Zeit dessen fiebernde Lippen mit Wasser und erneuerte den Umschlag, wenn die Blätter heiß geworden waren.

Später kamen drei Weiber, die, als sie den Fiebernden gewahrten, in Jammerlaute ausbrachen. Sie gestikulierten mit den Händen und schienen ihm etwas erklären zu wollen. Wahrscheinlich waren sie Angehörige des Verletzten. Eine von ihnen war jung und benahm sich auch wesentlich maßvoller als die beiden älteren. Sie strich auch ab und zu die Hand des auf dem Boden Liegenden, während ihm die anderen beiden keinerlei Zärtlichkeiten erwiesen. Bergen suchte sie zu beruhigen. Als sie aber ihr Gekrächze nur verstärkten, drängte er sie ebenfalls hinaus und ließ nur das Mädchen im Raum. Sie schien vernünftiger zu sein und konnte ihm vielleicht bei der Krankenpflege zur Hand gehen. Er zeigte ihr, wie man dem geschlossenen Mund einige Tropfen Flüssigkeit einflößte und lehrte sie, die Blattumschläge zu erneuern. Sie ging geschickt und behutsam zu Werke, auch schien sie keine Scheu vor ihm zu haben. Er beschloß, sie für seine Tätigkeit als Medizinmann zur Mithelferin heranzuziehen.

Je öfter er das Mädchen ansah, desto mehr glaubte er in ihm den Menschen zu erkennen, der ihm als erster im Wald begegnet war. Aber er war dessen nicht sicher und er war gerade bei den Jugendlichen dieser Menschen nicht in der Lage, sichere Unterscheidungsmerkmale in ihrer zwillingshaften Physiognomie festzustellen. Es gab wohl verschiedene unter den Männern und Frauen des Stammes, die sich durch ihren abnormen Wuchs, ihre Dicke oder auffallende Magerkeit oder durch andere Kennzeichen, wie vernarbte Wunden, Mißbildungen und dergleichen, von den übrigen Artgenossen unterschieden, und diesen hatte er in seinem Innern auch schon ganz bestimmte Namen gegeben. Da war ein älterer Mann, der sich durch seinen riesigen Körperumfang und einen enormen Schmerbauch trotz der Flughäute kaum von der Stelle bewegen konnte; den hatte er Plumpsack genannt. Weiter gab es eine Warzennase, ein Triefauge, einen Zwerg, einen Breitkopf, einen Glotzäugigen, einen Narbigen, einen Asketen und Gelbauge. Die übrigen Normalgewachsenen aber waren für ihn vorerst noch nicht zu unterscheiden.

Drei Tage waren die Jäger damit beschäftigt, das erlegte Wild auszuschlachten, und es wurde ein wahrer Fleischberg, der sich in der Schlucht anhäufte.

Als begehrtester Leckerbissen galt das Schwanzstück, das allein das Gewicht zweier gewaltiger Ochsen haben mochte. Bergen aß selbst davon. Es war saftig und verhältnismäßig zart, und er mußte sich gestehen, daß hier die Geschmäcker von zwei Weltkörpern absolut zusammentrafen. Er hatte geglaubt, daß das Fleisch so großer Tiere überhaupt nicht genießbar sein könne, aber ganz im Gegenteil ergaben verschiedene Körperteile, vor allem die, die unter einer Panzerhaut eingebettet lagen, sehr schmackhafte Braten.

Die Weiber des Dorfes waren in diesen Tagen damit beschäftigt, mit scharfen Muscheln das Fleisch sorgfältig von den Knochen zu lösen. Sie zerteilten es in handliche Stücke und walkten diese dann stundenlang mit zerriebenen, frischen und getrockneten Kräutern. So behandelt wurde die Ausbeute der Jagd in die unterirdischen Kühlräume gepackt.

Auf die eigentliche Jagdtrophäe dieser Mammutechse, die baumstarken Stoßzähne, schien man keinen besonderen Wert zu legen. Man benutzte sie, wie er beobachtete, zum Häuser- und Brückenbau. Eine Verwendung zu Schnitzarbeiten oder auch anderen Dingen, wie Pfeilspitzen und dergleichen, konnte er nirgends feststellen. Hingegen malten sie die Ereignisse dieser Jagd in ihrer primitiven Art auf die Außenwand seines Hauses. Er hatte vermutet, daß sie dabei vor allem die Tatsache seiner Anwesenheit und seine Erfindung, sich von ihnen durch die Luft tragen zu lassen, vermerken würden. Aber nichts davon war auf der Darstellung zu finden. Sie erschöpfte sich in den traditionellen Formen, wie die Jagdszenen auf den anderen Häusern verewigt waren. Auch dort war es mit Ausnahme der Tierformen überall dasselbe Bild. Nur die verschiedenen Arten des gejagten Wildes schienen sie dabei zu interessieren.

Was sie aber auch bei der Darstellung an seinem Haus nicht vergaßen, waren die Goldbrocken, die sie den Figuren anstelle der Augen einsetzten.

Gold

Diese Goldbrocken erregten nach wie vor sein größtes Interesse. Er hatte sie untersucht. Es war kein Zweifel, daß es sich um reines Gold handelte. Wo hatten die Menschen es her? Die kantige Beschaffenheit der Stücke zeigte, daß es irgendwo abgebrochen oder abgeschlagen worden war. Das gelbe Metall schien bei ihnen, die Metall überhaupt noch in keiner anderen Art kannten, nicht hoch im Wert zu stehen. Sie bearbeiteten es auch nicht, um es irgendwie als Schmuck zu gebrauchen. All diese Dinge waren den Sternenmenschen noch etwas Unbekanntes. Seine Verwendung bei ihren bildlichen Darstellungen war deshalb weniger zur Verschönerung denn zur Hervorhebung eines ihnen wichtig scheinenden Körperteils, nämlich des Auges, bestimmt.

Sicher gab es in der Nähe starke Goldadern, aus denen sie das Metall brachen. Aus Bächen und Flüssen stammte es nicht, denn sonst wären die Stücke glatt und abgeschliffen gewesen. Aber zweifellos gab es auch in den Wasserläufen Gold.

Der Gedanke an das Gold beschäftigte ihn unablässig, er ließ ihn nicht mehr los.

Er hatte den Kranken in seinem Haus belassen. Neben der rein menschlichen Teilnahme, die er für den Verletzten empfand, war ihm auch sonst sehr daran gelegen, daß dieser Mensch wieder gesund wurde, denn außer wenig bedeutenden Wundbehandlungen hatte er bis jetzt keinen wirklichen Kranken unter seiner Obhut gehabt. Gelang es ihm, diesen durch seine Fürsorge zu heilen, so würde das sein Ansehen bei den Menschen des Stammes bedeutend stärken. Bergen hatte indes wenig Einfluß auf den Gang der Genesung, und seine Behandlung beschränkte sich nach wie vor darauf, durch nasse Heu- und Blätterumschläge die Schmerzen des Kranken zu lindern und das Fieber herabzudrücken. Entfernte er sich für längere Stunden von seinem Haus, so überließ er ihn der Pflege des Mädchens. Endlich am vierten Tag stellte er eine merkliche Besserung fest. Der Verletzte war bei Bewußtsein und schien der Genesung entgegenzugehen. Er wartete noch zwei Tage, dann trieb ihn die Ungeduld fort. Er zog aus, das Gold zu suchen.

Zu seinen Begleitern hatte er die beiden ausgewählt, die ihn auf der Jagd getragen hatten. Einer davon war Gelbauge. Gerade bei ihm hatte er in den letzten Tagen Anzeichen von ausgesprochener Zuneigung festgestellt. Er hatte ihn begleitet, wenn er im Dorf unterwegs gewesen war, hatte seine Hütte unaufgefordert mit frischem Wasser versorgt und hielt sich offensichtlich immer in seiner Nähe. Ihm glaubte Bergen am sichersten vertrauen zu können.

Es war möglich, daß sie weite Strecken würden zurücklegen müssen. Er nahm gebratenes Fleisch und Brotfladen als Proviant für einige Tage mit. Länger wollte er auf keinen Fall dem Dorf fernbleiben.

So zogen die drei am nächsten Morgen noch vor Sonnenaufgang durch das schlafende Dorf.

Bergen hatte Gelbauge von dem Zweck seines Ausfluges unterrichtet. Dieser hatte ihn, als er merkte, daß der Häuptling nach den gelben Steinen verlangte, eilfertig ein Gefäß voll gebracht. Ob Gelbauge begriff, wozu der Häuptling die Reise letzten Endes unternahm, wurde Bergen nicht klar. Soviel verstand er jedenfalls, daß der Fremde das Dorf nicht für immer verlassen, sondern wieder zurückkehren wollte.

Im Tal angekommen, schlugen sie die Richtung ein, in der die Jagd damals ihren Anfang genommen hatte. Er wollte zuerst zum großen Strom, um dessen Geröll und Sand zu untersuchen. Nachdem sie seine Ufer erreicht hatten, machte er sich unverzüglich an die Arbeit. Mit einem Stock grub er die oberste Schicht weg, denn war der Sand goldhaltig, so mußten die Körner in den tieferen Lagen zu finden sein. Er hatte etwa eine halbe Stunde herumgestochert, da hielt er ein daumengroßes Stück in der Hand. Es war fast glattgeschliffen und hatte die Form eines Eies.

Mit diesem ersten Fund erwachte in seiner Seele etwas, das weit über das Interesse, das gelbe Metall zu finden, hinausging: das Goldfieber. Mit Hast und im Schweiße seines Angesichtes grub er weiter. Er achtete nicht auf seine Begleiter, die verständnislos seinem Treiben zusahen. Er schaufelte mit dem Stock, mit dem Messer und mit den Händen, und bald füllte ein gutes Dutzend größerer und kleinerer Goldkiesel seine Handschalen.

Dann stand er aufrecht, kümmerte sich nicht darum, daß er bis zu den Knien im Wasser stand und schaute gedankenverloren dem Strom nach, der sich flach und breit und in mächtigen Windungen durch das Tal zog. Der goldhungrige Mensch der Erde war in ihm erwacht, der Techniker. Eine Goldwäscherei riesigen Ausmaßes sah er vor seinem geistigen Auge. Wenn er Arbeiter hätte und Baumaterial und Strom und Maschinen, wenn er systematisch den ganzen Wasserlauf absiebte; in unschätzbaren Mengen mußte hier das Gold liegen. Tonnenweise würden die Schlämmanlagen es herauswaschen. Wenn erst WRS II hier landete, welch ungeahnte Möglichkeiten erschlossen sich dann! Schiff um Schiff würde von der Erde kommen und wieder zur Erde starten, gefüllt bis an den Rand seiner Tragfähigkeit mit Gold.

Wenn aber der Strom soviel Gold führte, dann mußte dort, wo er herkam, noch mehr sein. Dort mußten die Adern liegen.

Noch einmal zeigte er Gelbauge die goldenen Steine und gab ihm dann die Weisung, ihn stromaufwärts zu tragen. Aber er brauchte nicht mehr lange zu deuten, sie nahmen von selbst die Richtung und wußten jetzt besser als er, wohin er wollte. So flogen sie dem Stromlauf entgegen, den Bergen zu.

Er hatte gehofft, in einem halben Tag am Ziel zu sein, denn das Gebirge lag zum Greifen nahe. Doch als es Abend wurde, war das Tal noch immer nicht zu Ende. Sie standen vor einem Waldgürtel, der sie von den Bergen trennte.

Sollte er heute den Weg noch fortsetzen, um bis zur endgültigen Dunkelheit noch möglichst weit zu kommen, oder sollte er im offenen Tal den kommenden Tag abwarten? Er hatte eine gewisse

Scheu vor den Nächten in der Wildnis. Vielleicht gerieten sie in ein Moor – in der Finsternis waren sie darin verloren. Dann aber wieder schien ihm seine Sorge unbegründet. Seine Begleiter kannten den Weg. Wahrscheinlich holten sie von dorther, wohin er nun strebte, auch sonst ihre goldenen Steine. Er entschloß sich, einfach daraufloszugehen und dabei ihr Verhalten zu beobachten.

Sie gingen jetzt zu Fuß weiter. In der Enge des Waldes konnten die Männer die Flughäute nicht gebrauchen, ganz zu schweigen von einem Flug zu dritt. Sie mußten sich nun – wie er – nur mit den Beinen fortbewegen. Das allerdings konnten sie ebenfalls weit schneller als er. Mit affenartiger Behendigkeit sprangen sie über die gestürzten Baumriesen und fanden geschickt noch im dichtesten Gewirr der Moose und Farne einen Durchschlupf, wo er allein mit viel Mühe und Zeitverlust sich einen Weg hätte hauen müssen. So kamen sie schnell vorwärts.

Die beiden Begleiter waren ihm ohne Zögern in den Wald gefolgt. Die Gefahr darin konnte also nicht so groß sein. Solange es noch hell war, hielten sie sich in der Nähe des Flußlaufs, der sich in rauschenden Sturzbächen oder in lautlosen, verzweigten Rinnsalen seinen Weg durch die Wildnis bahnte. Als unvermittelt die Nacht kam, machte Bergen Anstalten, da sie eben auf einem freien Platz angelangt waren, sich für die Nacht ein Lager zurechtzumachen. Mit allen Zeichen des Entsetzens aber strebten seine Begleiter von dieser Stelle fort. Sie deuteten mit ausgestreckten Armen auf das Wasser und ahmten mit aufgerissenem, schnappendem Mund das Schnappen der Krokodile und Molche nach.

Wäre Bergen allein gewesen, so hätte er ganz von selbst an die Möglichkeit dieser Gefahr gedacht und sich mit viel mehr Überlegung um sein Nachtlager gekümmert. So hatte er sich ganz auf ihren Instinkt und ihre Erfahrung verlassen. Er folgte ihnen also bis zu einem erhöhten Platz, auf dem lichte Baumkronen den Blick zum nächtlichen Himmel freigaben. Im weißen Licht des Mondes kauten sie schweigend an ihrem Brot und Fleisch. Dann ließen sich die beiden Männer zurücksinken, hüllten sich in ihre Flughäute und fielen unvermittelt in Schlaf.

Bergen aber saß noch lange an einen Baum gelehnt wach und horchte auf die Stimmen der Wildnis. Es war wieder eine dieser geheimnisvollen Urwaldnächte, die voll waren von phosphoreszierenden Lichtern und rätselhaften Lauten und erfüllt von dem betäubenden Duft der Blüten. Da waren auch die roten Augen wieder. Wo er sich auch hinwandte, von allen Seiten starrten sie ihn an. Diesmal aber ängstigten sie ihn nicht mehr. Er wußte, daß ihre Anwesenheit kein Unheil anzeigen mußte. Es waren im Grunde harmlose Geschöpfe, wenn sie auch nicht alle so gutmütig waren wie Grasgrün, die ausnahmslos nur dann bösartig wurden, wenn sie sich angegriffen sahen und dabei keinen Ausweg mehr zur Flucht hatten. Dann allerdings konnten ihre scharfen Krallen und Reißzähne sehr gefährlich werden. Mehr als ein Mann des Stammes trug im Gesicht Narben als Andenken an einen Kampf mit ihnen.

Ihnen, den Schlafenden, würden sie nichts tun, aber das Fleisch, ihr Proviant, der würde ihre Beute werden, wenn keiner mehr wachte. Bergen suchte nach dem Bündel und entdeckte es unter dem Kopf von Gelbauge. So war es wohl vor dem Zugriff der nimmersatten Hyänen geschützt.

Bergen war noch nicht eingeschlafen, wenigstens döste er nur im Halbschlaf dahin, als er sich plötzlich hochgerissen spürte. Er konnte in der Dunkelheit nichts Bestimmtes sehen, merkte aber, daß es Gelbauge war, der ihn unter angstvollen Rufen hochzuzerren suchte. Bergen sprang auf, folgte stolpernd, fallend und sich wieder aufraffend dem anderen, der seinen Kittel nicht losließ und selbst wie um sein Leben rannte. Was war los? War er plötzlich wahnsinnig geworden? Ein durchdringender, krächzender Schrei von der Stelle, wo sie gelagert hatten, zerriß die Stille. Dann noch einer, lang und kläglich. Das war sicher der zweite von den beiden. Jetzt wieder und wieder – Bergen wollte sich losreißen und zurücklaufen, er mußte ihm doch zu helfen versuchen. Der andere aber ließ ihn nicht los. Mit beiden Fäusten hieb Bergen auf ihn ein, um sich freizumachen. Da packte ihn der andere mit der ganzen Kraft des Urmenschen und schleifte ihn in seinen Armen wie in einer eisernen Zange hinter sich her. Bergen konnte nichts um sich sehen, fühlte sich nur weiter fortgezerrt durch Gestrüpp, über Stämme und durch Moosdickicht. Hinter ihnen, immer weiter entfernt, klangen die Todesschreie des Unglücklichen, bis sie mit einem Male verstummten.

Aber auch jetzt hielt Gelbauge nicht an. Er lockerte zwar die würgende Umklammerung, in der Bergen fast zu ersticken drohte, ließ ihn aber nicht los, so daß er genötigt war, ihm mit den gewagtesten Sprüngen zu folgen, bis sie endlich beide erschöpft stehenblieben. Er fühlte mehr als er sah, wie sich die Flughäute und Flossen des Menschen vor Angst spannten und zitterten, und dabei redete er wie zu sich selbst, unablässig und in höchster Erregung.

Nun waren sie nur noch zu zweit. Was war mit dem Dritten geschehen? Hatten ihn die Ungeheuer des Flusses zerrissen, hatte ihn eine Schlange erwürgt, oder war es anderes Getier, das sie umschlichen hatte, als sie schliefen? Was wußte er von diesen Urweltwäldern? Was wußte er von dem, was in dieser Wildnis Unterschlupf hatte? Mit Blüten übersäte Pfuhle waren diese Wälder, in denen jegliches Gewürm hausen und sich verkriechen konnte.

Weil ein paar Nächte lang, die er in ihnen verbracht hatte, ein unvorstellbarer Zufall ihn immer wieder gesund hatte erwachen lassen, hatte er diese grüne, blühende Hölle für ungefährlich gehalten, hatte geglaubt, daß die fliegenden Echsen und das harmlose Gewürm, das ihm begegnet war, ihre einzigen Bewohner seien.

Seine Gedanken gingen wieder zurück zu dem Gemordeten, und dabei stieg von neuem das Grauen der furchtbaren Minuten im Schlangenhaus vor seiner Seele auf. In der Dunkelheit, in dem Ungewissen der Nacht erwachte die Angst. Ja, er fürchtete sich. Das Entsetzen schüttelte ihn. Er horchte in die Dunkelheit hinein: War da nicht wieder das schleichende, schabende Geräusch . . . dort . . . diese hellen Ringe, Schlangen, Schlangen! Vielleicht waren sie hinter ihm, wenn er sich drehte . . . Wenn er irgendwo hingriff, vielleicht griff er in etwas Schleimiges, in etwas, das im nächsten Augenblick um seine Fesseln schlug, sich an ihm festsaugte, ihn umschlang, seine Waden, die Schenkel, seine Brust . . .

Da riß er sich gewaltsam zusammen. Stand nicht ein Mensch dieses Sterns neben ihm, der mehr hörte als er, der besser um die Dinge wußte, die hier vorgingen? Solange er hier stand, konnte die Gefahr nicht so nahe sein.

Doch Gelbauge stand zum Sprung bereit und horchte und roch mit den tierhaft scharfen Sinnen des Urmenschen in die Finsternis hinein. Die Gefahr, die sie umgab, war noch größer als Bergen, der langsam wieder zu sich fand, ahnen konnte.

Das Tier, das sie belauert und den Dritten soeben aus ihrer

Mitte gerissen hatte, war kein Molch gewesen und keine Schlange. Es war das unheimlichste und gefährlichste Raubtier des Urwaldes, und es gab wenige, die es lebend und ganz gesehen hatten. Es war eigentlich nicht ein Tier, sondern ein Tierpaar. Männchen und Weibchen lebten mit zum Teil aneinander gewachsenen Körpern in einem schneckenartigen Haus von gut zwei Metern Höhe. Es war ein ausgesprochenes Nachttier. Tagsüber hielt es sich ausschließlich im Wasser auf. Kam die Dunkelheit, so kroch es ans Land, um nach Beute zu suchen. Dabei schoben sich die beiden Körper, flachgepreßten, riesigen Bandwürmern vergleichbar, aus der Schalenöffnung und krochen unhörbar wie Schnecken durch die Finsternis. An den klebrigen, formlosen Kopfenden trugen sie einen giftigen Stachel. Kein Menschenohr, auch das dieser Planetenbewohner, war so fein, daß es die Annäherung dieses Doppeltieres hätte hören können. Es gab nur eine Warnung vor ihnen, das war der eigenartige, scharfe Geruch, den sie verbreiteten. Hatte aber der Mensch diese Witterung bekommen, dann war es in den meisten Fällen zu einer Flucht zu spät, dann war das Tierpaar schon zu nahe und bei der geringsten Bewegung, die der Belauerte noch machte, warf es sich über den Unglücklichen. Dabei stießen sie ihm die giftigen Stachel ins Fleisch, die den Getroffenen langsam zu lähmen begannen. Sie umhüllten ihn mit Schleim und zogen ihn dann, wobei sie ihn langsam umwanden, in das Gehäuse, um ihn dort auszusaugen. Hörbar waren dabei nur die gräßlichen Schreie des so schauerlich zu Tode Gewürgten.

Es gab kaum eine Rettung vor diesen Raubtieren. Vermochte jedoch der Mensch, wenn er sie witterte, reglos in der Haltung, die er gerade einnahm, zu verharren, so krochen die Widerlichen in schneckenhafter Langsamkeit über Gesicht und Körper, um die für leblos gehaltene Beute zu untersuchen und sie dann liegenzulassen.

Wie Bergen später erfuhr, gab es nur einen unter den Männern des Stammes, der sich rühmen konnte, das über seinen Leib kriechende Schneckenpaar ohne die kleinste Zuckung ertragen zu haben.

Von all dem wußte Bergen noch nichts, als er in der Dunkelheit dieser Nacht neben seinem Begleiter stand. Der aber kannte diese Tiere, kannte die ganze Gefahr, in der sie schwebten. Er wußte, daß, wo eines dieser Schneckenpaare jagte, auch andere sich aufhielten, und während er die Luft durch die Nase einzog, witternd, lauernd und sprungbereit wie eine Katze, stand Bergen in grübelnde Gedanken versunken und wartete auf das Licht des Morgens.

Was war es Geheimnisvolles um das Gold! Kaum hatte er sich auf den Weg gemacht, es zu suchen, verfolgte sie auch schon sein Fluch. Fluch verbreitete es auf der Erde, und fluchbeladen schien es auch auf diesem Stern zu sein.

Laß ab von deiner Gier, Peter Bergen, laß dir den Tod dieses einen eine Warnung sein! Vielleicht bist du schon das nächste Opfer, das es fordert.

Als sich nach endlosen Stunden die Formen der Bäume, Lianen und Farne aus dem Grau der Dämmerung lösten, als er die Sonne wieder sah, war auch sein Entschluß wieder fest, den Weg fortzusetzen. Warum sollte er abergläubisch werden und das Unglück dieser Nacht mit dem Gold in Verbindung bringen? Schließlich war er ein zivilisierter Mensch des 20. Jahrhunderts, der seine Handlungen nicht von dem Spuk des Zufalls beeinflussen ließ. Vorwärts, Peter! Du mußt das Gold finden!

Nach einigen Stunden Wanderung stieß der Wald an eine Felswand. Er war bei beginnendem Tag mit Gelbauge wieder dem Wasserlauf gefolgt, der sich mit zunehmender Steigung zum wilden Gebirgsfluß wandelte. Gurgelnd und rauschend stürzte er über Felsblöcke und gefällte Waldriesen, und in waghalsiger Kletterei mußten sie sich, an Luftwurzeln und Zweigen festhaltend, über glitschige Felsen und halbverfaulte Schachtelhalmstämme, die in wirrem Durch- und Übereinander den Lauf des Wildflusses säumten, vorwärtsarbeiten. Bergen suchte seinen Begleiter immer wieder vom Wasser abzudrängen, denn auf dem trockenen, festen Urwaldboden würden sie wesentlich müheloser weiterkommen. Der aber deutete immer wieder auf die gurgelnde Flut und auf den Felsen vor ihnen, den sie über den Baumkronen steil und dunkel aufragen sahen. Gelbauge hatte nun ganz die Führung an sich gerissen, und Bergen folgte mehr notgedrungen als gutwillig. Er hätte es für richtiger gefunden, dem Fluß an seinem äußersten, begehbaren Rand zu folgen. Dagegen aber machte der andere immer mehr Anstalten, als ob er diesen überqueren wollte. Geschickt und sicher wie eine Katze sprang er von Felsblock zu Felsblock, von Baumstamm zu Baumstamm, die wie nach einer Natur-katastrophe geknickt und übereinander gestürzt aus dem Wasser ragten. Mit nach unten hängendem Körper, sich an schlüpfrigen Wurzeln und Lianen festklammernd, hatte er doch noch immer ei-nen Fuß, eine Hand frei, die er Bergen zustreckte, damit der sich daran festhalte.

Nun stieg knapp vor ihnen die schwarze Wand auf, aus der aus einem runden Loch die Wassermassen donnerten. Hoch über den tosenden, gurgelnden Fluten standen die Männer und sahen auf das ungebärdige Element hinab.

Bergen zweifelte, ob sein Begleiter über den Zweck ihrer Wan-derung noch im klaren war, ob er ihn nicht nur zu dieser Stelle ge-führt hatte, um ihm dieses Naturschauspiel zu zeigen. Er zog ein paar Goldstücke aus der Tasche und zeigte sie ihm, um ihm noch einmal das von ihm gewünschte Ziel vorzuhalten. Daraufhin aber deutete Gelbauge energisch auf das dunkle Felsenloch und machte Bergen klar, daß das Gold da drinnen sei, und daß sie da hinein müßten. Das konnte ja gut werden. Sie standen haushoch über dem Wasser und, wenn sie von dieser Höhe hinabsprangen, wurden sie bestenfalls von den Fluten fortgerissen. Aber Bergen hatte nicht überlegt, daß Gelbauge für den Sprung hier seine Flughäute gebrauchen konnte. Sein Begleiter kniete sich auf den Stamm nieder und bedeutete ihm, sich auf seinen Rücken zu set-zen. Bergen folgte der Aufforderung mit etwas gemischten Gefüh-len und schlang seine Arme fest um des anderen Hals.

Mit einem zischenden Warnruf kündete er den Sprung an. Dann spannte er die Flugflossen und ließ sich mit der Last auf dem Rücken in die Tiefe fallen.

Bergen fühlte, wie sie sich noch im Sprung um die eigene Achse drehten, dann schlug das Wasser über ihnen zusammen; aber nur für einen Augenblick, denn schon ragten die beiden Köpfe wieder in die freie Luft. Indem Gelbauge sich an Steinen, Wurzeln und Schlinggewächsen festhielt, zog er sich, immer noch Bergen auf dem Rücken, im reißenden Wasser an die Felsöffnung heran. Da-bei mußte er selbst oft bis zum Hals in der Strömung waten. Als ihm dann das Wasser nur noch bis zum Bauch reichte, löste er Bergens Arme und ließ ihn an seinem Körper hinabgleiten.

Mit einer Hand Bergen nach sich ziehend, arbeitete er sich vor-sichtig, jeden Schritt prüfend, in das Loch hinein. Plötzlich gab er ein Zeichen mit der freien Hand, und Bergen mit sich reißend, versank er im Wasser. Bei der Schnelligkeit, mit der ihm dieser folgen mußte, verlor er den Grund unter den Füßen. Er konnte gerade noch nach Luft schnappen, dann ließ er sich willenlos durch das Wasser ziehen. Endlose Sekunden schien es ihm zu dauern. Er schlug mit der freien Hand um sich, die Lungen drohten ihm zu zerspringen, aber immer noch blieben sie unter Wasser. Bergen riß die Augen auf. Es war dunkel und grün vor ihm. Röchelnd zog er die Luft ein. Er sah um sich. Sie waren im Felskanal. Von allen Seiten stürzten die Wassermassen auf sie zu und hinter ihnen dem Ausgang entgegen. Es blieb knapp Raum genug, um Mund und Nase zum Atmen freizuhalten.

Gelbauge, der überall an den glatten Wänden eine Ritze, eine vorspringende Kante fand, um sich daran gegen die Strömung zu stemmen, zog Bergen hinter sich her auf einen hellen, gelben Lichtschein zu. Mit jedem Schritt, den sie taten, weitete sich der Kanal, stiegen sie höher aus dem Wasser, und dann setzten sie ihren Weg auf einem Felsband fort.

Da Bergen in freudiger Erregung, schon ahnend, was nun kommen würde, eilig vorwärtsstrebte, tat sich mit einem Male ein Wunder auf, so überwältigend, wie es sich die menschliche Phantasie nur im Märchen vorstellen kann.

Er stand in einem großen Dom, dessen Wände aus purem Gold waren. Sie neigten sich über seinem Haupt in schwindelnder Höhe zu einem Gewölbe. Doch schlossen sie sich nicht ganz. Durch eine fast kreisrunde Öffnung ergoß sich das Licht der Sonne und ließ tausend Zacken und volutenartige Gebilde in blitzenden Flammen aufleuchten. Bis in die letzten Winkel der Höhle setzte sich das Licht fort, schimmerten die Zinnen und goldenen Erker. In der Mitte, zu ihren Füßen, lag ein See, in dessen still kreisende Wasser die Wände wie ein flüssiges Metall tauchten.

Stumm und ohne Bewegung stand auch Gelbauge. Auch er, der Urmensch, in seinem einfachen Denken schien beeindruckt und ergriffen von der übernatürlichen Schönheit dieses Raumes.

Bergen aber, wie er die schwarze Silhouette dieses geflügelten Menschen gegen den gelben Glanz des Goldes gegen das schimmernde, bewegte Wasser stehen sah, war es, als ob ein Märchen aus Tausendundeiner Nacht Wirklichkeit geworden wäre. Hier hatte die Natur dem Auge eine Kostbarkeit geschenkt. Weg, zerstoben waren in ihm die begehrlichen Gedanken nach dem Metall. Unausdenkbar, daß Menschen von der Erde einmal hierher ihren Fuß setzen würden, Menschen, in deren Gehirn nichts lebte als die Sucht nach Gewinn. Unausdenkbar, daß sie mit Sprengladungen den Leib dieses heiligen Berges aufrissen, daß Bohrhämmer und Schlagwerke mit ihrem entweihenden Lärm die Hallen füllten, daß sie schamlos das goldene Kleid von dem schwarzen Felsen sprengten, um es zu rauben und auf der Erde in unterirdische Stahlkammern zu versenken.

Bergen strich mit den Händen über die goldenen Wände. Es gab Stellen, die waren kantig, wie wenn Stücke davon angeschlagen worden wären. Sonst aber waren die Formen glatt und noch so, wie sie in der Erstarrung gebildet worden waren.

Die Höhle mußte der Krater eines Vulkans sein, der bei seiner letzten oder überhaupt einzigen Eruption das reine, flüssige Gold aus dem Innern des Weltkörpers herausgeschleudert hatte. Bei der vielleicht langsamen Abkühlung waren dabei die seltsamen tropfsteinartigen Gebilde entstanden. Erschütterungen und Luftdruckeinwirkungen mochten die zierlichen, volutenähnlichen Formen des noch weichen Metalls bewirkt haben.

Das eigentliche Kraterloch füllte jetzt den See, der mit dem Sturzbach in Verbindung stand. Der donnerte in ungestümem Drängen an der goldenen Höhle vorbei und benetzte die ihm zunächst liegenden Wände mit einem in allen Farben glitzernden Sprühregen.

Bergen fror. Das Wasser war eisig gewesen und auch die Luft in dieser Grotte war feucht und kalt. Er ging um den See herum, dahin, wo das Licht der Sonne fiel. Hier strahlten die metallenen Wände Wärme aus. Er fühlte sie wohlig auf seiner vor Kälte zitternden Haut.

Auch Gelbauge hatte sich neben ihn gelagert. Beide schauten in Sinnen versunken in das Wasser, in dem sich von dieser Seite aus die im Schatten der Dämmerung liegenden gelben Wände spiegelten. Von der Sonnenseite nahmen die kreisenden Wellen das Licht mit und ließen es in goldenen, runden oder geringelten Dukaten auf der Schattenseite aufblitzen.

Bergen gab das Zeichen zum Aufbruch, um noch vor der neuen Nacht den Wald durchqueren zu können. Mit dem Beil schlug er von einer dünnen Zinne die oberste Spitze ab und steckte sie sich in die Tasche. Dann begannen sie den Rückweg.

Sie stiegen in den Fluß und warfen sich in die Strömung. Die trug sie mit der eigenen Schnelligkeit dem dunklen Tor entgegen. Gelbauge tauchte als erster unter. Bergen folgte, und Augenblicke danach trieben die beiden unter freiem Himmel in wirbelnder Gischt. Sein Begleiter fing sich an den Ästen eines Baumes und riß Bergen, als dieser vorbeitrieb, an sich. Dann kletterten sie über Wurzeln, Felsen und Stämme wieder auf festen Boden.

Es war schon fast Nacht, als sie die Waldgrenze erreichten, und Bergen atmete erleichtert auf, als sich das offene Tal vor seinem Blick ausbreitete. Sie gingen durch das hohe Gras, während die Dunkelheit sich herniedersenkte und ein sternenübersäter Himmel sich über die große Landschaft spannte.

Wie er an der Seite Gelbauges dahinschritt, wechselten Freude und Bedrücktheit in seiner Brust. Die Gedanken an das Grauen der Nacht und das Erleben in der goldenen Grotte füllten seine Seele.

Der Mensch dieses Sterns ging mit tierhafter Leichtfüßigkeit neben ihm. Zuweilen spannte er die Flügel und kreiste dann als dunkler Vogel in der silbernen Nacht. Dann ließ er sich wieder neben Bergen nieder.

Es verging die Dunkelheit und der ganze folgende Tag, bis sie die Prärie durchwandert hatten und zur Felsenstadt zurückkamen.

Auf dem Totenfelsen

In seinem Hause angekommen, erwartete Bergen eine unangenehme Überraschung. Der Kranke, den er der Pflege des Mädchens zurückgelassen hatte, lag im Sterben. Hatte das Mädchen etwas versäumt? Hätte er nicht fortgehen sollen? Nein, es war unnötig, sich Vorwürfe zu machen. Auch seine Anwesenheit hätte dem Verletzten nicht helfen können, und die scheinbare Besserung war wohl nur ein letztes Aufflackern vor dem Ende gewesen. Für sein Ansehen als Medizinmann allerdings konnte der Ausgang seiner ersten Krankenbehandlung nachteilig werden. Auch der Tod des einen Begleiters im Urwald würde in den Augen des Stammes damit vielleicht eine andere Deutung erfahren. Mußte man ihn nicht für einen Unglücksbringer, für einen bösen Zauberer halten? Aber wie dem auch war, er konnte die Dinge nicht ändern. Doch hieß es auf der Hut sein.

Am nächsten Morgen starb der Kranke. Bergen ließ das Mädchen holen, das in größter Erregung wegließ, um die Männer des Stammes zu holen. Vielleicht würden sie ihn jetzt aufs neue feindlich behandeln, ihn irgendwie zur Verantwortung ziehen. Was auch geschehen mochte, gutwillig wollte er sich nicht noch einmal in ihre Gewalt begeben. Er legte seinen Revolver zurecht und wartete. Die Männer des Stammes kamen zwar, aber was er befürchtet hatte, geschah nicht. Sie nahmen nicht nur keine feindliche Haltung ein, sie brachten ihm sogar die Waffen des Toten, eine Keule, einen Bogen und ein Bündel Pfeile und legten sie ihm unter großem Palaver vor die Füße. Dann erlebte er eine höchst pietätlose Handlung:

Einer der Männer gab ihm ein Muschelbeil in die Hände, führte ihn zu dem Toten und bedeutete ihm, diesem den Kopf abzuschlagen. Da Bergen ablehnte, gerieten sie in große Ratlosigkeit. Was sollten sie tun, wenn der fremde Medizinmann sich weigerte, seine Obliegenheiten zu erfüllen. Schließlich schienen sie die Rettung aus dem Dilemma gefunden zu haben. Sie übernahmen selbst die Ausführung dieser letzten Pflicht. Es trat einer vor, nahm das Beil vom Boden auf und trennte mit einem wuchtigen Hieb den Kopf vom Rumpf. Dann trug er ihn, indem er ihn an den Kopflappen wie an Haaren hochhielt, gefolgt von einer Prozession lärmender Menschen über schmale Leitern in ein Haus, das zuhöchst allein oben am Felsen hing. Dieser von den anderen abgesonderte Bau war Bergen schon oft aufgefallen. Er hatte überreich geschnitzte Türpfosten, und die Wandflächen waren ganz mit Figuren und Formen gefüllt. Aber da er die aus einer schweren Lederhaut bestehende Tür immer verschnürt und verknotet gefunden hatte, war ihm seine Bedeutung bis jetzt noch unbekannt geblieben. Als er ihn nun als letzter betrat, packte ihn ein gelinder Schauer: An den Wänden entlang, an dünne Stangen gebunden, hing Kopf an Kopf. Die meisten waren verdorrt und ausgetrocknet, einige schienen noch jüngeren Datums zu sein. Nun erhielt auch der Neue seinen Platz. Unter künstlich gesteigertem, hysterischem Gekrächze wurde er an einer freien Stange befestigt. Dann drängte alles bis auf den, der den Kopf getragen hatte, wieder ins Freie. Bergen folgte. Der Zurückbleibende verschloß von innen die Türöffnung.

Wie er später erfuhr, nahm dieser mit dem Kopf des Verstorbenen eine Art Einbalsamierung vor. Durch Einreiben mit einem Saft aus schwarzen Beeren wurde das Verwesen der Fleischteile verhindert. Was würde nun mit dem Leib des Toten geschehen? Bergen war neugierig. Er sollte es sogleich erfahren. Die Leichenprozession bewegte sich in großer Eile, als ob sie eine Verfolgung fürchtete, in sein Haus zurück. Dort angekommen, wickelte man den Körper in ein Tierfell und stieg mit ihm zum Plateau hinauf. Von hier ging es längere Zeit bergauf, wobei sich die Männer mit dem Tragen abwechselten. Da sie dabei mit ausgebreiteten Flügeln sprangen, blieb Bergen bald weit hinter ihnen zurück. Das Ziel der Voraneilenden schien ein Felsen zu sein, der an die hundert Meter über die anderen hinausragte. Als sich die flatternde Trauergesellschaft der Gipfelfläche näherte, erhob sich vor ihm ein Schwarm Flugechsen.

Da wußte Bergen Bescheid. Soweit die Beschaffenheit des Bodens es erlaubte, lief er in langen Sprüngen den Männern nach. Am Fuße des Felsens angekommen, mußte er feststellen, daß es über die steilen Wände für ihn keinen Weg gab. Oben stand man untätig und wartete. Erst auf sein wiederholtes, energisches Winken und Zeichengeben rauschten einige wie mächtige Vögel auf ihn herab, packten ihn unter den Armen und bei den Beinen und trugen ihn fast wie einen zweiten Toten hinauf.

Die Gipfelfläche mochte eine Ausdehnung von etwa hundert mal hundert Metern haben. In regellosem Durcheinander lagen Haufen abgenagter Menschengerippe, gebleicht und verwittert, und auf einen davon hatte man den Körper des Toten geworfen, um ihn ebenfalls einen Fraß der Flugechsen werden zu lassen.

Der Platz, auf dem sie standen, bot eine weite Rundsicht über das ganze, kanonartige Gebirge, und als Bergen seinen Blick über die Höhen und Gipfel schweifen ließ, blieb er weit in der Ferne auf einem schmalen, dunkelblauen Streifen haften. Was sich dort hinter den von der Sonne beschienenen Bergen und violettdunklen Schluchten wie mit blauer Tinte gezogen am Horizont entlang hinzog, war das Meer. Nicht das, von dem er gekommen war, sondern ein anderes, das dem genau gegenüber lag.

Im Augenblick ließ ihn diese neue Entdeckung alles vergessen, was um ihn her vorging. Er versank ins Schauen und Überlegen.

Das Land, auf dem er sich befand, mußte eine schmale Landenge sein, war vielleicht überhaupt eine Insel. Der Weg zum anderen Ufer des Meeres oder zum anderen Meer konnte nicht weit sein, einige Tagereisen vielleicht. Wenn er Träger mitnahm, würde er den Weg über das Gebirge bewältigen können.

Da sah er vor seinem Geiste den Strom, in dessen Ufersand er vor einigen Tagen nach Gold gegraben hatte. Seine Wasser verfolgten den gleichen Weg und mündeten zweifellos in dieses Meer. Ihm brauchte er also nur zu folgen.

Der Lärm der sich niederlassenden Flugechsen holte ihn in die Wirklichkeit des Augenblicks zurück. Die gefräßigsten Hyänen warteten gar nicht erst ab, bis sich die Menschen zurückgezogen hatten. Sie wußten, daß es hier ihr gutes Recht, ja ihre Pflicht war, alles, was man ihnen vorwarf, so schnell wie möglich zu verschlingen. Es war ein widerlicher Gedanke, daß vielleicht auch er selbst einmal ihnen zum Fraß vorgeworfen würde. Die Menschen dieses Planeten schienen diese Art der Bestattung ganz in Ordnung zu finden. Sie sahen teilnahmslos eine Weile zu, wie die Tiere sich über den toten Körper hermachten und ihn zerrissen. Dann zogen sie, Bergen in ihrer Mitte, in die Stadt zurück.

Die Sache mit dem Verstorbenen schien damit ihr Ende gefunden zu haben, und Bergen war froh, daß man dem Mißerfolg seiner Tätigkeit als Medizinmann keine weitere Bedeutung beimaß. Er sollte aber eines anderen belehrt werden.

Er wurde am nächsten Morgen in das Beratungshaus geholt. Man wies ihm im Kreise der Männer den Platz des Häuptlings an. Die wortlose Stille, die ihn empfing, bewies ihm, daß es sich um eine unangenehme Sache handelte.

Es war eine ganze Weile vergangen, ohne daß etwas geschehen war, als plötzlich das Türfell zurückgerissen wurde. Bergen schnellte von seinem Sitz hoch. In der hellen Öffnung erschien gefesselt das Mädchen. Mit einem Schlag war ihm die Situation klar. Man beschuldigte sie, den Tod des Kranken herbeigeführt zu haben. So lange er, der Medizinmann, bei ihm gewesen war, hatte sich sein Zustand gebessert. Das Mädchen hatte in seiner Abwesenheit einen bösen Zauber ausgeübt.

Man band sie an den Pfahl, an dem auch er einmal gestanden hatte. Der Lärm, der bei dem Erscheinen des Mädchens entstanden war, verstummte. Man wartete wohl auf seine Rede oder seinen Richterspruch. Aber wie sollte er reden, seine Zunge war gelähmt seit der schrecklichen Stunde im Schlangenhaus, seit auch er dort gestanden hatte, wo das Mädchen jetzt stand, wortlos und in ihr Schicksal ergeben.

Da redete Bergen mit den Händen. Er gestikulierte in ausdrucksvollen Bewegungen, und waren es auch nur unartikulierte Laute, die dazu aus seinem Munde kamen, sie waren immerhin den redenden Gesten eine Unterstützung. Als er fertig war, blickte er einen nach dem anderen der vor ihm Hockenden an, wie es damals der alte Häuptling getan hatte. Aus Furcht aber, es könnte einer von ihnen sich erheben und seinen Speer der Beschuldigten vor die Füße werfen, trat er dann schnell auf das Mädchen zu und schnitt die Fesseln durch. Dann begab er sich wieder auf seinen Platz zurück und wartete. Was würden sie jetzt tun? Würden sie seinen Richterspruch anerkennen, oder sich dagegen und gegen ihn auflehnen? Sollte das letztere eintreten, dann mußte seine Waffe sprechen, denn gab er nach, so war morgen auch vielleicht sein Schicksal besiegelt. Da sah er Gelbauge sich erheben, langsamen Schrittes auf das Mädchen zugehen und den Boden mit seiner Waffe berühren. Alle anderen folgten ihm. Er hatte also gesiegt, man erkannte seine Entscheidung an. Freude und Genugtuung erfüllten ihn, als er langsam zu seinem Haus zurückstieg.

An diesem Abend schrieb er in sein Tagebuch: »Nun bin ich in Wahrheit ihr Häuptling. Mögen sie auch Urmenschen sein, wir, die Träger einer tausendjährigen Kultur, haben trotzdem kein Recht, uns erhaben über sie zu dünken, denn wir sind ihnen um nichts voraus als um die Zeit.

Wohl haben wir in diesen Jahrtausenden Großes und Edles geschaffen, wir haben uns die Kräfte unseres Planeten Erde, die Naturgesetze dienstbar gemacht, mit unserem Geist und durch unserer Hände Arbeit; aber wir haben es nicht verstanden, das Elend und das Leid aus unserer Menschengemeinschaft zu verbannen. Den Menschen auf diesem Stern ist die Gnade gegeben, ihre Geschichte erst beginnen zu dürfen. Ob sie die gleichen Irrwege gehen werden wie wir, oder ob sie zu einem Besseren finden? Ich jedenfalls will die Monate und Jahre, die ich unter ihnen lebe, nicht an ihnen schuldig werden. Ein Lernender will ich sein, und wo ich es kann, ihr Lehrer.«

Mit dem ganzen jugendlichen Eifer, mit dem Bergen immer an eine Sache heranging, die ihm wertvoll und interessant erschien, beschäftigte er sich mit der Tatsache des Kriegszustandes zwischen den beiden Stämmen. Jetzt, da er nicht mehr ein Fremder, sondern Häuptling war, bestand vielleicht Aussicht, dieses heikle Problem mit Erfolg anzupacken. Er wollte und mußte die beiden Städte versöhnen. Wie aber sollte er es anfangen? Den Vorgang von damals zu wiederholen und wieder zu den feindlichen Nachbarn zu gehen, schien ihm ungeeignet. Damit würde er in den Augen dieser Menschen den gleichen Fall wie das erste Mal schaffen und Gefahr laufen, auf den gleichen Widerstand zu stoßen. So sehr er auch hin und her überlegte, er sah vorerst keinen Weg.

Da brachte ein neuer Vorfall die Angelegenheit von selbst ins Rollen. Eines Tages, man war von der Jagd zurückgekehrt und alle saßen schmausend und lärmend um die Bratspieße – Bergen, mit beiden Backen kauend, mitten unter ihnen –, trugen drei Männer einen Gefesselten durch die Schlucht herauf und warfen ihn ziemlich unsanft vor ihm auf den Boden. Zuerst glaubte er, einen Angehörigen des eigenen Stammes vor sich zu haben, der irgend etwas verschuldet hatte und nun abgeurteilt werden sollte. Bald aber erfuhr er – sie hatten im Verstehen der Zeichensprache untereinander allmählich große Übung –, daß es einer aus der anderen Schlucht war, den man überfallen und gefangengenommen hatte. Er hatte sich auf der Jagd oder bei einer sonstigen Beschäftigung in das Nachbargebiet vorgewagt und war dabei dem Feind in die Hände gefallen.

Die Schmausenden waren aufgesprungen und umstanden krächzend und zeternd den Gefesselten. Als gar einer mit Fußtritten den Wehrlosen zu belästigen begann, schob Bergen ihn und die Zunächststehenden energisch zur Seite. Durch Zeichen befragte er die drei, ob der Fremde sie angegriffen hätte. Als sie dies verneinten und Bergen bedeuteten, sie hätten ihn überrascht, als er kleine Echsen suchte, entschloß er sich, durch eine Überraschungshandlung den Stamm zu überrumpeln und vor eine vollendete Tatsache zu stellen. Er schnitt rasch die Baststricke durch, mit denen man dem am Boden Liegenden Arme und Beine gebunden hatte, half dem Verdutzten auf die Beine, nahm einem der

Umstehenden den Speer aus der Hand und legte ihn dem Fremden vor die Füße. Dann, ehe dieser selbst und die eigenen Leute vor Staunen die Sprache wieder gefunden hatten, nötigte er den Befreiten, sich neben ihn zu setzen und reichte ihm eigenhändig ein Stück Fleisch vom Spieß. Daraufhin wartete er, was weiter geschehen würde.

Was er soeben getan hatte, war ein gewagtes Unterfangen. Er hatte ohne Befragen des Stammes mit einem Feind Freundschaft geschlossen. Entweder man erkannte seine Handlung nun an, oder man behandelte ihn – wie damals – selber als Feind. Es war ihm recht unbehaglich zumute, als er die ganze Versammlung abseits in erregtem Palaver stehen sah, und die Bissen würgten ihn im Hals.

Eine Minute verging, es verging eine zweite, ohne daß einer dem Beispiel seiner Friedenshandlung folgte. Das war ein böses Zeichen. Es mußten einige darunter sein, die die anderen gegen ihn aufwiegelten. Ließ er diesen Zeit, weiteren Einfluß zu gewinnen, so war es um den Versöhnungsakt und um ihn geschehen.

Da gewahrte er Gelbauge, der sich in seine Nähe drängte und mehr ihm und dem Fremden zusah, als er auf die anderen hörte.

Er hatte ihm im Beratungshaus bei dem Urteilsspruch über das Mädchen geholfen, er mußte auch jetzt seine Rettung sein. Bergen stand auf, faßte Gelbauge an den Schultern und nötigte ihn so, indem er ihn zu dem Fremden führte, seine Waffe vor diesem niederzulegen.

Die übrigen hatten den Vorgang beobachtet. Schnell nützte Bergen den Augenblick, da das allgemeine Interesse sich von den Sprechern ab und ihm zugewandt hatte und schob einen nach dem anderen an das Feuer – und wie folgsame Kinder, zögernd zwar, aber ohne eigentlichen Widerstand, legten sie die Waffen vor dem ehemaligen Feind nieder. Die letzten kamen von allein, bis auf einen, den Bergen nach einigem Bemühen ebenfalls dazu brachte, dem Beispiel der anderen zu folgen.

In dieser Nacht kam er erst spät zur Ruhe. Die Bratfeuer warfen ihren roten Schein auf die Felswände, und lautes, frohes Gekrächze hallte durch die nächtliche Schlucht.

Am nächsten Morgen geleiteten Männer des Stammes den neuen Freund bis vor seine Stadt. Dann kehrten sie zurück, und Bergen wartete. Er hatte eigentlich keine Zweifel über den Ausgang seines begonnenen Versöhnungswerks. Der Befreite und in die Freundschaft des Stammes Aufgenommene würde zu Hause berichten, und nach der friedlichen Gesinnung, die er bei seinem Besuch bei den Menschen der anderen Stadt festgestellt hatte zu schließen, würden sie die dargebotene Friedenshand annehmen.

Warum auch sollten sich diese Menschen bekämpfen? Die Weidegründe waren groß genug, um alle zu ernähren. Handelte es sich aber um Blutrache, so war es ebenso wenig nötig, diese in alle Zukunft fortzusetzen. Und schließlich, wollten die Männer ihre Waffen und ihren Mut erproben, so gaben ihnen die gefahrvollen Jagdzüge Gelegenheit in Fülle dazu.

Bergens Erwartung erfüllte sich. Tags darauf näherte sich der Schlucht ein Zug von Männern aus der anderen Stadt. Man hatte ihm die Nachricht ins Haus gebracht, und kurze Zeit später stand er, umgeben von den Männern des Stammes, bereit, die Ankommenden zu empfangen.

Allen um ein gutes Stück voraus ging der Häuptling. Bergen erkannte ihn an den zerfetzten Flughäuten. Dahinter folgten die Krieger mit ihren Waffen, zwischen ihnen Träger mit großen Lederbündeln. Nachdem sie auf etwa fünfzig Meter herangekommen waren, blieben sie stehen. Er winkte sie heran und ging ihnen gleichzeitig entgegen. Sie schienen keine Gefahr zu befürchten, denn keiner der Männer hatte seine Waffen schußbereit. Als beide Häuptlinge sich gegenüber standen, vollzog Bergen ohne lange Einleitung die Geste der Freundschaftserklärung. Er bediente sich zum Vollzug dieser Prozedur eines Speers, den er, seit er Häuptling geworden war, der äußeren Form halber immer bei sich trug. Sein Gegenüber begann, nachdem er seinen Bogen und eine Keule vor Bergens Füße niedergelegt hatte, eine lange Rede. Die Männer der beiden Stämme aber, die sich gegenüberstanden, warteten ihr Ende gar nicht ab, sondern vollzogen untereinander ihre Freundschaftsbezeugungen.

Er war bei aller Zuversicht auf langes Verhandeln und alle möglichen Zwischenfälle gefaßt gewesen. Entweder diese Menschen folgten in kindlicher Naivität jeder Entscheidung der Häuptlinge, oder der Streitgrund zwischen den beiden Stämmen war mit dem Verschwinden seines Vorgängers, des alten Häuptlings, ohnedies hinfällig geworden. Welchem Umstand die rasche und glückliche Lösung zu verdanken war, war Bergen im Augenblick gleichgültig. Er war dankbar und froh, daß dieser unerfreuliche Kriegszustand nunmehr beseitigt war, und mit Genugtuung beobachtete er, wie beide Parteien sich sofort nach der Friedensschließung wie alte Bekannte untereinander mischten, Geschenke tauschten und diese, sie waren ausnahmslos eßbarer Natur, unter großer Lustigkeit an Ort und Stelle zu verzehren begannen.

Dann zog man gemeinsam in die Schlucht hinab, um an den rauchenden Spießen weiterzufeiern. Unmengen von Fleisch wurden aus den Vorratskammern geholt, und die neu gefundenen Freunde füllten ihre Bäuche, bis sie sichtbar rund wurden und einer nach dem anderen der Schmausenden sich zum Schnarchen niederlegte.

Wie tote Vögel, so lag die ganze geflügelte Gesellschaft durch- und übereinander, als Bergen zu seiner Hütte hinaufstieg. Erst als das Donnerrollen eines nächtlichen Gewitters die Schlafenden aufschreckte, flogen und rannten sie, aufgescheuchten Hühnern gleich, in die Hütten, um sich dort zu verkriechen.

Vor diesem himmlischen Getöse schienen sie große Furcht zu haben. Ob es ein harmloses Gewitter oder das Rollen einer entfernten Vulkaneruption war, das oft in die Stille der Schlucht drang, immer verkrochen sie sich schon beim ersten, hörbaren Ton stöhnend und wimmernd vor Angst in irgendein Versteck. Vermutlich hörten sie in ihm die Stimme eines großen Geistes, von dem sie Böses fürchteten.

In der Folgezeit entspann sich ein reger Verkehr zwischen den beiden Städten. Männer, Frauen und Kinder wanderten hinüber und herüber, und bald fingen die Gäste aus der anderen Schlucht an, sich am Rand des Dorfes anzusiedeln. Das gleiche taten, wie er feststellte, Angehörige seines Stammes auf der anderen Seite des Plateaus. Bergen bot sich dabei die Gelegenheit, sie bei dem Bau ihrer Häuser zu beobachten.

Zuerst suchten sie eine Stelle aus, wo schmale Spalten oder Risse es erlaubten, starke Äste in den Felsen zu treiben. An diesen Hauptstützen wurde das Haus verankert. Sie konnten, wenn der Riß waagerecht lief, die Träger des Fußbodens abgeben, darauf sie die Wände aufbauten. Die Hütte wurde aber auch oft, wenn die ersten Balken in anderer Anordnung in den Steinspalten befestigt wurden, so daran befestigt, daß sie als ständige Balken des

Anstoßes schräg durch den Raum ragten. Das erste Haus, das an einer freien Felswand errichtet wurde, baute man gerade so hoch über der Schluchtsohle, daß dessen Boden von unten her durch Felsstücke oder Äste gestützt werden konnte. Das Baumaterial für die Wände waren dünne Schachtelhalme. Fenster gab es nicht. Für das Dach verwendeten sie Häute, die sie über Sparren befestigten. Befestigungs- und Verbindungsmaterial war einzig und allein Bast, den sie zu sehr haltbaren, zähen Stricken flochten. War das Haus fertig, so bestrichen sie die Seitenwände auf beiden Seiten mit einer Art weißen Mörtels, der aus Steinstaub und Wasser bestand und nach dem Trocknen eine zementharte Fläche ergab. Auf dem ersten, dem untersten Bau errichteten die Nachkommenden die weiteren, ohne sich dabei um die Größe des Unterbaues zu kümmern. So entstanden nach und nach diese unregelmäßigen Häusergruppen, die von unten gesehen wie eckige Vogelnester an den Felsen hingen.

Seitdem das Kriegsbeil zwischen den beiden Stämmen begraben war, gingen die Jäger auch gemeinsam zur Jagd, wie sie überhaupt den ganzen Alltag mit seinem friedlichen oder aufregenden Treiben miteinander teilten. Bergen selbst saß oft mit dem Häuptling der anderen Schlucht zusammen. Er war bemüht, so viel wie möglich und so weit es die Zeichensprache erlaubte, von ihrem Leben zu erfahren. Er versuchte auch, die Art ihres Sprechens nachzuahmen, denn es schienen ihm die gleichen Laute zu sein, die auch in seiner Stummheit noch aus seiner Kehle hervorzubringen waren. Aber es war vergebliches Bemühen. Die Bildung des Kehlkopfes und die Wirkung der Stimmbänder war bei den Menschen dieses Sterns wohl grundsätzlich anders. Er mußte sich mit der Zeichensprache begnügen.

Alltag und Kleidersorgen

Was Bergen schon seit längerer Zeit mit ernster Sorge erfüllte, war der schlechte Zustand seiner Kleider, d. h. das Wort Kleider konnte man diesen vom Wasser ausgelaugten und von der Sonne gebleichten Tuchfetzen schon lange nicht mehr geben. Sie hatten kaum mehr die Form von Hose und Rock. Von den Märschen durch die Urwälder, von den Jagden, von der Suche nach dem

Gold und von jedem neuen Streifzug war er mit neuen Löchern und Rissen daran zurückgekehrt. Die Ärmel seiner Jacke hatten längst als Flicklappen für die übrigen Teile herhalten müssen, und die einstmals langen Hosen konnte man bestenfalls noch Shorts nennen. Nicht mehr lange, dann gaben die verbleibenden Reste noch knapp ein Lendentuch ab, und eines Tages, er konnte sich ungefähr ausrechnen, wann das sein würde, würde er ganz nackt dastehen. Nicht, daß ihn eine falsche Scham gehindert hätte, ohne Kleider herumzulaufen – die Menschen dieses Sterns kannten keine und gingen alle so, wie ihr Schöpfer sie erschaffen hatte –, aber einmal würde wahrscheinlich auch hier der Sommer zu Ende gehen und ein Winter – zumindest aber eine Regenzeit – einsetzen, und dann hatte er nichts, um sich gegen die Kälte zu schützen.

Zum anderen sahen die Menschen in seinen Kleidern etwas besonders Bestaunenswertes. Diesen unschuldigen Nimbus aber, der viele Kenntnisse und Fähigkeiten, die ihm fehlten, ersetzen mußte, wollte er sich auf alle Fälle erhalten.

Auch sonst begann er, seitdem die Tage in ruhigem Gleichmaß dahinflossen, sich um sein Äußeres zu kümmern. Mit einer scharfen Muschel und mit glühenden Holzkohlen, die sich zu diesem Zweck besser als sein Messer eigneten, bearbeitete er die Wildnis seines Haar- und Bartwuchses. Den Anlaß zu diesen Bemühungen hatte ihm eines Tages sein Spiegelbild gegeben, das er in einer Wasserpfütze gesehen hatte. Es hatte ihn auf das Tiefste erschreckt. Der Mensch, der ihm daraus entgegengeschaut hatte, war nicht mehr der junge, strahlende Peter Bergen gewesen. Er hatte ein von wirren, langen Haaren mit struppigem Bart umwuchertes, ein von Runzeln und Falten durchfurchtes Gesicht gesehen, und keiner seiner Freunde auf der Erde würde ihn so wiedererkannt haben. Ein Kamm war daraufhin das erste, was er sich schnitzte. Es wurde zwar ein reichlich klobiges Werkzeug daraus, aber es tat zur Not seine Dienste. Langsam bekam sein Haar und sein Bartwuchs wieder eine leidliche Form. Er konnte sich wenigstens im Spiegel des Wassers ansehen, ohne sich vor sich selbst schämen zu müssen.

Als nächstes aber galt jetzt seine ganze Sorge der Beschaffung neuer Kleider und Schuhe. Die Tierhäute, die hier die Menschen zur Bedeckung ihrer Häuser und als Tragtücher benutzten, waren nicht richtig gegerbt und verarbeitet. Sobald sie naß wurden, verbreiteten sie einen häßlichen Geruch.

Seit einigen Tagen war er nun dabei, aus Baststreifen ein Geflecht herzustellen. Daraus wollte er sich eine Art Hose und einen mantelartigen Umhang nähen. Stundenlang saß er auf dem Balkon vor seiner Hütte, ließ die Beine über den Abgrund baumeln und flocht. Er hatte sich dafür ein kompliziertes Knüpfverfahren ausgedacht, und der daraus entstehende Baststoff versprach fest und auch warm zu werden.

Wenn er so vor seiner Hütte saß, unter und über sich das friedliche Tagesgetriebe des Dorfes, über der Schlucht den strahlenden und ewig wolkenlosen Himmel, dann ertappte er sich immer öfter dabei, daß er innerlich vergnügt war. Die zehrende Einsamkeit begann aus seinem Herzen zu weichen, und er fing an, sich in die neue Umwelt einzuleben. Freilich, am Ende aller seiner Gedanken stand immer wieder das Schiff, das kommen und ihn zurücktragen würde in den Kreis der Menschen seiner Art. Er hatte, so wie er es sich in den ersten Tagen auf der Quellenwiese vorgenommen, eine genaue Zeitrechnung angestellt. Einen ganzen Tag – von Sonnenaufgang bis Sonnenuntergang – und eine ganze Nacht hatte er seine Pulsschläge gezählt und danach die Dauer eines Tages auf diesem Stern ausgerechnet. Dabei war er zu dem Ergebnis gekommen, daß hier der Tag nur 19,5 Erdenstunden dauerte, was auf das Jahr umgerechnet eine Differenz von 1642,5 Stunden, also rund 87 Tagen bedeutete. Er mußte also zwei mal 365 plus 87 Tage, das waren 452 Sternentage, für die zwei Erdenjahre rechnen, und es wurde von nun an an jedem Morgen seine erste Tätigkeit, in einen langen Schachtelhalmast die Tageskerbe zu schneiden. In seinem Tagebuch aber vermerkte er jeden Tag mit einem Strich und jeden siebenten mit einem Kreuz.

Er feierte die Sonntage mit großer Gewissenhaftigkeit. Länger als sonst saß er über seinen Aufzeichnungen. Alles, was er im Verlauf der Woche Neues gesehen, erlebt und beobachtet hatte, die Stunden der Einsamkeit, der Qual und der Freude, die Gedanken, die in ihm auftauchten über alle Dinge des Lebens und seine ganze Sehnsucht nach der Heimat vertraute er diesen dünnen, geschmeidigen Bastblättern an.

Was ihn erstaunte, wenn er seine Aufzeichnungen durchblätterte, war die Beobachtung, daß er, der auf der Erde allen Fragen der Religion interesselos gegenübergestanden hatte, sich nun immer öfter mit dem Begriff Gott und Weltschöpfung auseinandersetzte. Auf der Erde, inmitten seiner Arbeit, im Bereich der Maschinen und des Großstadttrubels, hatte er keine Zeit gehabt für diese lautlosen Fragen. Ja, er hatte die Menschen für Müßiggänger gehalten, die nichts taten als zu ergründen, woher das Leben in der Welt, woher die Menschen kamen, wohin sie gingen, warum sie so und nicht anders waren. Das war eben alles so, wie es war, und es war Zeitverschwendung, sich darüber Gedanken zu machen. Wichtig waren ihm nur die technischen Erfindungen erschienen, die Zahlen und Maschinen, die die Menschen, wie er geglaubt hatte, in Wahrheit zu Herren der Schöpfung machten.

Seit er aber herausgenommen war aus dieser Gemeinschaft, aus diesem scheinbar notwendigen, festen Gefüge des Erdenalltags, seitdem er die Brücke überschritten hatte, die zu den anderen Welten führte, hatten auch andere Gedanken in seinem Herzen Platz gegriffen. Klein und bedeutungslos erschien ihm plötzlich vieles, was ihm auf der Erde das Wichtigste bedeutet hatte. Der andere Mensch, dem er hier begegnet war, jede Kreatur, jede Erscheinung, die ihm gegenübertrat, trug neue Fragen an ihn heran.

Das Schicksal hatte ihm eines der tausend Geheimnisse, die das Universum barg, entschleiert. Er durfte hineinschauen in die Geschehnisse eines anderen Sterns. Was die Gedanken und Wünsche derer, die auf der Erde Nacht für Nacht an den Fernrohren saßen und den Weltenraum durchforschten, nicht schlafen ließ, zu wissen, was sich hinter diesen glitzernden Punkten und leuchtenden Himmelskugeln verbarg, war ihm aufgetan, ja war für ihn Alltag geworden. Dieses neue Wissen aber trug neue brennende Fragen, neue Rätsel in seine Seele, und wenn er allein auf einem Felsen saß und sein Blick über die ganz anders geformte Landschaft schweifte, wenn sich des Nachts der Horizont glutrot färbte im Widerschein feuerspeiender Berge, dann glaubte er sich der Hand des Schöpfers nahe, die auf diesem Weltkörper noch unmittelbarer formte und schuf. Die Schachtelhalmstämme, die auf der Erde schon als Steinkohle verheizt wurden, wuchsen hier erst der Sonne entgegen. Die Saurier, deren Knochenreste dort nur mehr eine sagenhafte Vorstellung zuließen, erfüllten auf diesem Planeten noch die Luft mit ihrem Brüllen.

Im Laufe der Zeit richtete sich Bergen eine feste Tagesordnung zurecht, die freilich oft genug durchbrochen wurde von abenteuerlichen Exkursionen und Zwischenfällen aller Art. Mit dem ersten Strahl der Sonne war er aus seiner Hütte und lief über schmale Hängetreppen in eine in der Nähe abzweigende Seitenschlucht, um dort in einem eiskalten Sturzbach zu baden. Darauf gab er sich mit großem Appetit dem Genuß seines Frühstücks hin. Es bestand aus fladenartigen Broten aus gestoßenen Grashalmen, deren gewürzlosen Geschmack er im Laufe der Zeit schätzen gelernt hatte. Dazu aß er verschiedene Früchte, worunter die große Vanillefrucht nie fehlte.

Gab es Kranke oder Verletzte im Stamm, so ging er anschließend in die Hütten derselben, um nach ihnen zu sehen.

Das, was die Menschen dieses Sterns und, seit er unter ihnen lebte auch er, im Überfluß hatten, war die Zeit, und deshalb dehnten sich seine Besuche in den fremden Hütten oft über viele Stunden des Tages aus. Ebenso im Überfluß hatten sie die gute Laune. Sie waren fast alle ohne Ausnahme das, was man im wahrsten Sinne des Wortes sorgenlos und zufrieden nennt. Sie hatten Hütten, die sie gegen die Glut der Sonne, gegen den Regen und gegen die Raubtiere der Wälder schützten, und sie hatten zu essen. Die Jagdgründe und die Urwälder waren unerschöpflich in ihrem Reichtum an Fleisch, Früchten und Pflanzen. Bergen hatte sich Urmenschen immer im Kampf um des Lebens Notdurft vorgestellt. Das mochte für die Steinzeit der Erde zugetroffen haben. Hier aber schien ewiger Sommer zu sein und Blüte und Frucht kein Ende zu nehmen.

Diese Freigebigkeit, mit der die Natur dieses Planeten seinen Bewohnern alles Notwendige ohne Mühe und Schweiß in den Schoß warf, hatte bei diesen einen ausgesprochenen Hang zum süßen Nichtstun geschaffen. Sie fühlten sich deshalb auch nicht veranlaßt, auf eine Erleichterung der Alltagsmühen zu sinnen. Sie kannten all das nicht, was man die Urformen der den Menschen dienenden Maschinen ansprechen kann, z. B. das Rad: zwei Scheiben, drehbar an einem Ast befestigt, ergaben einen Wagen, mit dem man Lasten mühelos befördern konnte, die sonst unter großem Kraftaufwand getragen werden müssen.

Sie wußten nichts davon, daß man Metall, wie Gold, das sie in jeder beliebigen Menge hatten, im Feuer weichmachen und zu Werkzeug und Jagdwaffen verarbeiten konnte.

Es gab für sie außer Essen und Schlafen nur zwei Beschäftigungen: Jagen und an ihren Hütten herumspielen. Anders konnte man dieses Tun nicht nennen. Sie steckten hier eine neue Stange hinein und banden dort ein paar Bastknoten fester, und dann saßen sie wieder lange und unbeweglich und ruhten.

Das war nicht das Ruhen nach einer Arbeit, nach einer Ermüdung. Sie dösten oder schliefen auch nicht dabei, sie saßen oder standen und verhielten reglos und still, wie ein Tier in Ruhe verharrt.

Es gab wohl Männer unter ihnen, die mit allerlei Beschäftigungen die Zeit ausfüllten. Sie bereiteten sich aus Lehm und Fruchtsäften schwarze und rote Farbe und bemalten damit ihre Hauswände und Türpfosten. Er sah sie auch, wie sie an Balken herumschnitzten, die sie dann später als Türrahmen verwendeten. Aber nie waren sie bei ihrer Tätigkeit, auch beim Bau ihrer Häuser, getrieben von dem Feuer des Schaffens und von dem Drang, das Werk zu vollenden. Sie spielten nur mit ihrem Tun. Dabei wäre es ungerecht gewesen, sie phlegmatisch zu nennen. Sie reagierten auf jeden seelischen Eindruck, und Freude, Erstaunen und Entsetzen brachten ihre Flughäute und Rückenflossen in vibrierende Schwingungen und überzogen den ganzen Körper mit jenem seltsamen, wellenartigen Schimmern, das Bergen immer wieder aufs Neue entzückte.

Kam der Abend, so holten sie aus dem Feuerhaus, einer gegen Regen und Wind geschützten Höhle, in der die Glut gehütet und bewacht wurde, mit einem trockenen Blätterbündel die Flamme, über der sich bald überall die Spieße drehten.

Auch Bergen hatte schon gelernt, bei dieser Hauptmahlzeit des Tages für Erdbegriffe unvorstellbare Mengen Fleisch ohne jede Zukost zu verschlingen. Mit dieser Sättigung endete der Tag.

Wenn er den Menschen in die Augen sah, so war er immer wieder betroffen von der Tiefe, der hingebenden Gläubigkeit und der tierhaften Schönheit dieses feuchten, dunklen Blicks. Wie sich bei ihnen mit einem erwachenden Froh- und Glücksempfinden der Mund leicht öffnete, wie dabei die Lippen zu schwellen begannen und sich von einem Mattrosa bis zum dunklen Karmin färbten, wie die Augen zu strahlen und zu leuchten anfingen, fast wie selbständige, lebende Wesen, wie dabei die Ränder der Flughäute, die Kämme der Rückenflossen vibrierten, bis sie den ganzen, schuppenglänzenden Körper in ein hörbares Klingen hüllten ...

Wie primitiv und arm waren dagegen seine Lebensäußerungen und die seiner Schöpfungsgenossen, wenn sie Freude oder Glück empfanden.

Was ihnen jedoch versagt war, das war die Stimme. Wenn sie sprachen, so kam aus ihrem Mund nur ein Zischen und Krächzen, das bei wachsender Lebhaftigkeit mit Vokallauten vermischt war. Nie aber waren es klare, wohlklingende Töne und nie hörte er bei ihnen das, was den Menschen des Erdensterns von ihrem Schöpfer gegeben war, den Gesang.

Bergen hatte zwei Freunde unter den Menschen des Stammes: das Mädchen, das er damals im Beratungshaus durch seinen Häuptlingsspruch gerettet hatte, und Gelbauge, der ihm seit der Nacht im Urwald in rührender Treue anhing.

Wo Bergen auch hinging, und es geschah oft, daß er allein in den Bergwäldern und Felsen herumkletterte, um Bastblätter für sein Tagebuch und bestimmte Pflanzen und Früchte zu suchen, daß er weite Wanderungen durch die Prärie unternahm, um Urwelttiere bei ihrem Wechsel zu beobachten, immer war Gelbauge wie ein Schatten in seiner Nähe.

Das Mädchen aber säuberte, ohne daß er es verlangte, seine Hütte, hielt immer frisches Wasser in den Muscheln, sammelte nach seiner Anweisung Kräuter, die er im Laufe der Zeit als heilend oder schmerzlindernd erkannt hatte und half ihm vor allem mit viel Geduld bei der mühevollen Knüpferei seiner Bastkleidung.

Durch den ständigen Umgang miteinander entwickelten die drei ihre Zeichensprache zu großer Vollkommenheit, und sie konnten sich bald mühelos über die Dinge des Alltags unterhalten. Dabei erfuhr Bergen auch, daß es tatsächlich dieses Mädchen gewesen war, das er damals im Urwald als ersten Menschen gesehen hatte. Er erfuhr aber auch, daß sie bei dieser ersten Begegnung weder vor seiner Stimme noch vor dem ihr entgegengestreckten Beil, sondern vor seinem bärtigen Gesicht die Flucht ergriffen hatte, weil sie glaubte, ein gefährliches Tier vor sich zu haben.

Mit Gelbauge und drei weiteren Begleitern, die sich beim Tragen ablösen sollten, machte sich Bergen eines Tages auf, um den Weg zum anderen Meer zu suchen. Schon seit damals, da er es vom Totenfelsen aus gesehen hatte, hatte er sich mit den Plänen dazu getragen. Indes war es ihm notwendig erschienen, mit der Ausführung zu warten, bis seine neuen Bastkleider fertig waren. Er kam sich lächerlich genug in der ungewohnten Aufmachung vor. Aber sie erfüllte ihren Zweck weit besser, als die alten, zerschlissenen Lumpen es getan hatten.

Des Mittags stieg er mit den Vieren nochmals auf den Totenfelsen und zeigte ihnen das beabsichtigte Ziel seiner Wanderung. Er bedeutete ihnen, daß sie den Weg quer über das Gebirge nehmen würden. Doch sträubten sich die Männer mit allen Zeichen des Entsetzens dagegen. Vermutlich drohte auf dieser Route eine besondere Gefahr. Also entschloß er sich zu dem Weg durch das Tal.

Am nächsten Morgen brachen sie auf. Sie hielten auf den Strom zu, um dann seinem Lauf zu folgen. Ausgedehnte Sandbänke, die mit Gesteinsbrocken und stellenweise ganzen Bergen von verschlammten Baumstämmen und verdorrtem Buschwerk bedeckt waren, begleiteten zu beiden Seiten die Ufer.

Nach einem und einem halben Tagesflug erweiterte sich das Flußbett, das von zwei Seiten her durch immer neue Zuflüsse vergrößert wurde, zu einem See, an dessen morastigen Ufern sich dichtes Gebüsch hinzog.

Es hätte der warnenden Zurufe seiner Begleiter nicht bedurft, um ihn darauf aufmerksam zu machen, daß es hier von Echsen und Molchen aller Größen wimmelte. Er sah sie am Rande des Moorbusches liegen. Sie schienen Siesta zu halten.

Eben wollte Bergen sich wieder in seine Sänfte setzen, da deutete Gelbauge erregt auf etwas, das Bergen zuerst für einen abgeschliffenen, braunen Felsen hielt. Als er näher hinzu trat, sah er, daß es eine Muschel war, eine Art Schneckenhaus. Es ragte gut einen Meter aus dem moorigen Wasser. Darunter mochte es noch einmal die gleiche Größe haben. Die vier Männer waren in größter Aufregung. Gelbauge suchte ihm klarzumachen, daß dies das Tier sei, das auf dem Weg zur Goldhöhle den zweiten Träger überfallen hatte. Bergen aber verstand ihn nicht, denn zu fern lag ihm der Gedanke, in dieser harmlosen Muschel, mochte sie auch noch so überdimensional sein, ein gefährliches Raubtier zu sehen.

Sie umflogen in großem Bogen den See, dessen mit Buschwald bestandene Ufer sich kilometerbreit ausdehnten.

Am Spätnachmittag waren sie vor einem Urwald angelangt, der das Tal in seiner ganzen Breite ausfüllte.

Er stand nun wieder vor derselben Frage, die er auf der Suche nach dem Gold damals so unbekümmert gelöst hatte: Sollte er trotz der nahen Nacht noch in den Wald eindringen oder auf der freien Prärie den Morgen abwarten? Da aber diesmal alle vier Begleiter, vor allem Gelbauge, ängstlich abrieten, entschloß er sich zu letzterem.

Es würde noch eine gute Weile dauern, bis die Nacht kam. Diese Zeit wollte er dazu benützen, den weiteren Weg auszukundschaften.

Es ergab sich nach einer kurzen Unterredung mit den Männern, daß keiner von ihnen das Gelände kannte. Das war Bergen unbegreiflich. Sicher lebten sie schon lange in diesem Landstrich und mußten auf ihren Wanderungen und Jagden die Wälder durchstreift haben. Aber er vergaß bei solchen Überlegungen immer wieder, daß diese Planetenbewohner keine Erdenmenschen waren. Sie wurden nicht getrieben von dem Drang, alles zu erfahren und zu erforschen, was in ihrer Reichweite war.

Früchte und Fleisch und alles, was sie brauchten, boten ihnen die freie Prärie und die nahen Wälder, die sie kannten. Weder des Lebens Notdurft noch Neugierde veranlaßte sie, in unbekannte Waldgebiete einzudringen, in denen sie Mühen und Gefahren erwarteten.

Bergen befahl Gelbauge, bis zum Gebirge zu fliegen, das sich den Fluß entlang zog, und von einer Höhe aus die Ausdehnung des Waldes festzustellen.

Es war schon dunkel, als er zurückkehrte. Sein Bericht war ebensowenig klar wie ermutigend: Der Wald sei ohne Ende, sagte er. Das bestärkte Bergen in der Vermutung, daß er sich bis ans Meer hinzog. Diesen Wald zu durchqueren, hieß viele Nächte in ihm verbringen, und zweifellos lagen in der Nähe des Meeres ausgedehnte Moorgebiete. Es kam also nur ein Weg in Betracht, wenn es überhaupt einen gab, und der war am Gebirge entlang –

und zwar über der Vegetationsgrenze.

Als die Sonne aufging, fand sie die vier Männer schon auf den Bergen. Gleich zu Beginn aber stellten sich auch hier die Schwierigkeiten ein. Ungeheure Steilwände und jähe Felsbrüche machten den Weitermarsch immer wieder unmöglich. Wäre er nicht in Begleitung dieser fliegenden Menschen gewesen, die ihn mit ihren Flughäuten über Schluchten und Abstürze trugen, so wäre an ein Weiterkommen nicht zu denken gewesen. Aber auch so bot das Gelände noch Gefahren und Mühen genug. Die kaum fußbreiten Felsspitzen und schmalen Bänder boten den Fliegenden nur wenig Platz, um sich von ihnen aus in die Luft zu erheben oder darauf zu landen. Dabei hatten die Träger in ihm noch die schwere Last zu tragen.

In der Gluthitze der mittagsheißen Felsen war Bergen bald bis auf die Haut durchnäßt, denn auch für ihn war diese Art der Fortbewegung alles andere als gemütlich. Trotz allem aber legten sie auf diese Weise erstaunliche Strecken zurück.

Der Flußlauf, durch immer neue Gebirgsbäche gespeist, nahm nach Verlassen des Sees an Breite stetig zu. Sein Weg war in seinen endlosen Windungen von ihrem hohen Stand aus weithin zu beobachten. Der Wald dehnte sich, die ganze Talbreite füllend, bis zur grauen Silhouette eines Gebirgszuges hin. In der Richtung gegen das Meer war sein Ende nicht abzusehen. Er ging am Horizont in einen silbrigen Dunststreifen über.

Ihre Ruhelager schlugen sie in geschützten Felshöhlen auf, und Bergen genoß von hier aus den überwältigenden Zauber dieser prächtigen Nächte, in denen über den geheimnisvollen, dunstrauchenden Wäldern die beiden Trabanten des Sterns, die zwei Monde, wie Lampions hingen.

An einem der nächsten Tage – sie waren gezwungen gewesen, ein hohes Plateau zu erklimmen, um von dort aus eine breite Schlucht überfliegen zu können – wurde Bergen der Grund offenbar, warum seine Begleiter den Weg durch das Gebirge so energisch abgelehnt hatten. Die Höhe, auf der sie standen, gab den Blick frei in ein unübersehbares Tal, das angefüllt war mit den weißen, giftigen Nebelschwaden, über denen nur vereinzelt Bergspitzen wie Inseln über wogenden Wellen sichtbar wurden. Es schien so, als sei das ganze Innere des Gebirges mit diesen Giftgasen angefüllt.

Am vierten Tag, um die Mittagszeit, sah Bergen zum erstenmal das Ziel seiner mühevollen Wanderung, das Meer. Die flimmernde Dunstschicht, die die ganze Zeit über dem Horizont gelagert hatte, hatte sich aufgelöst, und in dunkelblauer Sattheit lag der Meeresspiegel hinter den Bergen und Wäldern.

Mit neuem Mut und neuer Kraft eilten sie ihren Weg über Felsklüfte, Felsrisse und Schluchten, und bei jedem Kegel, den sie erstiegen, bei jeder Felsnase, die sie umkletterten, sahen sie es von neuem in größerer Nähe auftauchen. Einige Gebirgsgruppen trennten sie noch von ihm, und dann lag es offen und ausgebreitet in der Tiefe.

Das Plateau, auf dem Bergen stand, tauchte seine Wände senkrecht ins Wasser. Auf der Waldseite dehnten sich, soweit man blicken konnte, Moore und Sümpfe, die sich auch hier trennend zwischen das Land und das Meer schoben.

Es war allen klar, daß hier ein Abstieg unmöglich war. Sie hätten sonst im Moor landen müssen, und das wollte Bergen unter allen Umständen vermeiden. Er beschloß also, die Nacht noch auf der Höhe zu verbringen und am Morgen auf den Bergen entlang wandernd, ein moorfreies Ufer zu suchen.

Das Rauschen der Wellen, das ihn am nächsten Morgen weckte, steigerte seine Ungeduld, und er drängte schon vor dem Licht des Tages zum Aufbruch. Aber das Vorwärtskommen an den ins Meer abstürzenden Wänden erwies sich bald als unmöglich. Sie mußten wieder ein Stück zurückgehen und den ganzen Gebirgsstock, auf dem sie standen, umfliegen, um vielleicht von der anderen Seite her einen begehbaren Abstieg zu finden.

Nach stundenlangem Klettern und Fliegen sahen sie das Meer von neuem, als sie aus einem schluchtartigen Kessel wieder zu einer Höhe hinaufstiegen. Und nun lag in der Tiefe das, was er so ungeduldig gesucht hatte: Zwischen den brandenden Wellen und dem Gebirge zog sich auf eine Strecke hin ein breiter, wie es schien, kiesiger Strand. Sie kletterten noch ein Stück zu Fuß hinab, dann ließ sich Bergen mit seinen zwei Trägern, wie zwischen zwei Segelflugzeugen hängend, in die Tiefe.

Das Ufer, auf dem sie standen, war fester Boden, angeschwemmte Felsstücke und grober Kies, und dazwischen grauer, trockener Sand.

Weit und breit waren keine Tiere zu sehen, keine Saurier, ja, sogar Flugechsen schien es hier nicht zu geben. Sie hielten sich wohl auf der Urwaldseite auf. Nur unwahrscheinlich große, fast mannshohe Panzertiere von der Art der Erdschildkröten, lagen unbeweglich zwischen den Steinen oder krochen träge über den Kies.

Von den nahen Wäldern lag Strandgut aller Art herum, halb verfaulte Baumstämme, gebleichte Tierknochen und verdorrte Blütenzweige. Über allem verstreut waren riesige Muscheln in allen Farben und Formen, die sich dort, wo der Felsen aus dem kiesigen Grund aufstieg, zu ganzen Haufen türmten.

Bergen setzte sich auf einen Stein und sog in großen Zügen die herbe, salzige Luft ein. Er war ganz versunken in die Größe dieser Landschaft. Stark und unmittelbar spürte er hier wieder das Heroische und Urhafte dieses Weltkörpers, und das Heranrollen der Wellen, die mit weißen Schaumkämmen auf das Gebirge herjagten und breiter wurden, wuchsen und sich aufbäumten, um kurz vor dem Strand an unsichtbaren Hindernissen zu zerschellen, das ungebändigte, wogende Meer nahm ihn in seinen Bann. Weit in der Ferne, wo der Himmel in das Wasser tauchte, standen einzelne, fingerhutartige Vulkankegel, deren Rauchschleier sich in der Bläue des tropischen Himmels verloren.

Seine Begleiter verrieten keinerlei Gefühl für das Überwältigende dieses Naturbildes. Sie schienen vor allen Dingen Hunger zu haben, und einmal aus seinen Träumen gerissen, setzte auch er sich zu ihnen, und sie aßen zusammen ihre Tagesmahlzeit, die letzten Stücke Fleisch, die sie bei sich hatten.

Er hatte sich mit der Berechnung über die Dauer der Expedition stark geirrt. Danach hätten sie längst wieder auf dem Rückweg, ja bald wieder im Dorf sein müssen. Nun mußten sie irgendwie sehen, etwas Genießbares für den Rückweg zu finden. In den Bergwäldern, die sie auf ihrem Weg hierher durchstreift hatten, hatten sie nur wenige Früchte vorgefunden. Es blieb nichts anderes übrig, als auf dem Rückweg in das Tal hinabzusteigen.

Bergen war fest davon überzeugt, daß das Meer, an dem er stand, dasselbe war, wie das vor der Saurierschlucht. Demnach befand er sich auf einer Halbinsel oder sogar auf einer Insel. Er überlegte, ob es nicht möglich wäre, hier ein Kanu zu bauen und das Land zu umsegeln. Es war ihm zwar nicht recht klar, wie er das anstellen sollte, denn Bäume gab es auf diesem Strandteil nicht. Trotzdem aber wußte er jetzt schon, daß er diesen Plan später einmal durchzuführen versuchen würde.

Er verspürte große Lust zu baden. Sein ganzer Körper war mit Schweiß bedeckt, und die rauschenden Wellen lockten ihn. Schon hatte er sein Bastgewand und seine Fußbekleidung abgeworfen und stieg vorsichtig, weil er auf den teils spitzen, teils glitschigen Steinen nur schwer gehen konnte, ins Wasser. Die Männer, die nicht verstanden, was er wollte, suchten ihn mit Geschrei zurückzuhalten. Wasser schien nicht ihre Sache zu sein, sonst hätten sie sich zweifellos diese günstige Gelegenheit, sich zu erfrischen, nicht entgehen lassen.

Das Wasser war hier vor der Brandung seicht. Größere Raubfische konnte es also nicht geben. Weit draußen sah man zwar ab und zu dunkle Körper aus den Wellen tauchen, weiße Fontänen schossen in die Luft, aber das war alles in großer Entfernung. Ein paar Schritte ging er noch, dann warf er sich den Wellen entgegen und schwamm mit kräftigen Stößen auf die Brandung zu.

Der Strand zog sich kilometerweit die Bucht entlang, die an ihren beiden Enden durch hohe Berge abgeschlossen wurde.

Nachdem Bergen gebadet hatte, suchte er eine Strecke weit, in der Hoffnung, von den Panzerschildkröten Eier zu finden, den Strand ab, aber ohne Erfolg.

Als sie zum Rückweg aufbrachen, stand die Sonne zwar erst in der Mitte des Tages. Da sie aber, um Früchte zu suchen, in den Urwald mußten, hielt er es für günstig, noch möglichst lange das Tageslicht vor sich zu haben.

Sie umgingen zuerst den Bergstock auf die gleiche Weise, wie sie vorher an den Strand gelangt waren, und begannen dann den Abstieg in das Tal. Als sie auf halber Höhe waren und Bergen innehielt, um nach Vanillefruchtbäumen Ausschau zu halten, bot sich unter ihm ein einmaliges Bild:

Da, wo das Moor in das Meer überging, wimmelte ein wahres Durcheinander von Urwelttieren. Er sah ganze Herden der wohlbekannten Saurier, ungeschlachte Schaufelmastodonten reckten ihre plumpen Oberkörper aus dem schlammigen Wasser. Dazwischen waren andere Tierriesen, die man weder als Mammuts noch als Saurier ansprechen konnte und die vielleicht mit riesigen Ameisenbären zu vergleichen waren. Flugechsen von bisher nicht gesehener Größe umflatterten die Tierherden.

Gnade dem, der dorthin sich verirrte, denn daß es in dem ausgedehnten Moor auch noch anderes Raubzeug gab, war keine Frage.

Aus der sicheren Höhe aber war es ein Erlebnis, auf die Urweltfauna herabzusehen. Er mußte dabei an ein Wandbild denken, das in dem Schulzimmer seiner Heimat gehangen hatte, und den vermutlichen Zustand der bayerischen Landschaft in der Kreidezeit darstellte: Zwischen baumhohen Schachtelhalmen und Farnen, mit denen das Ufer eines Sees bestanden war, tummelten sich darauf Saurier, Fischechsen und echsenartige Vögel. Darüber lastete ein Himmel voll düsterer, grauer Wolken. Das hier war das lebendig gewordene Bild aus der Schule, nur um vieles phantastischer und unwirklicher. Darüber aber war ein blauer Himmel, und die weiche, warme Luft gab dem ganzen Paradies der Urwelt einen lebenswärmeren Charakter.

Sie flogen und kletterten am Berghang noch eine Strecke weiter, bis der Moorgürtel hinter ihnen lag, dann stiegen sie in den Bergwald und weiter in das Tal hinab.

Der Tag begann schon zu sinken, als sie in dem Gewirr der Schlingpflanzen und Moose untertauchten. Sie fanden auch gleich eine Menge eßbarer Früchte, aber sie hatten es auf die Vanillefrucht abgesehen. Dabei aber gerieten sie immer tiefer in den Wald hinein. Bergen war erleichtert, als sie endlich die gesuchten Bäume fanden.

Auf einem offenen Platz trugen sie die Früchte zusammen, um das Fleisch aus der Schale zu nehmen und es für den Rückweg zu verstauen. Zwei von seinen Begleitern suchten im Gebüsch und im hohen Gras nach Würmern und Echsen, die sie mit viel Fröhlichkeit fanden und verzehrten. Er sah ihnen eine Weile belustigt zu. Das komische Bild dieser Jagd erheiterte ihn immer wieder aufs neue, und da es schon dunkel war, tappten sie mehr mit den Händen danach, als sie mit den Augen noch sehen konnten.

Da wurde sein Blick abgelenkt durch eine Sternschnuppe, die senkrecht aus dem Himmel fiel. Sie erhellte durch ihr Licht die ganze Landschaft. Wie lange sie sich doch am Himmel hielt, ohne zu verlöschen! Eine Erscheinung von dieser Größe und Lichtfülle hatte er noch nie gesehen. Wie eine Mondscheibe, die einen Sprühregen als leuchtenden Schweif hinter sich herzog, fiel das

Fanal aus den Sternen herab . . .

Um Gottes willen! Es kam ja näher, es schoß ja direkt auf sie zu! Ihm stockte der Atem. Er sah die feurige Erscheinung wachsen. Wie unter einem Blitz leuchtete das Gebirge auf. Er warf sich zu Boden, um ihn her war weißes, grelles Licht, dann erschütterte eine Detonation die Luft, als ob die Wände vor ihm bersten würden. Bergen wurde hochgeworfen, gegen einen Baum geschleudert, ein glühender Wind rauschte wie ein heißer Orkan durch den Wald, bog die mächtigen Baumkronen . . .

Als er aufblickte, sah er den Himmel in eine glühende Lohe getaucht. Noch wußte er nicht den ganzen Umfang dessen, was geschehen war. Der Meteor war niedergegangen, wahrscheinlich ganz in der Nähe, und nun strahlte seine glühende Masse diese Hitze aus.

Bergen suchte seine Begleiter. Gelbauge sollte von einem Baum aus Umschau halten. Die vier aber lagen wimmernd am Boden und schrien krächzend, wobei sie ihre Hände krampfhaft nach oben streckten. Da erkletterte er selbst einen Schachtelhalmstamm, der soeben noch kerzengerade neben ihm gestanden hatte. Jetzt lag er schräg, von der Gewalt des Luftdrucks halb aus dem Boden gerissen. Er stieg von Astring zu Astring, und mit jedem Meter, den er höherkam, wuchs der Feuerschein um ihn, stieg die Wärme. Er roch Brand. Es trieb ihm die ersten Rauchschwaden ins Gesicht, dann sah er von seinem Stand aus mitten in das grandiose und schreckliche Schauspiel des brennenden Urwaldes.

Er sah, wie das Feuer an den Bäumen hochsprang und wie die Schachtelhalmkronen und Wipfel der Vanillefruchtbäume in riesigen Fackeln aufloderten, wie sich das glühende Element wie ein alles verzehrendes Raubtier weiterfraß.

Ein Feuersturm hatte sich erhoben, der den Brand zu immer größerer Glut entfachte. Anfangs sah er, mit Entsetzen zwar, aber doch nur als Beobachter, diesem Wüten der Elemente zu. Plötzlich aber wurde ihm schrecklich klar, daß das Verderben seinen Weg auch auf ihn zu nahm, daß das Feuer kaum mehr als einen Kilometer von ihm weg war, daß sie herausmußten, so schnell wie möglich, wollten sie nicht mit der glühenden Wildnis verbrennen.

Er sah zu den nahen Bergen hinüber. Auch auf dieser Seite hatte sich der Brand schon weit vorgeschoben. In den trockneren Höhenwäldern fand er noch leichtere Nahrung als in der feuchten

Niederung des Tals. Gelang es ihnen nicht mehr, dort dem Feuer zuvorzukommen und die Vegetationsgrenze zu erreichen, waren sie zwischen dem brennenden Wald und dem Moor eingeschlossen. Dann blieb ihnen nur noch die Wahl, zu verbrennen oder von einer der dort hausenden Bestien zerrissen zu werden.

Als er mehr fallend als kletternd wieder am Boden anlangte, war es auf dem Platz schon lebendig geworden. Wie wenn ein Höllenpfuhl ausgeschüttet würde, spie der dichte Wald alles Gewürm aus, das in ihm sein Nest hatte. Zwischen Schlangen und Nattern, die sich mit unheimlicher Eile von Ast zu Ast windend oder am Boden dahinkriechend das Weite suchten, liefen auf scheußlichen, tapsenden Beinen häßlich geformte Echsen, igelförmige, lebende Walzen, krötenartige Geschöpfe dem Moor zu. Rote, armdicke Würmer krochen aus Moosen und Farnen, und fliegende Echsen schwirrten durch die Luft und flohen dem Wasser entgegen.

Die jeder Kreatur innewohnende Angst vor dem Feuer ließ sie vergessen, daß neben ihr die Beute floh, die sie eben noch mit Mordgier belauert hatte, daß neben ihr ihr Todfeind lief, der wenige Minuten vorher noch nach ihrem Blut gelechzt hatte. Vergessen war die Jagdgier und die Furcht voreinander in der größeren, gemeinsameren Angst vor dem Feuer.

Im Moor aber, am Rand des Meeres lauerten die Molche und Krokodile, und alles, was dorthin Zuflucht suchte und nicht selbst stärker war als sie, würde ihre willkommene Beute werden.

Die vier Männer lagen immer noch stöhnend am Boden. Wußten sie von dem Verderben, dem sie nicht mehr entrinnen konnten? Aber hier unten sah man noch nichts von der glühenden Brandung, die sich von Sekunde zu Sekunde näher auf sie zuwälzte. Wenn sie von der Gefahr aber nichts wußten, wovor zitterten sie dann?

Mochte es sein, was es wollte, Bergen riß sie hoch, einen nach dem anderen, und bedeutete Gelbauge, daß sie fließen mußten, so schnell wie möglich zurück mußten in die Berge. Er gab ihnen die Richtung an und sprang voraus. Aber sie folgten ihm nicht. Die Himmelserscheinung, die Detonation, der glühende Schein hatte sie um den Verstand gebracht. Bergen lief wieder zurück, er versuchte, Gelbauge hinter sich herzuziehen. Umsonst, eine unsichtbare Macht schien ihn festzuhalten. Wertvolle, vielleicht die rettenden Minuten gingen verloren. Er wollte Gelbauge bewegen, auf einen Baum zu steigen, um von dort aus die Gefahr zu erkennen, aber umsonst. Ja, rochen sie denn nichts von dem Brandgeruch, sie, die eine Witterung hatten wie ein Tier? Sahen sie denn nicht, daß jegliches Getier floh? Eine heiße Rauchwolke legte sich über den Platz, ließ glühende Blätter und Zweige auf den Boden regnen.

Da, endlich, endlich funktionierten ihre Sinne wieder, erkannten sie, was um sie vorging. Und jetzt war es Bergen, der hinterherhinkte, der ihnen nicht mehr zu folgen vermochte, als sie wie gehetztes Wild durch die im Feuerschein des Himmels gespensterhaft aufleuchtenden Moose und Farne krochen, über gefällte Baumriesen sprangen, doch einer besann sich plötzlich. Als Bergen schon allein stand und in hilfloser, menschlicher Langsamkeit über die unsichtbaren Hindernisse kletterte und fiel, fühlte er sich plötzlich fortgezogen, getragen, wieder auf die Beine gestellt und weitergezerrt. Es war Gelbauge. Er erkannte ihn an der Art, wie er ihn an den Händen faßte und ihm geschickt half, durch das Buschwerk zu kriechen oder über Stämme und Felsen hinwegzuspringen.

Aber der Wald nahm kein Ende. Hatten sie die Richtung verloren? Ganz nahe vor ihnen tauchten die Berghänge auf, brennend wie Strohhaufen.

Also noch weiter nach links, auf das Moor zu. Die Luft füllte sich mit dichtem Qualm, reizte zu ständigem Husten und zwang sie immer wieder, die Augen zu schließen.

Das Feuer mußte schon ganz nahe sein, aber der Sturm heulte und rauschte und verschlang das Prasseln der Flammen. Im Laufen sah Bergen in die Richtung, aus der die Glut kommen mußte. Da leuchtete es zwischen den Stämmen in schmalen Ritzen rot auf, flammten kleine Äste, Farnbüsche, die sich windend zusammensanken, und da fraß es sich auch schon an den hinter ihm stehenden Baum hoch, griff mit glühenden Armen nach ihnen.

In diesem Augenblick der Verzweiflung spürte Bergen, daß der Boden unter seinen Füßen den Halt verlor. Die Hände, die Füße tauchten beim Sprung in Wasser. Bis zu den Knöcheln, bis zu den Knien versank er wieder im weichen Grund. Irgend etwas riß an seinem Fuß, während er ihn hochzog, er fühlte etwas Glattes, Kühles sich um sein Bein winden. Er sah neben sich die Fratze eines Tieres, aber er hatte nicht mehr Zeit, darüber zu denken, etwas abzuwehren, die Luft war angefüllt mit Glut, daß die Lungen sie nicht mehr aufnehmen konnten. Wie im Ringkampf klammerte er sich an den Freund, der ihn weiterzog.

Die Bäume um sie brannten, große Fetzen brennenden Laubes, rauchende glühende Büschel fielen auf sie nieder. Gelbauge riß Bergen den Mantel vom Leib und schleuderte ihn brennend von sich.

Sie merkten es gar nicht, daß sie seit geraumer Zeit schon nicht mehr im Sumpf wateten. Erst als das Gelände anstieg, wurden sie dessen gewahr. Nun galt es, sich noch die paar Meter Vorsprung zu erkämpfen, die sie von der ihnen nacheilenden Glut trennten. In den Baumkronen war das Feuer schon über sie hinweggerast. Doch im nassen Unterholz, in den feuchten Farn- und Moosbüschen fand der Brand immer wieder ein Hindernis, ehe er seinen Weg fortsetzen konnte, und das gab den beiden Fliehenden immer wieder den rettenden Vorsprung.

Mit Händen und Füßen, wie Tiere, liefen sie die Höhe hinan, dann standen sie hoch oben im brennenden Bergwald.

Von allen Seiten loderten die Bäume um sie auf. Einen Augenblick standen sie, die Hände vor Mund und Nase gepreßt, und wußten nicht mehr wohin. Es gab keinen Ausweg mehr. Nur ein Streifen, ein schmaler Waldstreifen, trennte sie vom baumlosen, rettenden Felsen. Aber dieser schmale Streifen war eine glühende Wand.

Bergen, in der Verzweiflung des Augenblicks, preßte sich an Gelbauge, an den Menschen, die Kreatur dieses Sterns, von dem er hier Rettung erhoffte. Als das Buschwerk um sie aufloderte und in glühenden Haufen auf sie niederzufallen begann, riß Gelbauge seine Schwingen auseinander, und mit der letzten Kraft schnellte er sich in die Höhe, schlug mit den Flughäuten durch die rote Lohe und schwang sich mit seiner Last, die wie tot an seinem Hals hing, über das brennende Buschwerk, über die prasselnden Baumspitzen hinweg auf die Felswand. Mit schlagenden Schwingen, umtost vom glutheißen Feuersturm, sprang er von Felskante zu Felskante, trug er Bergen über schmale halsbrecherische Bänder, über kaum fußbreite Grate, von denen ihn bei jedem Schritt die Gewalt des Orkans zu reißen drohte, und hielt nicht inne mit seinem Lauf, bis er auf der rettenden Höhe eines Plateaus unter seiner Last zu Boden fiel.

Vor dem brennenden Wald waren sie gerettet, nicht aber vor der Hitze, die sie auch hier noch umgab, ihnen den Atem nahm und sie zu versengen drohte. Sie rafften sich auf und liefen weiter, bis sie in einer dem Walde abgekehrten Schlucht Unterschlupf fanden. In ihrer Enge war noch die Kühle der Berge. Zu ihren Häuptern über dem engen Spalt aber sahen sie die rot erleuchteten Rauchwolken im Sturm dahinjagen.

Wie lindernden Balsam spürte die versengte Haut die Kühle des Gesteins, atmeten die Lungen die würzige Luft. Sie blieben vor Erschöpfung ohne Bewegung so, wie sie sich hatten hinfallen lassen, um den gemarterten Körpern und Herzen die erste Ruhe zu gönnen.

Bergen sah Gelbauge neben sich hocken, den einfachen Urmenschen. Wie groß war er in dieser Stunde geworden. Es wäre ihm ein leichtes gewesen, und wäre es nicht selbstverständlich gewesen, ohne ihn wie die anderen drei aus dem brennenden Wald zu fliehen? Aber er hatte ihn mitgenommen, hatte unter eigener Todesgefahr das in seinem Zustand der Erschöpfung Aussichtslose gewagt und ihn über die brennenden Bäume getragen. Dies alles hatte er für einen Fremden getan, der nicht einmal seine Gestalt hatte, der ihm so fern stand wie kein Erdenmensch dem anderen. Gab es noch etwas Größeres, als diese Gemeinschaft des Menschlichen zu erleben?

Wie gern hätte er diesem anderen Menschen ein Wort des Dankes gesagt. Er stand auf und nahm die Hand des Freundes in die seine und strich darüber, über diese seltsame, schmale, glatte Hand. Und der andere Mensch lächelte und verstand.

Als Bergen aus dem Erschöpfungsschlaf erwachte, war die Schlucht erfüllt von Brandgeruch. Er fühlte sich zerschunden und elend. Seine Arme und Schultern wiesen Brandwunden auf. Die Füße bluteten, die Schuhe hatte er auf dem Weg durch den Sumpf verloren. Die Basthosen, die er mit soviel Sorgfalt und Mühe geflochten und genäht hatte, waren versengt und zerschlissen. Gelbauge war schon wach. Sie erstiegen wieder das Plateau und wandten sich dann in der Richtung auf das Tal zu. Unter ihnen, wo gestern noch das grüne Gewoge des Waldes geprunkt hatte, dehnte sich jetzt eine schwarze, rauchende Ebene, aus der wie häßliche schwarze Stümpfe die angekohlten Baumriesen ragten. Allenthalben noch glühte und brannte es, und auf der anderen Seite des Tals zog unter mächtigen Rauchschwaden das Feuer den fernen Bergen zu.

Am Moor hatte die Glut haltgemacht. Eine Strecke weit waren auch in ihm die höheren Bäume abgebrannt, am Boden aber im Sumpf war es erstickt.

Wo aber lag der Meteor? Er mußte ganz in der Nähe niedergegangen sein, sonst hätte das Feuer sie nicht so schnell erreicht. Bergen suchte mit den Augen das Tal ab, aber es war nichts zu entdecken. Zudem verhinderten weiße Rauchschleier, die sich wie ein Nebel über den Boden hinzogen, die klare Sicht. Vermutlich war der Meteor beim Aufprall zerplatzt und hatte dadurch den Wald an vielen Stellen zugleich entzündet. Der Himmel war mit einer dichten Wolkendecke überzogen, die sich fast bis auf die Berge senkte.

Der Rückweg, den sie nun begannen, gestaltete sich zu einer schwierigen und mühevollen Kletterei. Unten auf der glühenden Asche war an ein Gehen nicht zu denken. Gelbauge aber war durch die Anstrengungen des gestrigen Tages so erschöpft, daß er seine Flughäute nicht gebrauchen konnte. Sie hielten sich deshalb hart an den Fuß des Gebirges, wo in den vegetationsärmeren Bergwäldern der Brand weniger heiße Asche hinterlassen hatte. Hier folgten sie dem Auf und Ab der Höhenzüge und stiegen nur höher in die Felsen hinauf, wenn noch brennende Waldstrecken ihnen den Weg versperrten.

Bergen litt unter Hunger. Dabei war weit und breit nichts Genießbares zu finden. Gelbauge freilich holte hier und dort aus einem Felsriß unter einem Stein einen fetten Wurm, eine versteckte Echse hervor, um sie mit lautem Schmatzen zu verspeisen. Mit knurrendem Magen sah Bergen ihm zu, aber er wußte, er würde eher verhungern als es fertigbringen, so etwas Widerliches zwischen die Zähne zu schieben. So suchte er sich seinerseits damit zu helfen, daß er von den Gräsern, die er hier und dort in den Felsen fand, die Samen abstreifte und sie im Mund zerkaute.

Die Luft blieb drückend und heiß und voll Brandgeruch. Am fünften Tag sahen sie unter sich den See liegen. Der breite Moorgürtel um ihn war fast ganz vom Feuer verschont geblieben. Die vielen Gebirgsbäche, die von allen Höhen dem großen Urwaldfluß zuströmten, hatten den Waldbrand jedoch nicht aufzuhalten vermocht. Bis weit in die Prärie hinaus hatte er sich fortgesetzt und erst im Bett eines breiten Seitenflusses Halt gefunden.

Am siebten Tag um die Zeit der sinkenden Sonne erreichten sie die heimatliche Schlucht. Zuerst stillte Bergen seinen Hunger, als er in seiner Hütte angekommen war, dann verband er seine und seines Freundes Wunden mit kühlen Blättern, nachdem er sie gereinigt und mit Tierfett eingesalbt hatte.

Er hörte das abendliche Palaver vom Feuerplatz herauf, während er sich benommen von leichtem Wundfieber unruhig auf seinem Lager wälzte. Wenn er die Augen schloß, dann sah er Brand, Brand ...

Es war heiß und die Luft war dumpf in der Hütte.

Die Regenzeit

Es war fünf Tage später.

Die Regenzeit war gekommen. Vielleicht früher und plötzlicher in diesem Gebiet durch die Dunstbildungen des ausgedehnten Waldbrandes. Vielleicht auch traf dieses Ereignis nur zufällig mit dem um diese Zeit fälligen Witterungswechsel zusammen. Wie dem auch war, es regnete jedenfalls seit gestern Nacht, nein, es goß. Bergen mußte den Baukünstlern seine Anerkennung zollen. In den Häusern blieb es trocken, wenigstens vorerst. Man hatte den Regen längst erwartet, und ohne Unterlaß waren die Jäger beider Stämme auf Jagd gewesen, hatten Fleisch eingelagert, Graskörner gesammelt und in jeder Weise Vorratswirtschaft getrieben.

In den ersten Tagen war das ganze Land eine Waschküche. Es hatte schon mehrere Wochen lang nicht mehr geregnet. Auch die Nachtgewitter waren ausgeblieben, und die trockene Hitze des Bodens verwandelte die ersten Niederschläge in Dampf. Diese feuchte Schwüle war schwerer zu ertragen als vorher die trockene Glut. Nach und nach aber trat eine wohltuende Kühle ein, die sich allerdings bald soweit steigerte, daß Bergen des Nachts fror. Er war ordentlich froh, als er endlich seine neuen Bastkleider und Schuhe fertig hatte. An Exkursionen und zielloses Herumtreiben, wie er es so gern getan hatte, war vorderhand nicht zu denken

Nach Verlauf einer Woche waren die Gebirgsbäche zu reißenden Strömen geworden. Die Flüsse traten über die Ufer, und nach wieder einer Woche war das ganze, weite Tal ein einziger See, aus dem nur noch einzelne Höhen wie verstreute Inseln herausragten.

Das Leben im Dorf war fast ganz erstorben. Die Menschen hielten eine Art Winterschlaf und verließen ihr Lager nur noch, um über dem Feuer ihr Fleisch zu braten. Die meisten besorgten das gemeinschaftlich in einer regengeschützten Höhle. Manche aber brieten ihre Mahlzeit in den Hütten. Um diese Zeit sah das ganze Dorf aus, als ob es selbst in Brand geraten wäre. Aus den Fugen und Öffnungen aller Häuser quoll dicker Rauch. Die Menschen hockten hustend und tränend vor den Spießen oder waren damit beschäftigt zu verhindern, daß ihnen das Dach über dem Kopf wegbrannte.

Bergen, der sich an das lange Schlafen nicht gewöhnen konnte, saß nun Tag für Tag über seinem Tagebuch. Er schrieb seine Erlebnisse nieder, angefangen von dem Start auf der Erde, beschrieb mit der sachlichen Genauigkeit des Ingenieurs den ganzen Verlauf des WRS I und arbeitete eine Reihe von technischen Vorschlägen und Verbesserungen aus, die beim Bau eines dritten Schiffes wesentliche Mängel beseitigen sollten. Er war nicht im Zweifel darüber, daß schon das zweite Schiff, das eben jetzt auf der Erde gebaut wurde und auf das er so sehnsüchtig wartete, manche technische Verbesserungen aufweisen würde. Aber sie alle beruhten nur auf Vermutungen und Berechnungen – den Ablauf des Fluges kannte nur er allein. Er allein hatte in Wirklichkeit erfahren, daß das menschliche Wissen über die Gegebenheiten im Weltall noch große, verhängnisvolle Lücken aufwies.

So rechnete niemand auf der Erde damit, daß ein so relativ kleiner Weltkörper, wie dieser Planet es war, von einem Kräftefeld umgeben wurde, das das Vielfache der Erdanziehung betrug. Die magnetischen Kräfte, die von diesem Stern ausstrahlten, erforderten viel wirkungsvollere Abstopp- und Landevorrichtungen. Dafür reichten die Fallschirme, mit denen WRS I ausgerüstet war, nicht aus. Es gab in dem großen Weltenraum so viele Kraftfaktoren, von denen die Erde noch nichts wußte und die erst erforscht werden mußten, sollte ein Flug von Stern zu Stern etwas Sicherem als einem glücklichen Zufall anvertraut sein.

Aber gerade diese Erkenntnisse, die ihm jetzt, da er sie niederschrieb, wieder in ganzer Klarheit zum Bewußtsein kamen, verringerten die Hoffnung auf die Landung eines zweiten Schiffes. Es war vielleicht sinnlos, seine Erfahrungen und Vorschläge festzulegen, denn vielleicht, ja, mit großer Wahrscheinlichkeit würden sie nie ihren Zweck erfüllen, der menschlichen Wissenschaft zu nützen. Und trotzdem tat es Bergen mit der Gewissenhaftigkeit des Forschers, dem es nicht so sehr um den sichtbaren Nutzen zu tun ist, sondern darum, sich selbst über all diese Probleme nüchterne Rechenschaft zu geben.

Acht Wochen dauerte die Regenzeit, hielt sie Bergen in seinem Haus gefangen, das, obwohl es im großen und ganzen der Nässe standgehalten hatte, doch vor Feuchtigkeit triefte, so daß die Bastblätter, auf denen er zeichnete und schrieb, aufquollen und unbrauchbar wurden. Der ganze Raum war erfüllt von dem üblen Geruch der Tierhäute.

Endlich schlossen sich die Schleusen des Himmels wieder. Mit unendlichem Wohlbehagen genoß er die wiedergekehrte Sonne, die sich mit aller Kraft mühte, die klamme Kälte aus der Schlucht zu treiben, das Wasser aus den Wänden und Dächern aufzusaugen und die Felsen abzutrocknen. Langsam verlief sich auch der See im Tal, doch hatten sich die Flüsse und der große Strom darin ein neues Bett gegraben.

Das Dorf erwachte wieder, und das sorglose Leben des unterbrochenen Sommers nahm seinen Fortgang.

Während der letzten Wochen der Regenzeit war bei den Menschen des Stammes Schmalhans Küchenmeister gewesen. Die gesammelten Früchte, das Fleisch und die Samenkörner waren aufgebraucht und Würmer und kleine Echsen hatten für sie schließlich die einzige Kost gebildet. Nicht einmal fliegende Echsen konnten sie erlegen, denn auch sie, die sich sonst in Mengen in der Nähe der Schlucht herumtrieben, waren während der Regenzeit aus der Landschaft verschwunden und schienen in irgendwelchen Verstecken auf die wiederkehrende trockene Zeit zu warten. Für Bergen, der den Genuß von Echsen und Würmern immer noch verschmähte, waren die Mahlzeiten besonders dürftig geworden. Er spürte alle Knochen an seinem Körper, und als die Jäger mit der ersten Beute in das Dorf kamen, da stopfte sich auer, gierig wie die anderen, die halbgaren Fleischstücke in den gehungerten Magen.

Mit der wiederkehrenden Sonne begann er, sich seinem neuen Plan zuzuwenden. Er wollte sich ein Boot bauen und in ihm das Land, auf dem er sich befand, umsegeln. Er hatte geglaubt, daß der niedergebrannte Wald es erlauben würde, gefahr- und mühelos einen fertigen Einbaum an das Meer zu schaffen. Aber wie hatte er sich getäuscht! Von dem Brand war kaum mehr etwas zu sehen. Dichtes, übermannshohes Buschwerk füllte das ganze Waldgebiet von neuem. Nur die schwarzen Baumstämme erinnerten noch an die Verheerungen des Feuers, und auch sie waren zum größten Teil schon wieder belaubt. So schnell und üppig vollzog sich in diesem tropischen Gebiet das Wachstum.

Blieb also nur die Möglichkeit, am Meer selbst einen Einbaum zu zimmern oder auszubrennen. Das Feuer dazu brauchte er nicht mitzunehmen, denn er hatte oft genug gesehen, daß diese Menschen mit Feuersteinen sehr wohl umzugehen wußten, wenn sie auch lieber tagelang auf warmes Essen verzichteten, als sich dieser mühevollen Arbeit zu unterziehen.

Die Herstellung eines Einbaums dünkte Bergen zuerst eine sehr einfache Sache. Er schlug mit Hilfe Gelbauges, der mit ebensoviel Interesse wie Gutwilligkeit an allen seinen Arbeiten teilnahm, einen starken Schachtelhalmbaum um. Er hieb das untere Stück davon ab, und zwar so, daß die beiden Enden durch die massiven Teile eines Zweigansatzes gebildet wurden. Da der dazwischenliegende Teil hohl war, hatten sie, nachdem die eine Hälfte der zähen Rinde entfernt war, das schönste Boot fertig. Leider stellte sich heraus, daß die Bootswände trotz der Mächtigkeit des Stammes nicht widerstandsfähig genug waren, starke Stöße, die sich bei schlechtem Seegang nicht vermeiden lassen würden, auszuhalten. Es blieb also bei der Notwendigkeit, einen massiven Baumstamm auszubrennen. Er wollte ihn im Urwald in der Nähe des Meeres fällen und dann über den Gebirgsstock auf den festen Strand schaffen.

Von seiner Absicht, das Boot gleich im Urwald fertigzustellen, hatte Gelbauge abgeraten, denn die Arbeit daran würde viele Tage dauern, und gerade jetzt, nach der Regenzeit, streifte viel Raubzeug durch den ganzen Wald, das sich in trockenen Zeiten r im Moor aufhielt.

ier Verletzte, die von einer Jagd zurückgebracht wurden, hiel- ergen für die nächste Zeit im Dorf fest. Drei von ihnen hatten Knochenbrüche. Diese Verletzungen ließen sich, da sie nicht lebensgefährlich waren, mit ziemlicher Wahrscheinlichkeit wieder heilen. Dem vierten hatte das in die Enge getriebene Mammut die Schädeldecke zertrümmert. Er starb noch am gleichen Tag, noch ehe er wieder zu sich gekommen war. Den anderen schiente Bergen die gebrochenen Arme und Beine. Die eigentliche Heilung besorgte mehr die Kraft ihrer jungen Natur als seine medizinische Kunst, so daß der eine von ihnen schon bald wieder, etwas unsicher zwar, aber vergnügt und froher Dinge, in die Schlucht hinabflog und von Hütte zu Hütte den Zauber des neuen Medizinmannes kündete.

Signale für WRS II

Nachdem der letzte der drei seine Hütte wieder verlassen konnte, hätte er Zeit gehabt, seine Landumseglung zu verwirklichen. Aber noch gab es etwas Vordringliches zu tun. Er mußte die Signalmasten aufstellen, die im Falle der Landung eines Schiffes dem Suchflugzeug seine Anwesenheit verrieten, und es schien ihm an der Zeit, mit den Vorbereitungen dazu zu beginnen.

Es trennten ihn wohl noch viele Monate von dem Ablauf der zwei Erdenjahre, aber die Arbeit würde ihn lange in Anspruch nehmen. Er wollte auf eine Reihe von Bergspitzen ganz große Fahnen setzen. Das Schälen einer so großen Bastmenge und das Flechten der Tücher würde, selbst wenn ihm viele dabei halfen, lange Zeit in Anspruch nehmen.

Das erste Signal errichtete er versuchsweise auf dem Totenfelsen. Dies war der in der nächsten Umgebung höchste Punkt. Mit Hilfe mehrerer Männer schaffte er einen hohen Schachtelhalmbaum hinauf – er hatte vorher die Astringe entfernt – und klemmte ihn in einen Felsenspalt. An der obersten Spitze befestigte er das Flechtwerk. Auf den Felsen selbst aber malte er mit dem weißen Zement, mit dem die Planetenmenschen ihre Hauswände bestrichen, einen an die hundert Meter langen Pfeil, der in die Richtung auf die Schlucht hinzeigte, und schrieb daneben »Peter Bergen«. Die Farbe würde in der Sonne erhärten. Er sah ja an den Hütten, daß sie viele Regenzeiten überdauerte.

Hier, in unmittelbarer Nähe des Dorfes, war das Werk schnell getan. Schwieriger und zeitraubender gestaltete es sich, die Richtungszeichen auf entfernteren Gipfeln aufzustellen. Vierzehn Tage und länger war Bergen mit seinen Begleitern dazu unterwegs. Es war Proviant mitzunehmen, die schwere Bastfahne, und der Behälter mit der weißen Farbe mußte getragen werden. Ihr Weg führte durch ausgedehnte Wälder, über schwer passierbare Gebirgsstrecken, aber so sehr er sonst den Gefahren aus dem Weg ging, hier mißachtete er sie und verfolgte mit verbissener Energie sein Ziel. Zwar ließ er jede Nacht, die sie im Urwald verbringen mußten, Feuer schlagen und hielt rings um das Lager einen brennenden Ring. Dies ermöglichte überhaupt erst die oft viele Tage dauernde Durchquerung dieser gefährlichen Dickichte. Trotz aller Vorsichtsmaßregeln aber verlor er im Verlauf dieser schwierigen Aufgabe vier seiner Helfer. Zwei fielen im Sumpf den Molchen zum Opfer, einer ertrank in den Fluten eines Gebirgsflusses, der vierte wurde unter den Säulen eines riesenhaften drachenartigen Tieres zerstampft, als er mutwillig versuchte, es allein anzugreifen.

War eine neue Fahne gesetzt, so blieb er wieder wochenlang im Dorf, um nach Verletzten und Kranken zu sehen und neue Basttücher zu flechten. Verging doch keine Jagd, ohne daß mehrere Schwerverletzte zurückgebracht wurden.

Dadurch zog sich die Aufstellung der vielen Masten – er hatte zwanzig Punkte dafür ausgesucht – sehr in die Länge.

Nun kam von neuem die Regenzeit und setzte der Arbeit vorerst ein natürliches Ende. Sieben Signale standen. Es war also noch viel zu leisten.

Sogleich nach ihrer Beendigung stieg er mit Gelbauge auf den Totenfelsen. Schon von weitem leuchtete ihm der weiße Pfeil entgegen. Der starke Regen hatte ihn nicht weggespült. Auch der Schachtelhalmstamm stand kerzengerade, wie er ihn in die Felsspalte gekeilt hatte. Nur die Bastfahne hatte etwas gelitten. Sie war an ihrer unteren Kante ausgefranst.

Bis sich das Wasser im Tal verlaufen hatte, mußte er noch warten. Dann nahm er, begleitet von sechs Männern, die schwere Arbeit von neuem auf.

Er färbte jetzt die Basttücher mit einem gelbroten Saft, den er aus Früchten gewann. Dadurch wurden die Fahnen auf noch weitere Entfernung erkennbar.

Die fünfte Regenperiode während seines Aufenthalts auf dem Planeten war beendet. In einem Umkreis von dreißig Kilometern standen die Signalmasten mit den weißen Pfeilen, die alle in Richtung der Schlucht deuteten. Ein Flugzeug, das über sie hinwegflog, mußte auf sie aufmerksam werden. Selbst aus großer Höhe würden die leuchtenden, wehenden Fahnen und weißen Pfeilbänder zu sehen sein.

Jetzt begann die Zeit, da Bergen zu warten anfing. Schon damit, daß er begonnen hatte, die Signale zu setzen, war seine Ruhe und Ausgeglichenheit, die er in den Monaten seines Aufenthaltes im Dorf zurückgewonnen hatte, verschwunden. Eine immer mehr wachsende Unruhe bemächtigte sich seiner. Hatte sein Denken sonst mehr den Aufgaben des Tages, seiner Umwelt gegolten, so war sein Herz nun wieder voll von Erdgedanken, und mit jeder Woche, die er sich dem zweiten Jahresende näherte, wuchs seine Ungeduld und sein Heimweh.

Es nutzte nichts, daß er sich immer wieder selbst zur Vernunft rief, sich immer von neuem die Unwahrscheinlichkeit, ja Unmöglichkeit einer Schiffslandung auf seinem Stern vor Augen führte. Die Sehnsucht des Herzens war stärker und verdrängte alle nüchternen Überlegungen des Gehirns.

Die Sonne ging auf über dem Tag, an dem er in seinen Kalenderstab die letzte Kerbe des zweiten Erdenjahres schnitt.

Er hatte sich wieder ein neues Bastkleid geknüpft, dünner und leichter als die ersten. Das wollte er anziehen, wenn das Schiff kam. Sein Tagebuch lag abgeschlossen und bereit, es mitzunehmen. Den Mann Peter Bergen hatte die Sehnsucht wieder zum Kind gemacht.

Die ersten Wochen und Monate war er ganz voll Erwartung. Ach, wie unwichtig waren ihm nun die Wünsche und Sorgen der Menschen, unter denen er lebte. Er würde wieder zurückkehren in die Gemeinschaft der Brüder und Schwestern, die seine Gestalt trugen. Diese zwei Jahre würden eine Episode gewesen sein, ein schönes, einzigartiges Erlebnis. Er würde auf der Erde wieder da anknüpfen, wo sein Leben abgerissen worden war. Arbeiten würde er wieder, und erfinden. Unter Menschen würde er wieder leben, die so aussahen, so dachten wie er, wieder in einem richtigen Haus wohnen, in einer richtigen Stadt mit Straßen und Autos und Bahnen und elektrischem Licht. Wie würde er sich wohl fühlen in der Gepflegtheit des zivilisierten Erdenlebens.

Gelbauge und das Mädchen ahnten nicht, was in Bergen vorging. Sie sahen nur, daß ihr Freund sich nicht mehr um sie kümmerte, daß er, der immer Geschäftige, nun tatenlos allein saß und fortging, wenn sie kamen.

Peter Bergen, du wartest vergebens! Das zweite Weltraumschiff, auf das du hoffst, hat längst seinen Weg in den Weltenraum angetreten, schon Monate, bevor du deine letzte Kerbe in den Ast schnittest. Aber es war ein glücklicheres Schiff, und es hat sein Ziel erreicht. Den Weg zu dir, Peter Bergen, wie sollte es ihn finden?

Lange wollte er nicht glauben, daß seine Hoffnung vergebens war, daß unter den ungezählten Möglichkeiten, die es gab, die eine einzige nicht eingetreten war.

Noch immer suchte er sich zu trösten: Vielleicht war das Schiff noch nicht fertig, vielleicht aber war es schon irgendwo auf diesem Stern gelandet, und das Suchflugzeug konnte jeden Tag auftauchen.

Nur um die Mahlzeiten einzunehmen, ging Bergen noch unter die Menschen. Sonst saß er in dumpfem Brüten in seinem Haus oder verkroch sich in irgendeine Felsenecke und starrte gegen den Himmel. Aus dem tatenlustigen, lebensfrohen Bergen wurde von Woche zu Woche mehr ein gebrochener Mann, der keinen Weg mehr weiterwußte, dem das Leben wertlos erschien.

Er sah in den Menschen, unter denen er leben mußte, wieder nur ihm fremde, tierhafte Wesen, mit denen ihn nichts verband. Er wollte endlich fort von diesem Stern, auf dem die Menschen häßliche Fluglappen am Körper trugen, auf dem noch die scheußlichen Urwelttiere, die Echsen, Nattern und Drachen, Wasser und Land beherrschten, er wollte heim, heim!

Und dann, als Monate verstrichen, ohne seine Sehnsucht zu erfüllen, da wandelte sich seine Enttäuschung in ohnmächtige Wut. Auf dem Totenfelsen hieb er das Signal um, den Schachtelhalmbaum, an dem nun gebleicht und halb zerfetzt die Bastfahne hing. Mit schwarzem Lehm überstrich er den Pfeil, der den Menschen der Erde den Weg zu ihm hätte zeigen sollen, und begrub damit auch in seinem Herzen die letzte Hoffnung.

Es war ein Wahnsinn von ihm gewesen, an die Landung eines

Schiffes, an die Möglichkeit einer Rückkehr zu glauben. Wer so verschlagen war wie er, für den gab es kein Zurück. Eher hätte man ein Samenkorn im Meer suchen und finden können als ihn auf diesem Stern in der Weite des Weltraums.

Noch einmal in den Nächten, in denen er die Qualen der Einsamkeit durchlebte, dachte er an den Revolver und an eine Erlösung durch ihn.

Dann raffte er sich auf und schrieb den letzten Satz in sein Tagebuch, um wie mit einem Richterspruch das Gesetz seines zukünftigen Lebens zu besiegeln:

»Bis heute, fünfzehn Monate nach dem zweiten Erdenjahr, die ich auf diesem Planeten lebe, habe ich auf eine Rückkehr zur Erde gehofft. Auf dem Totenfelsen habe ich diese Hoffnung für immer begraben.«

Trotz der Mannhaftigkeit, mit der er seinen Entschluß in der Folge durchführte und jeden Gedanken an die Erde in seiner Seele unterdrückte, trotz des Eifers, ja Übereifers, mit dem er sich wieder ganz den Aufgaben seiner Umgebung, des Alltags widmete – er folgte den Männern auf die Jagd, zeigte Gelbauge und dem Mädchen, wie man aus Ton Schalen formte und zu wasserfesten Töpfen brannte, ja, er plante, sich eine größere Hütte zu bauen –, gesundete seine Seele nur langsam, blieb er stiller und wollte der Frohmut und die alte Lebensfrische nicht wiederkehren. Irgend etwas in ihm schien zerbrochen.

Aber auch körperlich fühlte sich Bergen müde. Es passierte, daß ihn am hellen Tage Übelkeit überfiel, daß er nachts in Schweiß gebadet aufschreckte, daß Angstträume seinen Schlaf erfüllten.

Er nahm sich vor, nun endlich, da ihn nichts mehr hinderte, den Einbaum zu bauen und das Land zu umsegeln. Aber es fehlte ihm die Entschlossenheit, es fehlte ihm die Kraft, die Ausführung des Plans zu beginnen.

In den ersten Monaten, während deren diese seelische Verzagtheit und körperliche Müdigkeit an ihm zehrten, hielt er dies für Folgen der schweren, inneren Erschütterung, hervorgerufen durch die Enttäuschung. Als aber das Jahr sich erneuerte, ohne ihm die alte Tatkraft und Lebensfreude wiederzugeben, da war er überzeugt, daß das Klima des Planeten oder dessen Kraftströme seine Gesundheit zerrütteten und ihn langsam vernichteten.

Eines Morgens fühlte er sich so elend und krank, daß er sein Lager nicht mehr verlassen konnte. Ein schleichendes Übel hatte ihn befallen. Das Fieber brannte in seinen Adern, seine Haut überzog sich mit einem nassen, ekelerregenden Ausschlag. Der Magen verweigerte jede Nahrung, nur Durst hatte er, Durst . . .

Peter Bergen schloß ab mit seinem Leben. Er war nicht traurig, daß er sterben mußte, er hatte viel erlebt in diesen drei Planetenjahren, mehr als andere Menschen, die hundert Jahre alt wurden. Ein großes Geschenk hatte er vom Schicksal empfangen, und wenn er nun starb, so starb er nicht arm und sein Leben war nicht leer gewesen.

Aber er war unglücklich, daß sein Körper so verfiel. Er hatte die Empfindung und die Angst, bei vollem Bewußtsein zu verwesen. Ihn ekelte vor sich selbst.

Gelbauge und das Mädchen wichen nicht mehr von seinem Lager. Sie lebten in seinem Haus und einer von ihnen hockte immer, ob Nacht oder Tag, bei dem Kranken, um ihm Wasser einzuflößen oder ihm sein Lager bequemer zu machen, wenn er stöhnte unter der Last seines eigenen Körpers.

Gegen Abend des 21. Tages, nachdem Bergen sich niedergelegt hatte, begann das Fieber zu weichen. Es kam eine erlösende Mattigkeit über ihn. Dann schlief er ein.

Er schlief die Nacht und den Tag und wieder die Nacht. Hätte Gelbauge nicht seinen Atem gehört, der nun in ruhiger Gleichmäßigkeit die Brust des Kranken hob und senkte, er hätte ihn für tot gehalten.

Als Bergen erwachte, sah er um sich. Die Wände des Raumes, in dem er lag, schwankten nicht mehr, die Gegenstände, die beiden Menschen, die vor seinem Bett hockten, die Stützen und Balken bogen sich nicht mehr hinter weißen Nebelschleiern in seltsamen Verrenkungen. Er sah jedes Ding wieder klar und so, wie es war.

Er setzte sich auf und verlangte zu essen. Als er den Duft der Vanillefrucht roch, als er in hungrigen Bissen das köstliche Fruchtfleisch schlürfte, da glaubte er, daß er wieder gesunden würde.

Das Fieber, das er so fürchtete, das ihm den klaren Blick, den Geist verwirrte, kam nicht wieder.

Auch seine Haut, die von tausend schwärenden Wunden zerfressen war, begann wieder zu heilen. Er fühlte mit der Genesung seines Körpers neuen Mut in seine Seele strömen, konnte sich wieder darüber freuen, daß die Sonne über der Schlucht aufging, lauschte in stiller Versonnenheit dem Geräusch des Dorfes, das an sein Lager drang, und dann war es eines Tages soweit, daß er wieder vor seiner Hütte saß und ruhigen Gemütes auf das Getriebe der Schlucht hinabsah.

Metamorphose

Er war dem Leben neu geschenkt. Vor der Krankheit lagen die Monate des Wartens auf die Rückkehr zur Erde, die Angst, die Verzweiflung. Jetzt gehörte er wieder diesem Stern. Seine Sinne begannen aufs neue Gefallen zu finden an den zyklopischen Formen der Berge, an der heroischen Szenerie der weiten offenen Landschaften, und sein Herz wandte sich wieder dem Leben und Treiben der Menschen zu.

Die aber empfingen ihn wie einen Neugeborenen. Oft geschah es, daß einer oder der andere von ihnen plötzlich neben ihm saß, wenn er irgendwo in den Felsen still lag und sich von der frühen Sonne bescheinen ließ, oder wenn er des Mittags in der Kühle eines Baumschattens ruhte. Sie erzählten ihm in der Einfachheit ihrer Zeichensprache die Dinge, die ihnen wichtig waren, oder saßen ohne sich zu regen neben ihm und sahen wie er in die Ferne und schienen sich zu freuen, bei ihm zu sein. In dieser Zeit vollzog sich mit Bergen etwas so Seltsames, so Unglaubliches, daß es ihm lange Zeit unfaßbar erschien.

Einmal schon auf diesem Planeten hatte ein plötzliches Geschehnis seinem Denken und Wünschen, ja seinem Schicksal einen vollständig neuen Weg gewiesen. Das war damals gewesen, als er, da er allein auf diesem Weltkörper zu sein glaubte, die kleine Pfeilspitze fand, die ihn in der weiteren Folge der Ereignisse zu den Menschen und in ihre Stadt führte.

Dieses Neue aber, das nun eintrat, das sich langsam, kaum beachtet zuerst, aber unaufhaltsam vollzog, war unvergleichlich einschneidender in sein ganzes Dasein.

Es begann damit, daß er an der Hand und vor allem zwischen den Fingern einen von Tag zu Tag zunehmenden Juckreiz spürte. Er hielt es für einen Heilungsprozeß seiner Haut, die sich nach der Krankheit nun wohl wieder erneuerte. Eines Tages aber mußte er feststellen, daß sich an den Fingerwurzeln flache, warzenartige Gebilde ansetzten, die sich immer weiter vorschoben und allmählich zu zusammenhängenden Hautlappen wurden.

So befremdend Bergen dies auch erschien, dachte er dabei doch immer noch nicht an einen absonderlichen Vorgang. Wohl hundertmal am Tag sah er seine Hände an, befühlte das »wilde Fleisch«, wie er es nannte, und stellte fest, daß es nicht schmerzempfindlich war. Er konnte hineinkneifen, ja, selbst wenn er hineinstach, tat es nicht weh.

Der Juckreiz an diesen Stellen verschwand, trat aber dafür an den beiden Armen auf, und zwar über eine Linie, die vom Knöchel des Handgelenks ausgehend, sich über die ganze untere Armseite hinauf bis in die Achselhöhle zog. Dort war das brennende Jucken am stärksten, und dort beobachtete er auch bald dieselben Erscheinungen, wie sie zwischen den Fingern aufgetreten waren: Kleine, flache Warzen wuchsen aus der Haut, vergrößerten sich von Tag zu Tag und schlossen sich zu einer den Brustkorb mit dem Arm verbindenden dehnbaren Hautfläche.

Bei Tage, wenn er sich allein glaubte und wenn er des Nachts schlaflos auf seinem Lager saß, befühlte er diese eigenartigen Auswüchse und grübelte darüber nach. Er dachte an eine unbekannte Krankheit, die ihn befallen haben könnte. Vielleicht war es eine Einwirkung des tropischen Klimas, an das er als Mensch der gemäßigten Zonen nicht gewöhnt war.

Eines Nachts aber, mitten aus dem Schlaf heraus, durchfuhr ihn eine Vermutung, die ihm im ersten Augenblick so unheimlich erschien, daß er gar nicht weiter daran zu denken wagte. Nein, was er da dachte, waren Hirngespinste, Ausgeburten einer überreizten Phantasie. Das Fieber mußte noch in ihm nachwirken und erzeugte solch abwegige Vorstellungen.

Aber so sehr er sie auch abtun wollte, sie ließen ihn nicht mehr los. Immer öfter befielen ihn diese angstvollen Ahnungen. War so etwas überhaupt möglich? Gab es das in der Welt? Aber wenn ihm sein Verstand auch hundertmal sagte: Du leidest an Wahnvorstellungen, das, was er betasten und mit den Augen sehen konnte, war beweiskräftiger als die Beruhigungspillen, die ihm Vernunft einzugeben versuchte.

Es war nicht mehr wegzuleugnen. Sein Körper begann sich zu verändern, seine alte Gestalt zu verlieren und sich in die eines Planetenmenschen umzuformen.

Die monatelangen Depressionszustände, körperlichen Ermüdungserscheinungen und die sich anschließende, fieberhafte Erkrankung waren der Einleitungsprozeß, waren schon Zeichen der inneren Umbildung des Organismus gewesen, der nun auch die sichtbare des äußeren Körpers folgte.

Wohl hatte Bergen abgeschlossen mit der Erde, war bereit, auf diesem neuen Stern sein Leben zu leben und zu beschließen. Aber als Mensch der Erde!

Und nun nahm ihm der Planet, die in ihm wirkenden Kräfte, seine menschliche Gestalt.

Es war noch einmal eine schwere Krise, eine starke seelische Erschütterung, die er durchmachen mußte, bis er sich in das Unvermeidliche gefügt, bis er sich abgefunden hatte mit dem Gedanken, aufzuhören, ein Erdenwesen wie bisher zu sein und ein Mensch dieses anderen Weltkörpers zu werden.

Ob dabei auch mit seiner Seele eine solche Veränderung vorgehen würde, ob auch sie gezwungen würde, denken und fühlen zu lernen wie diese Geschöpfe? Davor hatte Bergen noch mehr Angst.

Häufiger noch als sonst beschäftigte er sein Gehirn mit philosophischen Gedanken, rechnete, konstruierte auf den Bastblättern Maschinenteile, um immer wieder nachzuprüfen, ob das abstrakte Denken, ob sein Scharfsinn noch funktionierten.

Während aber die Wucherungen an seinem Körper von Woche zu Woche fortschritten, ja, schon begann auch seine Haut sich grünlich zu färben, blieb sein Geist kritisch und klar wie vorher. Mit der weiterschreitenden Zeit beobachtete er am ganzen Körper überall da, wo die Planetenmenschen anders gebildet waren als er, Knorpelbildungen. Das Wachstum schien von Tag zu Tag rascher vor sich zu gehen.

Hatte er bis jetzt jede weitere Veränderung mit Sorge und Schrecken wahrgenommen, so fing er nun an, sie mit Interesse zu beobachten und zu verfolgen.

Von den Achselhöhlen ausgehend schob sich eine Verbindungshaut zwischen den Armen und dem Körper immer we... vor. Über das ganze Rückgrat hin wuchsen flossenartige Ge...

Die Füße formten sich um, und die ganze Körperhaut von der Brust über die Schenkel bis zu den Knöcheln fing an, grünlich glatt und glänzend zu werden und Schuppen zu bilden. Die Fingernägel wurden schmal und krallenförmig, und eines Tages begannen auch die Kopfhaare auszufallen. An ihrer Stelle wuchsen ihm perlmuttglänzende Fasern aus der Kopfhaut. Kurze Zeit später wurden auch die Barthaare spröde und brachen ab.

Bis jetzt hatte er durch die Bastkleider und Schuhe seine körperlichen Veränderungen vor der Umwelt verdecken können. Das Verschwinden der Kopf- und Barthaare war jedoch allen offensichtlich, und das Erstaunen und die Neugierde, mit der sie ihn betrachteten – ja, er stellte fest, daß sich einige vor ihm fürchteten und ihm aus dem Wege gingen –, brachten ihn zu dem Entschluß, sich für länger aus dem Dorf zu entfernen.

Es war jetzt die gegebene Zeit, um den alten Plan der Landumseglung auszuführen. Er konnte sich ausrechnen, wann die Umbildung seines Körpers beendet sein würde, wenn die Wucherungen und Verwachsungen im gleichen Tempo fortschritten. So lange wollte er fortbleiben und dann als neuer Mensch, als ein Wesen ihresgleichen wieder zurückkehren.

Zum Fällen und zum Transport des Baumstammes würde er zehn Männer mitnehmen, die er dann später bis auf Gelbauge wieder zurückschicken wollte. Sein Freund allein sollte bei ihm bleiben und ihm helfen, den Stamm auszubrennen, das Boot seefertig zu machen, und er allein sollte ihn auf der Fahrt begleiten.

Er versammelte die Männer im Beratungshaus und bedeutete ihnen, daß er das Dorf für so viele Tage verlassen werde, wie die Leiter zum Totenhaus Sprossen habe, daß sie aber bis zu seiner Rückkehr weder eine Feindschaft beginnen, noch einen aus den beiden Städten töten dürften. Dann verließ er mit den ausgesuchten Begleitern die Schlucht und schlug mit ihnen den Weg zum Meer ein.

Die Landumseglung

unweit des Meeres, dort, wo der hohe Urwald anfing, in das orbuschwerk überzugehen, fällten sie den angekohlten Stamm alten Vanillefruchtbaums und hieben davon ein gut zehn

Meter langes Stück ab. Den Transport über den Gebirgsstock vollzogen sie auf die Weise, daß sie, von einer Felskante zur anderen hinauffliegend, ihn jeweils an dicken Bastseilen nachzogen. Auf der Strandseite ließen sie ihn einfach in den Abgrund fallen. Dann ließ Bergen von den Männern Stangen und Äste nachbringen, die er für die Ausrüstung des Bootes und zum Bau einer kleinen Hütte brauchte, die ihn und Gelbauge für die Dauer der Herstellung des Bootes beherbergen sollte. Schließlich, nachdem sie ihm den notwendigen Bast für die Segel geschält hatten, schickte er sie am siebten Tag nach Hause.

Es waren friedvolle Tage und Wochen, in denen er mit Gelbauge den Stamm ausbrannte. Er begann damit, daß er mit dem Beil aus dem Stamm eine flache Höhlung heraushieb. Darauf entzündete er Holzspäne und dürres Reisig – später verwandte er dazu Holzkohle, die er sich in primitiven Meilern brannte –, so daß durch das glimmende Feuer die darunterliegende Holzmasse langsam verkohlte. Um die Seitenwände, die als Bootswände stehenbleiben sollten, nicht mitzuverbrennen, bestrich er sie auf der inneren Seite mit nassem Lehm.

Da das Feuer allein seine Arbeit tat und sie nur darauf achten mußten, daß die Glut nicht verlösche, blieb ihnen unterdessen Zeit genug, Taue zu drehen, die Segel zu flechten und was sonst noch an Arbeiten für das Boot zu tun war. Er bastelte aus den zähen Ästen der Schachtelhalme einen Ausleger, baute ein Sonnendach und richtete einen jungen Stamm als Mastbaum zurecht.

Als endlich die Höhlung des Bootes ausreichend erschien, glättete er mit Beil und Messer die Innenwände. Gelbauge half ihm dabei mit seinem Muschelbeil. Im vorderen Drittel des Bodens brannte er ein Loch und befestigte darin den Mastbaum, den er mit vier Haltetauen am Bootskörper sicherte. Durch eine Schlinge aus Basttau an der Spitze des Mastes konnte man das Segel hochziehen und niederlassen.

Dann kam der Tag, an dem sie mit vereinten Kräften den Einbaum ins Wasser zogen. Die Flut, auf die sie sich verlassen hatten, war dabei nur ein geringer Helfer, denn die Gezeiten waren unregelmäßig und in diesen Tagen nur so gering, daß ihre Unterschiede kaum in Erscheinung traten. Sie mußten deshalb erst die Steine und den Kies um den Bootskörper herum entfernen und eine Mulde zum Meer graben, in die dann das Wasser eindra und ihnen den Stapellauf erleichterte.

Nun galt es noch, für Lebensmittel und Trinkwasser für die Fahrt zu sorgen. Bergen hatte gehofft, eine der großen Schildkröten erlegen zu können, die sie bei ihrem ersten Besuch am Strand vorgefunden hatten. Aber die Tiere hatten den Platz, der ihnen zu unruhig geworden war, verlassen. Also mußten sie noch einmal in den Urwald zurück, um dort Mundvorrat für mehrere Tage zu sammeln, denn es war ungewiß, wo und wann sie wieder an Land gehen konnten. Trinkwasser war leicht zu beschaffen, denn das Gebirge führte allenthalben genug Süßwasserbäche. Sie füllten mehrere Schachtelhalmgefäße und banden sie mit Blättern zu, um bei den unvermeidlichen Schwankungen des Bootes das kostbare Naß nicht zu verschütten.

Es war eine glückliche Stunde für Bergen, als sie eines frühen Morgens ihr Boot bestiegen, um die große Fahrt zu beginnen. Er kannte zwar von der Seefahrt nicht viel mehr, als eine Landratte schlechthin davon weiß. Seine Kenntnisse in der Handhabung der Segel, die er sich als Junge in seiner Heimat auf dem Starnberger See erworben hatte, hatten damals eben ausgereicht, um bei normalem Wind von Starnberg nach Seeshaupt und zurück zu kommen. Er setzte deshalb seine ganze Hoffnung auf den Ausleger. Er mußte die fehlenden Kenntnisse ersetzen und das Boot vor dem Kentern bewahren.

Mit den Rudern, die Bergen geschnitzt hatte, schoben sie sich aus dem Windschatten der Bucht auf die Brandung zu. Die packte und überschüttete sie im Nu mit einer Sturzwelle nach der anderen. Das Boot schwappte bergauf und talab. Aber schon bei dieser ersten Kraftprobe zeigte es sich von der besten Seite. Der Ausleger erfüllte, was er von ihm erwartete und brachte den Einbaum ungekentert durch das Auf und Ab und den Strudel der Brandung. Als sie das donnernde Getöse und die Gischt der sich überstürzenden Wellen hinter sich hatten, schaufelten sie zuerst ihr Boot leer. Dann kam der große Augenblick, da er das Segel setzen konnte.

Sie lagen vor dem Wind. Die Brise faßte sie, und langsam setzte sich der schwerfällige Einbaum in Fahrt.

Gelbauge tat ihm leid. Die helle Angst stand ihm im Gesicht. Das Meer war für diese Planetenmenschen etwas Erschreckendes, a Bereich, der allein den großen Tieren des Wassers und dem

Wind gehörte. Krampfhaft hielt er sich am Mast fest, und bei jeder Welle, die sie erfaßte und in die Höhe hob, krächzte er jämmerlich vor Entsetzen.

Bergen aber hätte jubeln mögen! Wieder war ihm, allen Schwierigkeiten zum Trotz, ein Werk gelungen. Ohne richtiges Werkzeug, nur mit Beil, Messer und Feuer – und ohne eigentliche Sachkenntnis und Erfahrung – hatte er dieses Boot zustandegebracht. Er fühlte sich wie ein König.

Gemächlich schob sich die Bucht an ihnen vorbei. Sie umfuhren den Felsen, der, sich in das Meer hinausschiebend, diese abschloß.

Mit einem Ruck riß Bergen das Steuer herum. Noch im rechten Augenblick hatte er die Gefahr erkannt, in die er um ein Haar in seiner ersten Kapitänsseligkeit hineingesegelt wäre. Eine Herde Saurier trieb sich dicht vor ihnen im Wasser herum. An eine solche Begegnung hatte er nicht gedacht. Wenn es nun zu einem Zusammenstoß mit einem der Tiere gekommen wäre? Dann hätten die Fahrt und wahrscheinlich auch sie beide ein schnelles Ende gefunden. Es gelang Bergen im letzten Augenblick, dem Fahrzeug eine andere Richtung zu geben. Nun glitt es in respektvoller Entfernung an der im nahen Moor äsenden und sich im Wasser tummelnden Herde vorbei.

Die Tiere nahmen keine Notiz von dem seltsamen Fisch, der da an ihnen vorüberzog.

Es zeigte sich hier schon die erste gute Seite des Seeweges. Sie konnten das Land vom Wasser aus erkunden und die Stellen, die von Sauriern und anderen gefährlichen Tieren bewohnt waren, von vornherein meiden.

Bergen hatte bei dem unerwarteten Auftauchen der von ihm so gefürchteten Kolosse auf das offene Meer hinausgehalten. Die zahlreichen Wasserfontänen aber und die dunklen Fischleiber, die dort allenthalben aus dem Wasser tauchten, waren ihm eine Warnung, den Abstand vom Land nicht zu groß zu halten. Diese Wasserbewohner, von denen er nicht wußte, ob sie harmlose Riesen oder gefährliche Raubtiere waren, konnten dem kleinen Fahrzeug auf alle Fälle gefährlich werden, denn wenn eine dieser lebenden Inseln unvermittelt unter ihnen auftauchte und sie in die Luft hob, dann nützte ihnen auch der Ausleger nichts. Also hielt er sein Boot so gut es ging in der Mitte zwischen den Sauriern un sprühenden Fontänen.

Allmählich, da das Boot in ruhiger Stetigkeit von Welle zu Welle schaukelnd seinen Weg nahm, beruhigte sich Gelbauge und hockte, in sein Schicksal ergeben, still neben Bergen.

In den Wochen, in denen Bergen mit seinem Freund an dem Einbaum gebaut hatte, war die Umbildung seines Körpers weiter fortgeschritten. Bis zu den Ellbogen spannte sich schon eine matt-grünliche Haut. Die Perlmuttfasern bedeckten das ganze Haupt, aus dem die Haare gänzlich ausgefallen waren, vor allem aber war die Rückenflosse bereits so kräftig entwickelt, daß sie durch den dicken Bastmantel fühlbar wurde.

Er hatte es in den Wochen, da sie am Boot gearbeitet hatten, trotz der großen Hitze ängstlich vermieden, die Kleider abzulegen. Allmählich aber begann das Tragen des Mantels ihm unangenehm zu werden. Es war aber vor allem eine andere Erscheinung, die ihn bestimmte, Gelbauge sein Geheimnis zu enthüllen. Er spürte schon seit vielen Tagen immer deutlicher – in Augenblicken, in denen er durch irgendeine Überraschung, durch Schreck oder Freude erregt wurde – ein Beben in seinen werdenden Rückenflossen und der sich bildenden Flughaut. Seine Wandlung hatte also schon einen Grad erreicht, der ihn bereits zu einem Artgenossen der Planetenmenschen machte.

In einer Stunde ruhiger Fahrt, während das Boot gemächlich an der Küste vorüberglitt, zeigte er Gelbauge die Veränderungen, die sich an seinem Körper vollzogen hatten.

Die Wirkung war stärker, als er erwartet hatte. Erst rührte sich der Mensch nicht vor Staunen, dann begann er an allen Flossen zu zittern. Er fiel vor Bergen auf die Knie, tastete über seine Beine, über die Haut, die nun zu einem hellgrünlichen Schuppenkleid geworden war. Er strich scheu über die Flughäute und dabei kam aus seinem Munde immer wieder ein und derselbe Laut.

Was mochte es sein, was er sprach? Der Ton saß tief hinten in der Kehle. Ohne es eigentlich bewußt zu wollen, wiederholte Bergen den Laut, doch mitten im Ansatz stockte er. Aus seinem Munde kam derselbe Ton. Hatte er, der Stumme, gesprochen? Ein Zittern überfiel ihn vor Schreck und Freude. Bis in die äußersten Spitzen der Rückenflosse, der Flughäute, fühlte er sich erbeben. Wieder und wieder formte er das Wort. Gelbauge, der es hörte, geärdete sich wie toll. Noch nie hatte er ihn so gesehen. Er sprang auf, entfaltete weit seine Flughäute und spannte sie wie Segel im Wind. Der Fremde konnte seine Sprache sprechen. Ihm waren Flughäute gewachsen, wie er sie hatte. – Er griff mit den Händen ins Meer und übersprühte sich mit Wasser, weil er in dem engen Raum keinen Platz, keine andere Möglichkeit fand, seiner Freude Luft zu machen.

Bergen aber liefen heiße Schauer über den Rücken vor dem Neuen in ihm, vor dem Wunder, das an ihm geschehen war. Nun war auch das letzte Hemmende gefallen, das ihn von diesen Menschen trennte. Jetzt gehörte er zu ihnen.

Mit dem ganzen Feuereifer seiner Art gab er sich noch in der gleichen Stunde daran, sprechen zu lernen. Er versuchte all das nachzureden, was Gelbauge ihm vorsagte. Das Wort, das dieser als erstes geformt hatte, schien den Begriff des menschlichen Wesens zu bezeichnen. »Mensch«, hieß es. »Du bist ein Mensch wie wir.« Dann lernte er die Worte für das, was sie um sich sahen, für die Dinge des Alltags. Er hatte sie schon hundert und tausendmal gehört. Er kannte sie, ja, er wußte von vielen den Sinn, nur sprechen hatte er sie nicht können, nicht nur, weil er bisher stumm gewesen war, sondern weil diese Laute von dem Sprachorganismus des Erdenmenschen nicht gebildet werden konnten. Es war, als wenn sich plötzlich in seinem Kehlkopf etwas gelöst hätte. Er konnte die neuen Worte formen, konnte aussprechen, wie von diesen Menschen die Berge genannt wurden, die Früchte des Waldes, die Tiere, der Himmel, das Wasser, das Meer, die Steine. Das Land lernte er benennen, und Pflanzen und Bäume, Bergen war ein lernbegieriger und gelehriger Schüler.

Freilich, manche Ausdrücke bildeten sich nicht gleich, wenn er sie auszusprechen versuchte. Aber er ließ nicht ab, immer wieder von neuem zu üben, und der Freund wurde nicht müde, ihm die Laute immer wieder vorzusprechen.

Den ganzen Tag über begleiteten sie die gleichen Bilder der Landschaft. Schmale, baumlose Ufer, hinter denen kahle oder bewaldete Berge aufstiegen, wechselten mit jäh ins Meer fallenden Felswänden. Dann wieder folgten Urwälder, die sich in einem breiten Moosgürtel ins Meer senkten.

Jedesmal wenn in der Ferne die ersten Baumwipfel eines Waldes in Sicht kamen, steuerte Bergen das Boot auf die offene S hinaus, denn an keinem Wald, an keinem Moor fuhren sie vorbei, vor dem nicht die schwarzen Leiber der Saurier, der Schaufelmastodonten und andere schauerlich anzusehende Tierarten ihr Unwesen trieben. Das Meer aber, wenn sie den Blick seewärts richteten, war erfüllt von zahllosen Fischkolossen, die mit ihren breiten Rücken oder ihren langen Hälsen aus den Wellen tauchten oder in weißen Fontänen das Wasser in die Luft schleuderten. Leider wurde nie eins von ihnen in seiner ganzen Gestalt sichtbar.

Einige Male beobachtete er auch, daß lange dunkle Schatten am Boot entlangglitten. Aber es ließ sich nicht ausmachen, welcher Art sie waren, ob es große Fische oder Amphibien aus den nahen Sümpfen waren. Jedenfalls ließen sie das Boot unbelästigt, so daß sich Bergen durch ihre Begleitung bald nicht mehr beunruhigt fühlte.

Er war froh, den Plan der Landumseglung jetzt durchgeführt zu haben. Es blieb ihm dadurch erspart, die Zeit der Wandlung und der damit verbundenen Unsicherheit unter den neugierigen Blicken der Menschen verbringen zu müssen. Der eine, der bei ihm war, genügte ihm, um ihn all das zu lehren, was er als Wesen dieses Planeten und was er vor allem als Häuptling dieses Stammes wissen mußte.

Als die Nacht bevorstand, ruderten sie ihr Boot an einen Sandstrand und banden es dort an einem Felsenstück fest. Doch schliefen sie in ihrem Fahrzeug. Hier hatten sie Matten. Es war ihr Haus, das ihnen für die nächsten Wochen und Monate vielleicht Wohnung bieten mußte.

Die bleichen Mondampeln hingen am samtenen Himmel und bauten silberne Straßen über das Meer. Bergen konnte nicht schlafen. Er war erfüllt von dem Zauber der Nacht und dem Wunder seiner Verwandlung. Wie seltsam, daß er nun vermochte, die Sprache dieser Menschen zu sprechen, daß er aber stumm blieb, wenn seine Zunge Erdenlaute formen wollte, wenn er das Wort »Mond« aussprechen wollte, oder »Meer« oder »Sonne« oder »Licht«.

Als Bergen zuerst den Bau eines Bootes erwogen hatte, hatte er nur den Zweck damit verbunden, das Stück Land, auf dem er lebte, zu umsegeln und zu erkunden. Jetzt stand dieses Interesse erst an zweiter Stelle. Er hätte sonst da und dort sein Fahrzeug lassen, um in das Landinnere einzudringen, um zu erforschen, was hinter diesen Bergen, diesen Wäldern war. Nun war er nur mit sich selbst beschäftigt, mit seinem neuen Menschen, und er hatte keinen Sinn für Abenteuer und Entdeckungen.

Die Tage vergingen. Das Meer rauschte um ihn im Gleichklang seiner Wellen und auch der Wind, der mit der Genauigkeit eines Uhrwerks um die gleiche Morgenzeit erwachte, bis gegen Mittag zur kräftigen Brise anschwoll, um vor dem Sinken der Sonne einzuschlafen, trug sie in treuer Stetigkeit an den Ufern entlang.

Bergen überließ sich der Schönheit und Sorglosigkeit der ungestörten Fahrt. Nur wenn eine vorstoßende Landzunge, ein in das Meer hinausragender Fels sie zwang, den Wind backbord oder sogar gegen ihn kreuzend Fahrt zu nehmen, mußte er seine ganze Aufmerksamkeit dem Steuer und dem Segel widmen. Ja, es kam zuweilen auch vor, daß das Trompeten und Brüllen der Tiere vor einem auftauchenden Moor ihnen näherkam, als ihnen lieb war, oder daß der Einbaum, vom Wind getrieben, in voller Fahrt auf ein Hindernis zulief. Dann standen oder kauerten die beiden unerfahrenen Seeleute in ihrem Fahrzeug und suchten schweißtriefend mit den Rudern gutzumachen, was sie durch ihre Unkenntnis verdorben hatten. Es war etwas anderes, ob man ein schnittiges Boot mit allen Schikanen der Segelführung über einen Binnensee steuerte oder ob man einen ungeschlachten Einbaum mit der primitiven Ausrüstung eines Bastsegels über das bewegte Meer führte.

Mit der Zeit aber erlernte Bergen immer sicherer die notwendigen Handgriffe, die das Fahrzeug erforderte, und es gehorchte immer zuverlässiger seinem Willen.

Er hatte sich einen Vorrat an geglätteten Bastblättern, Tinte und Graskielfedern mitgenommen. Damit hielt er, so genau die Schätzung seines Auges es erlaubte, den Verlauf des Ufers fest. Er verzeichnete Berge und Wälder, schätzte ihre Länge und hoffte, so ein Kartenbild des umsegelten Landes zu bekommen.

Im Boot waren die Lebensmittel und das Wasser zur Neige gegangen. An einem Wasserfall, der in einer Bucht in hohen Schleiern über einen Felsen fiel, füllten sie ihre Behälter. Um aber ihren Vorrat an Früchten wieder zu erneuern, mußten sie in einen Wald. Von See aus war ein Eindringen in einen solchen unmöglich, denn nirgends schob er sich bis an das Meer heran, sonder vor jedem lag ein breiter Moorgürtel. Es gab also nur den W über das Gebirge, um hinter den Sümpfen in die Wälder zu gelangen. Sie verließen, als sie geeignetes Gelände gefunden hatten, das Fahrzeug und stiegen über hohe Berge landeinwärts. Es waren überall dieselben Felsformen wie die des heimatlichen Gebirges. Nur schienen sie zuweilen zerklüfteter und machten den Eindruck, als ob sie von gewaltiger Hand gespalten worden wären. In einer schmalen Talsenke kamen sie an einer Reihe von Geisern vorbei. Das Wasser schmeckte bitter. Am Rande eines Waldes in einem schmalen Präriestreifen suchten sie nach Graskörnern, um daraus Brote zu backen, denn Bergens Magen sehnte sich nach Abwechslung in der Kost. Doch die Grasart, die diese Körner lieferte, schien es hier nicht zu geben.

Gelbauge erschlug fliegend eine Flugechse, die sie, als sie des Abends mit Früchten voll beladen an den Strand zurückkehrten, über einem Reisigfeuer brieten.

Als Bergen am Morgen ans Ufer watete, um die Haltetaue zur Abfahrt zu lösen, entdeckte er zu seiner Freude wieder eine große Anzahl der schildkrötenartigen Tiere. Das kleinste von ihnen reichte ihm bis zur Brust. Es stand für ihn sofort fest, daß es an den Bratspieß wandern würde. Wie aber sollten sie es erlegen? Sie versuchten zuerst, es auf den Rücken zu drehen. Das Tier hieb mit dem vorgestreckten Kopf nach allen Seiten, um nach ihnen zu schnappen. Aber sie ließen sich dadurch nicht abhalten. Sie wiederholten den Versuch, es umzudrehen, von links, von rechts, aber bald mußten sie erkennen, daß der Braten für sie zu schwer war. Zudem zog die Schildkröte es vor, sich vor weiteren Belästigungen in das Wasser zurückzuziehen. Da packte Bergen die Wut. Sollte ihr Hunger auf ein anständiges Stück Fleisch ungestillt bleiben, wo in der ganzen Bucht die saftigsten Bissen herumliefen? Er dachte daran, sein Beil zu holen und das Tier mit einem Schlag auf den Kopf zu betäuben oder zu töten. Aber der Erfolg schien bei der mächtigen Panzerung auch der Kopf- und Halspartie gar nicht so sicher. Da das Tier inzwischen immer näher an das Meer kam, zog Bergen den Revolver und tötete es durch einen Schuß in den Kopf.

Auch jetzt noch, nachdem die Schildkröte ihren Bemühungen keinen Widerstand mehr entgegensetzte, konnten sie sie nicht von ʾer Stelle bewegen, geschweige denn umdrehen. Erst als Bergen ʾm schweren Panzer mit einem Hebel aus einem starken Ast und einem unterlegten Stein zu Leibe ging, gelang es ihren vereinten Kräften, sie hochzuheben und auf den Rücken zu werfen. Mit den Beilen hieben sie die Bauchpanzerung ab und lösten dann Stück um Stück des Fleisches aus der Schale. Den ganzen Tag hatten sie damit zu tun, es über den Feuern zu braten. Erst am anderen Morgen setzten sie die Fahrt fort, nachdem sie die garen Stücke sorgfältig in Blätter verpackt im Boot verstaut hatten.

An einem der nächsten Tage versuchte Bergen Fische zu fangen. Sie schälten, als sie bei einer neuerlichen Landung wieder in den Wald mußten, um Früchte zu holen, feinen Bast und flochten daraus ein weitmaschiges Netz, das Bergen mit vier Halteseilen an einer Stange festmachte. Von einem im flachen Wasser liegenden Stein aus versuchte er sein Glück. Er hatte es kaum einige Minuten versenkt, da spürte er auch schon ein Zerren. Gelbauge kam ihm zu Hilfe, um den Fang ans Ufer zu ziehen. Aber während sie sich noch bemühten, das zappelnde Etwas seinem Element zu entreißen, zerriß dieses ungestüm das ganze Flechtwerk und verschwand mitsamt dem schönen Bastnetz in der Tiefe.

Immerhin war Bergen dadurch angespornt, den Versuch zu erneuern, und als das neue Netz fertig war – er hatte diesmal stärkeren Bast dazu verwendet –, gingen sie mit großem Jagdeifer sofort wieder ans Werk. Und diesmal gelang es. Es waren gleich zwei Fische, die sie aus dem Wasser hoben. Sie hatten flache Leiber mit verknorpelten Schuppen. Anstelle der Seitenflossen wiesen sie kurze, stummelartige Gliedmaßen auf.

In der ganzen Folgezeit, in der sie vom Boot aus eifrig dem Fischfang nachgingen, bekamen sie nie einen Fisch ins Netz, der das glatte Schuppenkleid ihrer auf der Erde üblichen Artgenossen gezeigt hätte. Alle waren sie mit einer ledrigen oder schalenartigen, harten Haut als Panzerung ausgestattet. Ihr Fleisch war ihnen eine willkommene Abwechslung, und sie waren durch diesen neuen Beitrag ihrer Küche nicht mehr so oft gezwungen, sich auf mühevollen Bergtouren Nahrung aus den Urwäldern zu holen.

Sie waren über sechs Wochen auf der Fahrt – Bergen hatte durch kleine Schnitte am Bootsrand jeden Sonnenaufgang vermerkt –, als das Land allmählich anfing, neue Formen zu zeige Die durch Erstarrung gebildeten Faltengebirge wichen unzu menhängenden, kegelartigen Formen, die einzeln oder in pen aus der Ebene und aus dunklen, grünen Wäldern au

Es begann ein Vulkangebiet.

Mit der sich ändernden Landschaft änderten sich auch alle anderen sie umgebenden Erscheinungsformen. War der Himmel bisher – abgesehen von den kurzen Nachtgewittern – Tag für Tag wolkenlos gewesen, so wechselten jetzt nebelartige Dunstschleier mit schwerem, tiefhängendem Gewölk, wechselten drückende schwüle Tage mit langandauernden Regenfällen und nicht endenwollenden Gewittern. Kein Zweifel: sie näherten sich einem tätigen Vulkanzentrum. Darauf wies eine Reihe von neuen Anzeichen hin. Bergen vernahm – anfangs kaum merklich, aber dann von Tag zu Tag zunehmend – ein Rollen, wie von einem fernen Donner, das an- und abschwellend ohne Unterbrechung die Luft erfüllte. Die bisher gleichmäßig ruhige See wurde in unregelmäßigen Abständen urplötzlich aufgewühlt.

Es geschah immer häufiger, daß bei vollkommener Windstille das Meer von unten her aufwallte, so daß das Boot ungestüm und regellos hin- und hergeworfen wurde.

Dann wieder brausten kurze, glutheiße Sturmböen über das Wasser, und des Nachts leuchteten der Dunst und die Wolkenschwaden über ihnen im Widerschein unsichtbarer Feuer.

Am Morgen des nächsten Tages steuerten sie am ersten tätigen Vulkan vorüber, der nackt und schwarz aus dem Wasser herausragte. Aus der nadeldünn erscheinenden Spitze zog sich eine gelbe Rauchfahne in den Himmel.

Als ob dieser vorgeschobene Wächter ihnen das Tor in die geheimnisvolle Welt öffnen wollte, zerteilten sich Stunden später, von einer aufkommenden Luftbewegung erfaßt, die Dunstschleier und gaben den Blick frei auf ein unübersehbares, vulkanisches Inselgewirr.

Hunderte und Aberhunderte von rauchenden Kegeln waren über die vor ihnen liegende Meeresfläche verstreut und schienen ihnen den weiteren Weg zu versperren. Viele waren so hoch, daß ihre Spitzen in den Wolken verschwanden. Andere wieder ragten kaum aus den um sie flutenden Wellen hervor.

In dünnen, weißen Schleiern, in gelbschwarzen stoßenden ₌auchpilzen stiegen der Qualm und die Dämpfe aus diesen ₌loten des Sterns. Dunstgeschwängerte Hitze lastete über dem ₌₌r, in dem es kein Leben mehr zu geben schien. Die lebenden ₌₌, die sonst da und dort in der Ferne aufgetaucht und wieder verschwunden waren, die schwarzen Schatten, die tagsüber das Boot zu begleiten pflegten, sie waren alle verschwunden, und ein ungestüm rollendes Getöse vervollständigte den Eindruck des Unheimlichen.

Hier war eine wunde Stelle des Sterns, die kaum vernarbt und verkrustet noch schwärte und blutete.

War es nicht klüger, sich aus diesen Bezirken wieder zurückzuziehen? Hier war es nicht ein Krater oder ein paar, die ihren gefährlichen Atem ausspien, hier kochte, tobte und spie ein ganzes Gebirge, lag vielleicht ein ganzer Sternteil in den wehen Stunden des Geschaffenwerdens.

Sollte er versuchen, das ganze Eruptionsgebiet zu umsegeln? Vielleicht aber spannte es sich wie eine Brücke über das Meer, von einem Kontinent zum anderen, dann würde er nie ein Ende erreichen.

Bergen konnte zu keinem Entschluß kommen. Es widerstrebte ihm ganz und gar, nun unverrichteter Dinge wieder umzukehren. Andererseits aber fuhr er, wenn er seinen Kurs beibehielt, in eine Ungewißheit, die so vollkommen war, wie sie es überhaupt nur auf einem fremden Weltkörper sein konnte. Hier gab es keine Erfahrung von der Erde her, die ihm einen Schluß, eine wahrscheinliche Vermutung erlaubte, die ihm einen Weg zeigen konnte.

Den einzigen Menschen dieses Sterns aber, der bei ihm war, konnte er nicht zu Rate ziehen. Abgesehen davon, daß auch er diesen Teil des Sterns nie gesehen hatte, verstörten ihn die nächtlichen Feuer, die rauchenden Krater und das unterirdische Donnern so sehr, daß er zu keinem vernünftigen Denken mehr fähig war. Auch zu gewöhnlichen Handreichungen war er nicht mehr zu gebrauchen. Bergen hatte ihn in den vergangenen Wochen gelehrt, mit dem Ruder, mit dem Steuer und mit dem Segel umzugehen, ja, er hatte ihm unbesorgt sogar die Führung des Bootes überlassen können. Seit sie sich aber im Bereich der Vulkane befanden, zeigten sich bei ihm die gleichen Erscheinungen wie damals bei dem Meteorfall im Urwald.

Bergen hatte inzwischen aus seinem eigenen Munde erfahren, was ihn wieder in solche Angst versetzte: Es war die Furcht vor den großen Geistern. In jedem nicht alltäglichen Naturgeschehen spürten diese Menschen eine über ihnen wirkende Macht, der sie ausgeliefert waren.

Es waren, soweit Bergen aus den angstvollen Erklärungen Gelbauges entnehmen konnte, der Donner, den sie das »dunkle Brüllen« nannten, das »rote Licht«, worunter sie das Feuer verstanden und »die fließenden Wolken«. Das war das Meer, die Regenzeit, überhaupt das Element Wasser, wenn es in bedrohlicher Menge in Erscheinung trat.

Solange die Sonne schien, solange die Flüsse in ihren Betten blieben und die Luft lautlos war, kümmerten sie sich nicht um sie. Wenn aber die Blitze aufflammten, wenn der Donner durch die Schluchten und Täler rollte, wenn sie den Lichtschein des Feuers über einem Vulkan aufleuchten sahen, dann waren das »dunkle Brüllen« und das »rote Licht« erzürnt, dann verloren sie in dem Bewußtsein ihrer Hilflosigkeit jede Haltung, dann lag auch Gelbauge auf den Knien und rief zitternd und ohne Unterlaß die Namen der großen Mächte.

»Das rote Licht, das dunkle Brüllen ist da, weil wir auf den fließenden Wolken gehen. Kehre um, Weiße Hand«, – das war der Name, den sie ihm gegeben hatten, weil ihre eigenen Hände grün waren und ihnen die Farbe seiner Haut besonders aufgefallen war –, »kehre um, das rote Licht wird uns töten.«

Die »Weiße Hand« aber war noch nicht gewillt, die Segel zu wenden, so sehr auch alles ihn zur Umkehr zu mahnen schien. Unbeirrt, ja, von Stunde zu Stunde mit wachsender Verbissenheit, hielt er auf die Stelle zu, wo die ersten rauchenden Kegelgruppen sich zu ausgedehnteren Inseln zusammenschlossen und das eigentliche Zentrum des Eruptionsgebietes zu beginnen schien.

Er hatte keine feste Absicht, wie weit er sich mit seinem schwerfälligen Boot vorwagen wollte, er hoffte nur, daß irgend etwas eintreffen würde, was den weiteren Verlauf der Fahrt von selbst entschied.

Bergen hatte die erste Insel in großem Bogen umsegelt – rund herum vor ihren steil aufsteigenden Ufern ragten große Felsblöcke aus den Wellen, denen er nicht zu nahe kommen wollte –, da lag keine zwei Meilen vor ihm ein anderer Vulkan, ein breiter, stumpfer Kegel, aus dessen Krater schwarzer, mit Feuerschein vermischter Rauch quoll. Am Fuße des drohenden Riesen aber war es grün, breitete sich ein dicht bewachsenes Gestade aus.

Bergen war beim ersten Ansichtigwerden dieses unerwarteten ˋldes von seinem Sitz hochgesprungen und starrte ungläubig auf das zwischen den rauchenden und flammenzischenden Naturessen schwimmende Paradies.

Es gab also auch inmitten dieser Tod und Verderben speienden Welt grünes, atmendes Leben, und wo Büsche wuchsen und Bäume und Gras, da mußte es auch Früchte geben zum Essen und Wasser zum Trinken, und das entschied.

Es kam jetzt nur noch darauf an, ob diese Oase eine Landung erlaubte oder ob mooriges Gelände und gefährliche Tiere ein Anlegen und einen Aufenthalt unmöglich machten.

Fische gab es nicht mehr in dieser Gegend. Das Meerwasser war warm und wahrscheinlich auch mit giftigen Gasen vermengt, so daß ein Leben darin unmöglich war. Das aber schloß nicht aus, daß dort vor ihm, wo er selbst Erquickung und Nahrung zu finden hoffte, auch Tiere Unterschlupf gefunden hatten. Sogleich verwarf er diesen Gedanken wieder. Wie sollten Tiere dort hinkommen? Kleine Echsen vielleicht, die weite Strecken durch die Luft fliegen konnten, wie die Samen der Gräser und Bäume, die mit dem Wind von Eiland zu Eiland wanderten. Aber große Tiere, die Wasser oder Land brauchten, um sich vorwärtszubewegen, würden sie dort nicht finden.

Wahrscheinlich war das Stück Land, auf dem jetzt ein üppiger Wald wucherte, noch jung. In dieser glühenden, dunstgeschwängerten Atmosphäre konnte es heute gut grünen und blühen, wo vor einem Jahr vielleicht noch feurige Lava ins Meer geflossen war.

Je näher sie der Insel kamen, desto mehr mußte Bergen seine ganze Aufmerksamkeit dem Boot widmen. Er mußte es über Untiefen hinweg, zwischen Felsblöcken hindurch steuern und hatte den sich ständig drehenden Wind dabei unglücklicherweise immer von der Seite, wohin er gerade zu steuern beabsichtigte.

Einige Male kam er ganz nahe an den hohen Uferwald heran, der ihm mit tiefen Schatten und farbigen Blütenbüscheln verlockend entgegenwinkte. Aber das Gelände schien ihm nirgends geeignet, dort anzulegen.

Große Tiere sah er nicht, so sehr er mit einer gewissen Angst danach ausspähte. Schließlich setzte er das Boot in einer kleinen, fast kreisförmigen Bucht an Land, das an der Stelle in einen schwarzen Sandstrand flach in das Meer hinauslief. Einige Me- dahinter begann der Dschungel.

Eine Welle von verwirrendem Duft schlug den beiden Männern entgegen, als sie den Fuß an Land setzten. Der Sand unter ihren Füßen war glühend heiß und durch die dicken Hautsandalen, die Bergen trug, spürbar.

Sie drangen vorsichtig in die Wildnis ein. Fremdartige Baumformen, die Bergen nirgends bisher auf diesem Stern gesehen hatte, mimosenhafte Strauchgebilde, die wie verdorrend in sich zusammensanken, wenn man sie berührte, um Sekunden danach sich wieder zu riesigen Blütenrändern zu entfalten. Grüne Wände aus spinnwebenartigen, hauchzarten Pflanzenfäden, die sich wie atmende Lungen zusammenzogen und anschwollen, und in deren Nähe es kühl war und die Luft voll herber Frische. Wo sie hintraten, waren tellergroße Blüten, die ohne Blatt und Stiel aus dem Boden wuchsen und über den schwarzen, porösen Lavagrund einen schwellenden, weißen Teppich breiteten.

Inmitten dieser verwirrenden Fülle von Grün und Blüten schaukelten, wie Blumen so bunt, flatternde Tiere. Sie sahen aus wie Schmetterlinge, aber sie waren größer, viel größer. Ihre entfalteten Flügel hatten eine Spannweite von gut einem Meter und waren fest und hart wie Perlmutt. Und an den Blüten saugten langschnabelige, kleine Vogelechsen, die eilig wie die Bienen von Honigkelch zu Honigkelch schwirrten.

Gelbauge erhaschte eines dieser bunt wie die Papageien gefärbten Geschöpfe. Bergen war so entzückt davon, daß er überlegte, wie er einige in einem Käfig mit in die Wälder ihrer Berge nehmen könnte, um sie dort auszusetzen.

Was ihn aber noch mehr begeisterte, waren die blauschwarzen, bananenähnlichen Früchte, die in unwahrscheinlichen Mengen an dunkelgrünen, wachsharten Blättern wuchsen. Ihr Fleisch duftete so köstlich, daß Bergen unbedenklich hineinbiß und es kostete. Die Frucht war nicht süß, wie er vermutet hatte, sie hatte einen leicht mehlartigen Geschmack und eignete sich sehr, um einen regelrechten Hunger zu stillen. Sie sollte in der Folgezeit neben anderen kleinen Früchten fast ausschließlich ihre Nahrung bilden.

Es gelang den beiden, trotz Beil und Messer nur langsam in das Gewirr der Lianen und Schlingpflanzen und atmenden Fadenenden vorzudringen, und erschöpft kehrten sie bald wieder zu ihrem Boot zurück. Die Luft war so heiß und feucht, daß sie in

Schweiß zu zerfließen drohten. Wie tot vor Müdigkeit sanken sie auf ihr Lager. Es wurde Nacht, eine gespenstische Nacht voll Feuerlohe ringsum und flammender Blitze.

Bergen starrte, auf dem Rücken liegend, in das Inferno, das rings um sie und über ihnen tobte. Je weiter die Nacht fortschritt, desto spürbarer wurde die Kühle, die der Dschungel, die die atmenden Fadenwände ausströmten. Bergen fühlte sie lindernd auf der heißen, schweißperlenden Haut. Nach Stunden der Ermattung brachte sie ihm den ersehnten Schlaf.

Am nächsten Morgen – die beiden erwachten durch Fluten von Wasser, die sich in einem Wolkenbruch über sie ergossen –, luden sie, nachdem sich das Wetter beruhigt hatte, das Boot bis an den Rand seiner Tragfähigkeit mit Früchten voll. Dann ruderte Bergen es aus der Bucht, bis ein heißer Wind das Segel faßte und das Boot mit sich fortnahm.

Die grüne Insel versank im ziehenden Dunstschleier. Vor ihnen, auf allen Seiten, wohin sie die Blicke richteten, reckten sich schwarz und nackt die Krater in die Luft, spie die Hölle über ihren Häuptern Rauch und Dampf und Feuer.

Die Luft, wie von einem Ungeist aufgewirbelt, fuhr ständig wechselnd und in immer unerwarteten Kapriolen in das Bastsegel und ließ Bergen nur selten Zeit, über seine Lage nachzudenken.

Was er zu tun im Begriff stand, war ein tollkühnes Abenteuer, von dem er nicht einmal sagen konnte, daß es einen Sinn hatte.

Es war wohl anzunehmen, daß es unter den unzähligen Vulkanen viele gab, die wie die grüne Insel, die sie soeben verlassen hatten, junges Leben trug, und vielleicht führte sie das Glück immer wieder zur rechten Zeit auf eines dieser erquickenden Asyle, bevor sie verhungert oder verschmachtet in ihrem Einbaum zugrunde gingen.

War es aber nicht fast ebenso mit Sicherheit anzunehmen, daß sie bei ihrem gewagten Spiel mit den entfesselten Elementen eines Tages in den Bereich eines großen Lavaausbruchs gerieten und von geschleuderten Felsstücken erschlagen wurden oder in den Flammen und giftigen Gasen eines sich bildenden Kraters umkamen?

Er nahm an, daß dieses Vulkangebiet ein schmaler Streifen war, den er nur zu durchqueren brauchte, um auf der anderen

wieder an den grünen Gestaden eines festen Kontinents entlang-
zusegeln.

Wenn es aber anders war? Wenn das Stück Land, auf dem er
die Menschen gefunden hatte, das einzige bewohnbare dieses
Sterns war und der ganze übrige Weltkörper erst noch im Erstarren begriffen lag?

Wer sollte ihm dann den Weg aus diesem Labyrinth zeigen?

Die Sonne? Sie verbarg sich hier hinter Wolken und Dunst und
Rauch.

Die Berge? Sie veränderten in Tagen und Stunden ihr Gesicht,
und vielleicht waren die morgen schon wieder unter den Wellen
verschwunden, die heute noch hoch und mächtig, wie für die
Ewigkeit bestimmt, vor ihm standen.

Warum also kehrte er nicht um? Wenn er noch nicht zurückkehren wollte zu den Männern des Stammes, warum kreuzte er nicht
einfach so lange vor den ihm bekannten Gestaden, bis er es für
richtig hielt, die Schlucht, die er verlassen hatte, wieder aufzusuchen?

Bergen konnte sich selbst nicht die letzte Rechenschaft für sein
Handeln geben. Irgend etwas in ihm sagte, daß dieser Gürtel,
durch den er sich jetzt hindurchtastete, der Äquator dieses Planeten sein mußte, der Ring, der infolge der Schleuderkraft des kreisenden Weltkörpers die dünnste Rinde aufwies.

In den Tagen der ruhigen Fahrt hatte sein ganzes Interesse, sein
ganzes Denken nur dem Wunder seiner Verwandlung gegolten.
Das große Naturgeschehen, in das er nun geraten war, machte
neue Kräfte in ihm wach. Mit einer Art sechstem Sinn spürte und
ahnte er kosmische Geschehnisse und Zusammenhänge, für die
sein nüchterner Verstand keinerlei Beweise geben konnte.

Ein Unbestimmtes drängte ihn – gegen alle Vernunft und Gesetze der Klugheit –, den Kurs beizubehalten, und er folgte ihm.

Er folgte ihm, trotzdem er bis ins tiefste Herz hinein Mitleid mit
Gelbauge hatte. Der war nur noch ein Schatten seiner selbst,
nahm kaum noch Speise und Trank zu sich und verkroch sich wie
ein krankes, gefangenes Tier Tag und Nacht unter einem Basttuch
in der hintersten Ecke des Bootes.

Bergen setzte seine Fahrt fort. Er suchte seinen Weg an den
▪▪▪▪rspeienden Kratern vorbei, die sich oft so eng aneinander-
▪▪▪▪en, daß die Furt dazwischen kaum mehr breit genug blieb,

um das Boot ungefährdet durchzulassen.

Er fand die grünen Inseln, auf die er seine ganze Hoffnung gesetzt hatte, aber sie waren nicht immer so üppig wie die erste, auf der er gelandet war. Kriechendes Gestrüpp, das kaum den schwarzen, porösen Boden bedeckte, war oft die einzige Flora, die er auf ihnen vorfand.

Traf er aber nach Tagen der Besorgnis wieder auf ein Eiland, auf dem ein grüner Garten mit Früchten und Blüten wucherte, so blieben sie oft mehrere Tage, um sich im Schatten des dichten Blätterwaldes und in seiner Kühle neu zu stärken.

So kam der zweiunddreißigste Tag der Fahrt durch das Vulkangebiet. Bis dahin war alles glücklich abgelaufen. Sie hatten wohl manche Tage gehungert, und oft war ihnen das Wasser ausgegangen, und die glühende Hitze hatte sie an den Rand ihrer Kräfte und ihrer Hoffnung gebracht. Aber immer wieder hatten sie irgendwo Früchte entdeckt, die genießbar waren, war ein Regen gekommen, der ihr Boot mit süßem Wasser füllte.

Bergen hatte längst angefangen, sich in Sicherheit zu wiegen. Das Wüten der Elemente hatte seine Schrecken verloren, und er sah zu den rauchenden glutspeienden Bergen und Felstürmen wie zu gutmütigen Riesen auf, die bei ihrem Spiel mit Donner und Feuer ängstlich darauf bedacht waren, daß dem kleinen Schifflein zu ihren Füßen kein Leid geschehe.

Sie steuerten bei ziemlicher Windflaute durch einen Kessel, der durch einen fast geschlossenen Kreis von Kratern gebildet wurde auf eine schmale Durchfahrt zu, als plötzlich, wie oft in diesen Tagen und Wochen, ein Meerbeben einsetzte. Die Wellen drängten ungestüm von unten herauf, während die Oberfläche des Wassers noch ölig glatt war.

Was dann geschah, vollzog sich in Sekundenschnelle. Der Einbaum wurde durch einen gewaltigen Druck aus dem Wasser geschleudert und beim Wiederaufprall auf die Wellen knickten die beiden Stangen ab, die den Ausleger mit dem Boot verbanden.

Seiner Waage beraubt, schwankte es ohne Halt nach links und rechts und nahm bei jeder Bewegung Wasser über. Bergen kam nicht mehr dazu, das Segel einzuziehen. Er kappte die Taue und warf sich auf den Boden.

Gelbauge starrte ihn mit großen, feuchten Augen an. Man es ihm an, er erwartete den Tod. Aber auch Bergen war mit se

Können zu Ende und ergab sich auf Gnade oder Ungnade dem Schicksal.

Es war gnädiger, als er in diesem Augenblick hoffen konnte, aber es hatte noch einen gefährlichen Schlag für sie bereit: Während er ab und zu über den Rand des Bootes spähte, sah er zu seinem Entsetzen ganz in der Nähe eine schwarze Kuppe auftauchen. Mit einem ungeheuren Knall zerbarst das Gebilde und schleuderte rauchende Wasserfontänen, glühende Lava und Felsstücke in die Luft. Sie schlugen ringsherum ins Wasser, einige davon trafen das Boot. Instinktiv, um sich vor dem Erschlagenwerden zu schützen, wühlte sich Bergen in sein Mooslager und wartete, mit dem Ersticken kämpfend, auf irgendein Ende.

Aber das kam nicht. Als er sich nach einiger Zeit mit seinem Kopf wieder über den Rand des Bootes wagte, da war von dem neuen Krater nichts mehr zu sehen. Nur die Wellen wurden noch gepeitscht von den unterirdischen Gewalten. Ein Geiser schleuderte an der Stelle, wo vorhin der Ausbruch erfolgt war, einen zischenden, dampfenden Strahl bis in die Wolken und ließ ihn als warmen, übelriechenden Sprühregen ins Meer zerstäuben.

Als Bergen wieder das Ruder gebrauchen konnte, gelang es ihm mit viel Mühe, den wie eine Nußschale hin und her schaukelnden Einbaum in Fahrt zu bringen.

Kurze Zeit darauf landeten sie, von einer Strömung getrieben, auf einer Insel, deren erloschener Vulkan bis in die große Höhe hinauf bewaldet war. Ein Garten Eden mit allem Zauber der tropischen Urwelt nahm sie auf.

Der Schreck der vergangenen Stunde lag Bergen noch lange lähmend in den Gliedern. Mit rauher Hand war in ihm das Hochgefühl über das schon geglückt geglaubte Abenteuer hinweggewischt worden. Gern wäre er jetzt aus dem Bannkreis dieser unheilschwangeren Zone entflohen, denn überall im Umkreis sah er schwarze Kuppen sich über den Meeresspiegel erheben und unter Getöse und Eruptionen zerbersten. Aber das Segel war zerrissen und unbrauchbar und der Ausleger zerschlagen. Sie waren also vorerst gefangen. Bevor das Boot nicht wieder vollkommen intakt war, war an eine Weiterfahrt nicht zu denken.

Bergen ging daran, sich unter den unbekannten Bäumen und Sträuchern solche auszusuchen, die einen brauchbaren Bast lieferten. Zwei Tage lang war er allein an der Arbeit, ihn zu schälen, in Streifen zu reißen und zu trocknen. Endlich, am dritten Tag gelang es ihm, Gelbauge soweit zu bringen, daß er sich an den Arbeiten beteiligte. Von da ab kauerte er im Schatten des Waldes und flickte das Segel, während Bergen den Ausleger zimmerte.

Nach elf Tagen endlich war das Boot wieder startbereit. Von jetzt ab war Bergen nur darauf bedacht, so schnell wie möglich aus dem Vulkangebiet zu kommen. Selbst durch Sturm ließ er sich nicht mehr abhalten, wenn die Fahrrinnen zwischen den Inseln es einigermaßen erlaubten, die Fahrt fortzusetzen. Trat Windstille ein, so ruderte er, bis ihm die Kräfte versagten.

Aber so schnell gab das rote Licht und das dumpfe Brüllen sie nicht frei. Achtzehn Tage noch mußte er sich durch das Inselgewirr kämpfen, von Hunger und Durst geplagt, von Steinregen und kochenden Geisern bedroht, bis sich die Engpässe zu weiten begannen und die Vulkangruppen lichter wurden ... Dann lag eines Abends wieder das offene Meer vor ihnen, in das die Sonne wie ein glühender Ball tauchte. Das Donnern und das unterirdische Rollen wurden von Tag zu Tag schwächer und erklangen schließlich nur noch wie fernes Gewitter.

Mit der Bläue des Himmels, mit der wieder sichtbaren Sonne kehrte auch Gelbauges Unbefangenheit zurück. Er strahlte. Er war gesprächig wie nie zuvor und suchte zu helfen, wo es etwas zu tun gab.

Bergen indes war nicht so sorglos zumute. Den heißen Gürtel hatten sie hinter sich. Aber wo war jetzt das Land, das er umsegeln wollte? Das Boot war mit falschem Kurs aus dem Inselgebiet herausgekommen. Sie hatten den Sonnenaufgang backbord gehabt und die Ufer im Westen, als sie hineingefahren waren. Jetzt ging die Sonne steuerbord auf, vom Land aber war weit und breit nichts zu sehen.

Sie hatten in dem Labyrinth von Rauch und Dunst, in dem sie die ganzen Wochen hindurch die Sonne kaum ein paarmal zu sehen bekommen hatten, die Richtung verloren. Wahrscheinlich hatten sie einen Kreis nach Osten geschlagen und kamen nun au_ offener See und in entgegengesetzter Richtung wieder hera_ Wenn diese Vermutung stimmte, dann mußte er nach Westen_

ten, um das Land zu finden. Es gab zwar noch andere Möglichkeiten, die, wenn sie zutrafen, für ihr Boot einen ganz anderen Standort ergaben. Aber die erste erschien ihm die wahrscheinlichste, und so legte er den Kurs nach Westen fest.

Aber er hielt ihn nicht lange, kaum einen halben Tag, dann sah Gelbauge Land, aber nicht dort, wo sie es erwarteten, sondern im Osten. Es war ein gelber Streifen, der sich im sinkenden Licht grell vom dunklen Wasser abhob.

Bergen war ratlos. Was sollte er tun? Sollte er das alte Land dort suchen, wo er es vermutete, oder sollte er dem unbekannten, neuen entgegenfahren? Oder war dieser helle Streifen dort doch das gesuchte Land? Dann waren sie im Inselgewirr um seine Südspitze herumgefahren.

Mit Gelbauge konnte er nicht darüber sprechen. Ihm waren diese räumlichen Zusammenhänge fremd. Und doch war gerade er es, der jetzt mit seinem unkomplizierten Denken dem mit Vermutungen und Wissen Belasteten, dem Grübelnden den richtigen Weg wies.

»Dort ist das Land, Weiße Hand. Weiße Hand hat jetzt Flügel, Weiße Hand kehrt jetzt zurück.«

Bergen folgte Gelbauge. Sein Freund hatte recht, dort war das nahe Land, ganz gleich, welches es auch war. Im Westen aber, wohin sie steuerten, war nichts als Meer. Sie aber hatten nur noch Wasser und Früchte für drei Tage. So wendeten sie die Segel und kreuzten gegen den Wind auf den in der Dämmerung leuchtenden Streifen zu.

Die Nacht war sternenklar und kühl. Der Morgen fand sie dem neuen Ufer um viele Meilen näher. Gegen Mittag drehte sich der Wind und nahm sie mit auf die steilen Berge zu, die nun in scharfkantigen, dunklen Formen aus den Wellen aufstiegen.

Am vierten Tag sahen sie, bevor noch der Morgen graute, die hohen Wände vor sich und hörten das Donnern der nahen Brandung. Da hielten sie, bis die Sonne kam, noch einmal auf die See hinaus, denn unbekanntes Land hieß unbekannte Gefahren. Erst als es hell wurde, näherten sie sich von neuem den Ufern und segelten dann den ganzen Tag, sich eine knappe Meile vor der Brandung haltend, an ihnen entlang.

Am Abend tauchte eine Bucht mit bewaldeten Bergen im Hintergrund auf. Durch das Getöse der Brandung hörten sie das Brüllen und Pfeifen der Saurier.

Wie verhaßt waren Bergen diese Laute sonst, wie fürchtete er diesen schrillen, pfeifenden Ton seit den furchtbaren Stunden in der Saurierschlucht. Jetzt klangen sie ihm wie vertraute Musik. Vielleicht war dieses Land, an dessen Gestade er jetzt vorbeifuhr, doch das gleiche, von dem er vor vielen Wochen ausgefahren war. Es waren die gleichen Bergformen, die ihn damals begleitet hatten, und jetzt hörte er auch wieder den Laut der gleichen Tiere. Wie aber sollte er sich das erklären? War er denn wirklich auf der anderen Seite des Kontinents oder der Halbinsel? Dann hieß das, daß sie in der Zone der Vulkane endete und er dort ihre südliche Spitze, ohne es zu ahnen, umsegelt hatte.

Um Mitternacht, im weißsilbernen Licht der Monde, gingen sie an einem schmalen Kiesstrand, hinter dem die Berge sich kahl erhoben, an Land, um am nächsten Morgen in den Wäldern, an denen sie kurz vorher vorübergefahren waren, Wasser und Früchte zu holen und sich Feuer zu schlagen.

Nach einigen Tagen Fahrt, in denen sie im ständigen Wechsel an hohen Felsen und tierreichen Mooren vorbeisegelten, war Bergen überzeugt, daß sie auf dem Weg nach Hause waren.

Die Gestalt Peter Bergens war nun nicht mehr wiederzuerkennen. Sein Körper war von der Brust bis zu den Fußknöcheln mit weißgrünlichen, schimmernden Schuppen bedeckt. Perlmuttglänzende Blätter fielen ihm bis auf die Schultern, wo früher menschliches Haar gewachsen war. Die Flughäute und die Rückenflossen waren zu voller Größe ausgebildet.

Es kam die Stunde, in der er, von Gelbauge geführt, einen Felsen erstieg, die Flughäute ausbreitete und sich zum erstenmal der Luft anvertraute. Er wäre unsanft gelandet, hätte ihn nicht sein Freund und Lehrer im letzten Augenblick gefaßt und vor dem Sturz bewahrt. Noch waren die Armmuskeln, die die Flughäute bewegten, zu schwach, noch hatte er nicht gelernt, den Körper in der richtigen Lage zu halten. Aber Bergen ließ keine Landung und keinen Tag vorübergehen, ohne seine Flugversuche zu wiederholen. Er war unermüdlich, trotz aller scheinbaren Mißerfolge. Dann ging die Sonne über dem Tag auf, da er sich von einem hohen Felsen aus allein in die Luft hob und wie ein neugeborene Dädalus in großen Schleifen zu Tal segelte.

Heiße und kalte Schauer liefen ihm über den erzitternden Körper, als er schwebend die Luft an seinen Flughäuten entlangstreichen fühlte. Nachdem er einmal die Lust des Fliegens verspürt hatte, konnte er sich nicht genug tun, sie immer wieder aufs neue zu genießen. Tagelang lag ihr Boot in einer Bucht, wenn sie beide weit in das Land hineinflogen und ihre Kräfte maßen. Dabei stählten sich die Muskeln, mehrte sich seine Gewandtheit, und bald trugen ihn die Schwingen wie den Geübtesten des Stammes über Klüfte und Abgründe.

Er hatte dabei nicht aufgehört, von Gelbauge zu lernen, seine Sprache zu sprechen. Er wußte nun, daß sich die Menschen des Dorfes, in dem er lebte, »Die Jäger der Schwarzen Schlucht« nannten, daß die andere Schlucht »die rote« hieß. Er erfuhr, daß es bei diesen Menschen nur zwei Zahlenbegriffe gab, die Einzahl und die Vielzahl. Wenn sie von einem oder hundert Tieren berichteten, so bestand der Unterschied der Menge nur in einer leidenschaftlichen Geste, mit der sie das Wort »Tier« mehrmals hintereinander aussprachen.

Es folgten wieder Tage und Wochen der Fahrt, in denen der neue, andere Peter Bergen den Freund mit immer neuen Fragen bestürmte, eine Zeit, in der seine Seele sich weit öffnete, um darin einen neuen Sinn des Lebens, ein neues Glück Wurzeln schlagen zu lassen.

Eines Tages wies Gelbauge mit der Hand nach einer Stange, die auf dem Gipfel eines einsam aufragenden Berges hin und her schwankte.

»Sieht Weiße Hand den Baum auf dem Berge?« Bergen sah etwas, das wie eine schmale Gerte schräg über dem Felsgipfel stand. Er betrachtete es mehr gedankenverloren als bewußt. »Es ist der Baum der Weißen Hand.« Gelbauge ließ nicht locker, ihn immer wieder darauf hinzuweisen. Da begriff Bergen plötzlich, was Gelbauge an diesem im Wind schwankenden Baum so sehr interessierte. Es war eins der von ihm ausgesetzten Erkennungssignale, die er damals in Erwartung eines zweiten Weltraumschiffes aufgestellt hatte. Das bedeutete, daß sie wieder in der Nähe des großen Tals, in der Nähe ihrer Weidegründe waren.

Tags darauf fuhren sie auf einen in der Abendsonne wie Kupfer leuchtenden Gebirgsblock zu, der ihnen den Weg versperrte. Donnernd brachen sich die Wogen an den hohen Felswänden.

Schon hatte Bergen dem Boot eine andere Richtung gegeben, um das Massiv im Bogen zu umschiffen, da sah er, wie eine große Saurierherde von der bewaldeten Bucht auf der Steuerbordseite auf die roten Felsen zusteuerte und irgendwo in derselben verschwand. Eine Erinnerung tauchte auf; richtig, das war die Felsspalte zur Saurierschlucht, aus der er einmal geflohen war. Wie er die Saurierhälse, denn mehr war von den schwimmenden Tieren nicht zu sehen, in der dunklen Höhlung verschwinden sah, erkannte er das Land wieder, die roten Felsen vor ihm, das Moor zur Rechten mit den ansteigenden Hügelwellen im Hintergrund.

Da wendete er das Steuer und hielt auf die Bucht zu, bis er in den Windschatten kam. Dann ruderten die beiden zu den Schachtelhalmen, die wie damals als erste Vorboten des Moors aus dem seichten Wasser wuchsen. Nur hatten sie sich inzwischen einige Kilometer weiter in das Meer vorgeschoben. An einem der schlanken Bäume banden sie den Einbaum fest und warteten den Morgen ab, um dann durch das Moor in das heimatliche Tal zurückzukehren. Das bedeutete einen letzten, gefahrvollen Weg, aber er fürchtete sich nicht davor. Bergen verließ sich auf seine Flughäute. Sie würden ihn über den Sumpf und dessen Gefahren hinwegtragen. Er hatte die Umseglung der Halbinsel beendet.

Als die Jäger der schwarzen Schlucht um das Feuer des Abends saßen, ließen sich aus der Höhe zwei Männer mit ausgespannten Flughäuten auf den Feuerplatz hinab. Die Menschen erkannten Gelbauge und umringten ihn: »Gelbauge ist zurückgekehrt, wo ist Weiße Hand? Wer ist der fremde Jäger, der mit Gelbauge zu den Männern der Schwarzen Schlucht kommt?« Bergen sah, daß sie ihn nicht mehr erkannten. Da forderte Gelbauge die Jäger auf, in das Beratungshaus zu kommen. Der Fremde wolle zu ihnen sprechen. Allen voran flog Bergen und betrat als erster die große Hütte. Er stellte sich vor den Richtersessel und wartete, bis alle um ihn versammelt waren. Dann begann er zu den Männern zu sprechen: »Der, dessen Worte die Ohren der Männer der Schwarzen Schlucht hören, ist die Weiße Hand. Sie hat die Männer der Schwarzen und der Roten Schlucht verlassen, um sich die Flügel der Jäger und ihren Mund zu holen. Die Weiße Hand ist mit Gelbauge wiedergekommen.« Dann sah er einen nach dem anderen der Männer an, die im Schein der Fackeln schweigend um ihn hockten.

»Die Jäger der Schwarzen Schlucht mögen sprechen.«

Da begann einer, den Bergen »den Narbigen« genannt hatte: »Die Weiße Hand trug ein Beil und den brüllenden Donner, der die weiße Schlange tötete.«

Bergen verstand die Frage. Er löste das Beil von dem Bastgurt und hielt es in die Höhe, damit es alle sehen konnten. Dann nahm er den Revolver, den er, seit er keine Kleider mehr trug, in einer Basttasche umgehängt hatte, und schoß durch das Dach in die Luft. Alles krächzte und einige warfen sich zu Boden. Der Narbige war der erste, der sich wieder erhob, auf Bergen zuging und kniend seine Waffe vor ihm niederlegte. »Die Weiße Hand ist der Häuptling der Krieger der Schwarzen Schlucht.«

Bergen lebte wieder in seiner Hütte wie vorher. Er war nun einer dieser Menschen.

Er flog mit ihnen auf die Jagd, pflegte die Kranken und Verletzten und begleitete die Gestorbenen auf den Totenfelsen. Die Vergangenheit, und mit ihr die Erde, der er einst angehörte, versank immer mehr unter dem Leben, das ihn jetzt umgab und forderte.

Die erste Zeit war er rastlos bemüht, alle Dinge, die er bisher nur geahnt oder die ihm ganz verschlossen gewesen waren, kennenzulernen. Er erfuhr von dem, was sie dachten, lernte ihre Sorgen kennen und ihre unausgesprochenen Wünsche und fand den Weg zu den geheimsten Regungen ihres Herzens. Tausend Rätsel, die für ihn bis jetzt unlösbar gewesen waren, lösten sich, da er ihre Sprache verstand. Das Geheimnis der gefürchteten Schneckentiere wurde ihm offenbar und das Wissen um die Gefahren der Steppen und Wälder. Und die Geheimnisse der Natur dieses Planeten.

So begann Peter Bergen ein neues, ein zweites Leben. Auch er hatte diesen Menschen etwas zu geben und versuchte, ihnen aus dem Reich seiner anderen Erfahrungen und seines Wissens zu helfen. Er lernte ihre Krankheiten kennen, und seine Hand wurde geschickt als Arzt und Helfer in all den kleinen und großen Nöten ihres Daseins. In einem der späteren Jahre wiederholte er die Umseglung der Halbinsel und brachte von den Vulkaninseln die Stauden der bananenartigen Früchte mit, die er in den Bergwäldern nd im Tal anpflanzte. Sie vermehrten sich schnell wie Unkraut möglichten es ihnen fortan, ohne Hunger das Ende der Regenzeit zu erwarten.

Er selbst bereitete sich aus Meerwasser Salz, das die kalkartige Zukost, die die Menschen bisher zum Fleisch genossen hatten, bald ganz verdrängte.

Er baute sich ein neues, größeres Haus mit mehreren Räumen und Fenstern und malte auf die weißen Wände alle Abenteuer, die die Weiße Hand erlebt hatte.

Die Menschen fingen an, in ihm einen der Ihren zu sehen und vergaßen, daß er einmal ein Fremder gewesen war.

So zog Regenzeit um Regenzeit und Jahr um Jahr durch das große Tal, über die Schwarze und Rote Schlucht, und wenn Bergen an die Erde dachte, war es wie das Erinnern an eine andere Welt, der er nicht mehr angehörte.

Ein Weltraumschiff landet

Zehn Jahre waren über den Planeten hingezogen, seit Bergen zum erstenmal den Fuß auf ihn gesetzt hatte. Wieder war eine Regenzeit, ein Winter dieses Landes, zu Ende. Bergen war eben mit den Jägern von der ersten Jagd zurückgekehrt und saß mit ihnen am Feuer.

Da kam einer aus der anderen Stadt und suchte die Weiße Hand. Bergen fragte ihn: »Hat der Freund der Roten Schlucht Hunger, daß er zum Fleisch der Männer der Schwarzen Schlucht kommt?«

Der aber beantwortete diese Frage gar nicht. Zitternd an allen Flossen sah er Bergen mit schreckerfüllten Augen an.

»Ein fliegender Stein hat viele Weiße Hände gebracht. Die Weißen Hände haben keine Flügel.«

Bergen starrte in die Glut. Was hatte der Mann soeben gesagt? »Ein fliegender Stein, viele Weiße Hände . . .« Er mußte sich zusammennehmen, ganz fest, um zu begreifen, was er gerade gehört hatte. Er, der schon lange gewohnt war, nur noch in den Begriffen dieser Menschen zu denken, übersetzte die Worte in seinem Innern in die Sprache der Erde. »Ein fliegender Stein«, das Weltraumschiff, »viele weiße Hände«, das waren Menschen. Da sprang er auf und sah dem Mann fest ins Gesicht. Diese Menschen faselten und logen nicht.

»Haben die Augen des Jägers der Roten Schlucht den fliegenden Stein und die weißen Hände gesehen?«

»Die Augen haben gesehen und die Ohren haben gehört. Die Weißen Hände haben den Brüllenden Donner.«

»Führe die Weiße Hand zu dem fliegenden Stein!« Eine furchtbare Erregung hatte sich seiner bemächtigt, und als er das Erbeben seiner Flughäute und Flossen verspürte, wurde er sich ganz der Tragik dieser Stunde bewußt, der er nun entgegenging. Jahrelang hatte er voll Sehnsucht und voll Verzweiflung auf diesen Tag gewartet. Nun war es zu spät. Er war nicht mehr Peter Bergen. Die Rückkehr zur Erde war ihm verschlossen.

Das Schiff mußte weit weg von hier gelandet sein, sonst hätte man etwas von seiner Annäherung gesehen, zumindest aber gehört.

Er brach sofort auf, und viele Männer und Weiber der beiden Städte schlossen sich ihm an. Der Flug führte über die Rote Schlucht, dann über ein weites Tal, und nur die kräftigsten unter seinen Begleitern hielten sich an seiner Seite. Die anderen folgten in der gewohnten Art des fliegenden Springens nach. Man näherte sich jenseits des Tales den Bergen, die man »die Felsen der fließenden Wolken« nannte, weil es dort eine große Anzahl von Wasserfällen gab. Auf einem ausgedehnten Plateau sah Bergen, der mit Gelbauge allen vorausgeeilt war, als erster das Schiff. Es hatte ungefähr die gleiche Form wie WRS I, war aber gut zweimal so groß. Er ließ sich zu Boden und blieb eine Zeitlang zitternd stehen. Er sah Männer, die vor dem Schiff standen, bemerkte, daß sie Waffen in den Händen hielten. Da ging er schnell auf sie zu, bis er nahe vor dem ersten stand. Dann verlangsamten sich seine Schritte, ohne daß er es wollte. Die Füße wurden ihm wie Blei. Er spürte, wie seine Finger sich spreizten, wie sein Körper, den Gesetzen der Planetenmenschen folgend, sich hin und her wand. Er sah vor sich einen Mann. Sechzig Jahre mochte er vielleicht alt sein. Nur ihn mußte er immer ansehen. Er forschte in seinen Zügen. Ein Bild stand vor seiner Seele, die Erinnerung an ein Gesicht, das zu ihm sprach: »Wenn Sie noch etwas zu ordnen haben, Peter Bergen . . . die Reise, die Sie antreten, ist keine Spazierfahrt, und es könnte sein, daß Sie die Rückfahrkarte verlieren.« Dr. Jokens!

Die anderen sah er an, er kannte keinen von ihnen. Die Menschen der Erde standen vor ihm, dem Wesen dieses Sterns abwartend, halb Furcht, halb Überlegenheit in ihren Zügen, genau wie er einst am Rande des Urwalds vor den ersten Menschen dieses Planeten gestanden hatte.

Er ging entschlossen auf Brookens zu, die Hand nach Erdensitte vorgestreckt. Die Männer wichen zurück. Einer hob die Waffe. Da schüttelte er den Kopf und winkte mit der Hand. Dann machte er zu Brookens die Geste des Schreibens und bedeutete mit Hand und Mund, daß er nicht sprechen könne. Man sah ihn vollkommen verständnislos an. Mein Gott, warum verstanden sie ihn denn nicht? Immer wieder, immer eindringlicher wiederholte er den Versuch, ihnen seinen Wunsch klarzumachen. Da, endlich! Einer holte zögernd einen Block aus seiner Tasche – dabei sah er verlegen von einem zum anderen, ob sie es auch richtig fänden, was er zu tun beabsichtigte. Bergen griff danach, weil der Mann sich immer noch scheute, ihn ihm zu reichen. Der Block steckte in einem roten Lederetui. Darauf las Bergen in goldgeprägter englischer Schrift:

WRS V
Marsroute – Startplan:
1. Februar 2002 0 Uhr 15 ...

So weit war man also schon! Es gab einen regelrechten Flugplan zum Mars, mit einer auf Minuten festgelegten Abfahrtszeit.

Er zog den Block aus dem Etui, nahm den Stift, der daran hing, und schrieb:

»Herr Dr. Brookens, ich bin Peter Bergen, der einzige Überlebende von WRS I. Die Kräfte des Planeten haben meine Gestalt verändert. Meine Zunge ist für die menschliche Sprache gelähmt. Sagen Sie den Herren, sie möchten die Waffen wegnehmen – es besteht für sie hier keine Gefahr.«

Er riß das Blatt ab und reichte es Brookens. Der las. Er verfärbte sich, wurde kreideweiß. »Peter Bergen, Peter Bergen.« Immer wieder sprach er den Namen wie zu sich selbst. Er fuhr sich mit der Hand über die Augen. »Das ist nicht möglich, das kann ja nicht sein.«

Die anderen umringten ihn, lasen über seine Schulter hinweg den Zettel. Der alte Mann ging auf Bergen zu: »Du, Peter Ber

Ich kann es nicht verstehen – das ist zuviel für mich.« Er berührte Bergens Hand, doch als er die kühle, perlmuttglatte Haut fühlte, ließ er sie wieder los. Dieses Wesen, das konnte nicht Peter Bergen sein, der hübsche, strahlende Mensch von damals. War es möglich, daß er hier einem Betrüger zum Opfer fiel? Hatte Bergen hier vielleicht gelebt und diese menschenartigen Geschöpfe seine Schrift und Sprache gelehrt? Er forschte in Bergens Zügen.

»Wo ist WRS I? Und wie kamen Sie auf diesen Stern?« Peter Bergen schrieb: »Unser Schiff wurde durch einen Meteor aus seiner Bahn geworfen und beschädigt und kam später in den Kraftbereich dieses Planeten. Bei der Landung auf einem Vulkan wurde es zertrümmert. Ich allein blieb am Leben. Der Krater hat die Toten und das Wrack verschlungen.«

»Wenn Sie Peter Bergen sind, sagen Sie mehr, daß ich dessen gewiß bin. Sagen Sie etwas, das nur Peter Bergen wissen kann. Sie sind mir so fremd wie alle Wesen, die ich hier sehe.«

Bergen schrieb: »Wo ist meine Mutter, für die Sie zu sorgen versprachen?«

Da wichen die Zweifel Brookens'. Wenn er auch nicht begriff, was er sah, er zog Bergen an sich wie ein Vater seinen Sohn, den er wiedergefunden hatte. »Peter, verzeihen Sie mir, es ist so unfaßbar für mich, was hier geschehen ist . . .« Und er barg sein Gesicht an Bergens Schulter und weinte vor Erschütterung.

Es war eine heilige Stille um die beiden, und keiner wagte sie zu stören. Die Begleiter Brookens' waren stumm und aufs tiefste ergriffen von dem, was sie hier miterlebten, und die Menschen des Sterns, die sonst ihrem Staunen, ihrer Verwunderung mit Gurren und Krächzen Luft machten, ahnten in ihrem einfachen Gemüt, daß man hier stumm sein müsse.

Brookens strich mit der Hand über Bergens Gesicht. Er sah ihm in die Augen. »Ich glaube, Bergen, ich kenne Sie trotz allem wieder. Diese Augen, ja, das sind Peters Augen.« Er wandte sich um, er wollte seinen Begleitern erklären . . . Als er ihre Gesichter sah, wurde ihm bewußt, daß sie ja alles mit angehört hatten. »Ja, es ist so, meine Herren; was wir acht Jahre lang im ganzen uns erreichbaren Weltall gesucht haben, haben wir heute gefunden.«

Brookens hatte sich wieder gefaßt, war wieder Weltmann. »Herr Bergen, darf ich Ihnen die Herren vorstellen, damit Sie wissen, mit wem Sie es zu tun haben?« Er nannte ihre Namen. Große

Titel waren darunter. Bergen erinnerte sich an keinen von ihnen. Sie verbeugten sich gönnerhaft oder steif und konventionell. Da trat einer bei der Nennung seines Namens aus dem Kreis auf Bergen zu und schüttelte ihm kräftig die Hand: »Wie Sie hören, bin ich auch ein Münchner, Herr Bergen. D' Frauentürm' lassen Sie grüßen, sie stehen noch.« Da faßte Bergen noch einmal nach der breiten Hand des jungen Menschen und strich fast scheu darüber, über dessen Joppe, über seine seidigen, im Winde flatternden Haare, um auch mit seinen Händen das Menschliche, das Heimatliche zu spüren.

»Und jetzt, zusammengepackt, Herr Bergen«, fuhr der mit der Vertraulichkeit des Süddeutschen fort, »und dann nehmen wie Sie wieder mit, net wahr, Herr Bergen.«

Brookens übernahm das Stichwort: »Aber natürlich, Peter, jetzt ist Ihre Leidenszeit zu Ende. Ihre Heimat, unser Werk warten auf Sie, wir brauchen Sie.« Bergen schüttelte den Kopf. »Zu spät«, schrieb er mit großen Zügen auf das Blatt. Betretenes Schweigen folgte.

Peter Bergens Landsmann, man nannte ihn Professor Neumüller, fand in seiner humorvollen Art wieder das erlösende Wort: »Aber Herr Bergen, die Münchner wollen auch mal was anderes sehen als immer ihre langweiligen Bierdimpfln mit den roten Schneuztüachln, die sie noch in das zweite Jahrtausend herübergerettet haben.«

Bergen antwortete nicht. Was sollte er auch schreiben? Sollte er hier seine Geschichte erzählen, die Qualen der Verzweiflung, die er durchgemacht hatte, ihnen erklären, warum es für ihn kein Zurück mehr gab? Er sah in den Händen einiger Herren kleine, schwarze, kaum hörbar surrende Apparate mit einer blitzenden Linse. Er kannte sie nicht, aber er wußte sofort, das waren Filmapparate, die das farbige Bild und vielleicht auch noch den Geruch der Luft aufnahmen. Was war bei dem Fortschritt der Technik auf der Erde noch unmöglich. Das ernüchterte ihn. Er schrieb: »Ich bin der Häuptling der Jäger der Schwarzen Schlucht, der Planetenmenschen, die Sie hier um sich sehen. Ich bewillkommne Sie in unseren Tälern und in unseren Dörfe. Seien Sie meine Gäste.«

Nachdem er Brookens das Blatt gegeben hatte, wandte er um.

»Jäger der Roten und Schwarzen Schlucht! Die Weißen Hände kommen vom Roten Licht. Sie sind die Freunde der Weißen Hand. Sie sind die Freunde der Jäger der Roten und der Schwarzen Schlucht. Sie sind gekommen, um die Jagdgründe und die Dörfer zu sehen. Sie wollen die großen Früchte essen. Fliegt zu den Hütten, die Weißen Hände werden kommen.«

Die Planetenmenschen erhoben sich und verließen mit Gelärm und Flügelschlagen das Plateau.

Als er sich wieder umwandte, sah er in lauter verblüffte Gesichter. Dieser Peter Bergen konnte also reden mit anderen, tierähnlichen Lauten, die kaum etwas Menschliches an sich hatten. Brookens brach zuerst wieder das Schweigen. »Was haben Sie zu diesen Menschen gesagt?«

»Ich habe sie geheißen, in ihre Häuser zurückzukehren. Sie wollen Sie als meine Gäste mit dem Fleisch ihrer Jagden und den Früchten, die auf diesem Stern wachsen, bewirten. Wir werden ihnen später folgen. Wollen Sie mir jetzt das Schiff zeigen, Dr. Brookens?« Mit dem Interesse der Sachkundigen betrachtete er die technischen Einrichtungen. Einiges erinnerte noch an WRS I, das meiste aber war anders. Die Richtungsmesser waren nach anderem System gebaut, das mitgeführte Erkundungsflugzeug hatte kaum mehr die Form, die er an einem Flugzeug gewohnt war. Es hatte keine Tragflächen mehr und flog, wie man ihm sagte, ebenfalls mit Atomkraft. »Warum hat das Schiff keine Fenster?« fragte Bergen. Da drückte Brookens auf einen Knopf, und vor dem erstaunten Fragenden wurden die Wände plötzlich durchsichtig. Man sah wie durch klares Glas die Berge, das ferne Tal und den Himmel. Brookens lächelte Bergen an: »Nun sind Sie platt, was?«

»Die Technik hat große Fortschritte gemacht, Dr. Brookens. – Kann man jetzt auch von außen in das Schiff sehen?«

»Nein, Bergen, nur von innen, von wo aus die Strahlen wirken.«

»Wo sind die Startmatratzen, Doktor?«

»Sie sind überflüssig geworden. Sehen Sie den Hebel dort? ach dem Auslösen der Startzündung schalten wir den Hebel ein, nun beginnen im gleichen Ausmaß, wie die Beschleunigung amt, im Schiffsinnern entsprechende Ausgleichskräfte zu die all die gefährlichen Begleiterscheinungen, unter denen Sie bei Ihrem Abflug zu leiden hatten, ausschalten.« Er drückte auf einen Knopf. Die Wände verloren wieder ihre Durchsichtigkeit. »Und nun kommen Sie, damit wir Ihr Wiederfinden feiern können.«

Durch den Druck eines Schalters öffnete sich eine Schiebetür zu einem anderen Raum. Man betrat einen luxuriös eingerichteten Saal mit Glastischen und weichen Klubsesseln. Bergen mußte an den Aufenthaltsraum in ihrem ersten Schiff denken, in dem sie sich vor Enge kaum hatten umdrehen können. Während er noch stand und schaute, entnahm ein weißgekleideter Ober einem Barschrank Gläser und Flaschen und goß ein. Brookens reichte Bergen das Glas. »Herr Peter Bergen, meine Herren! Nehmen Sie es nicht als eine Phrase, wenn ich ausspreche, daß diese Stunde die größte, die erschütterndste und die schönste meines sechzigjährigen Lebens ist. Herr Bergen, Sie haben sich als Pionier der menschlichen Forschung, als einziger Überlebender der so unglücklich verlaufenen ersten Marsexpedition durch einen zehnjährigen Aufenthalt auf dem Perius das Besitzrecht auf diesen Planeten erworben. Im Namen des Universum-Gesetzes, das alle Völker der Erde vor drei Jahren anerkannt haben, verleihe ich Ihnen den Besitztitel auf diesen Planeten und gebe ihm den neuen Namen ›Peter Bergen‹.«

Bergen schrieb: »Ich danke Ihnen für diese Anerkennung und nehme dem auf der Erde geltenden Gesetz nach formell das Besitzrecht an. Die wirklichen Besitzer nach dem höheren Gesetz der Natur sind die Menschen, die diesen Stern bewohnen. Meine Besitzerklärung soll ihnen ihren Lebensraum ungestört erhalten.«

Brookens las Bergens Erklärung laut vor. Dann hob er das Glas: »Und nun prost, Peter Bergen, der neue König dieses Sterns.« Alle stießen mit Bergen an. Dann tranken sie. Bergen nippte nur. Der erste Tropfen schon rann ihm wie Feuer durch den Schlund. Verlegen lächelnd stellte er das Glas wieder auf den Tisch. »Das edle Feuerwasser scheint hier noch nicht bekannt zu sein, wie?« rief einer Bergen zu.

»Und nun müssen Sie Ihren Besitztitel auch unterschreiben, Peter! Sie wissen ja, auf der Erde gilt nur das Papier.« Brookens entnahm einem Safe eine buchstarke Urkunde, machte einige Eintragungen, unterschrieb selbst an einigen Stellen und übergab sie Bergen. Der las:

Auf Grund des Völkervertrags von Chicago 1999 und des dort beschlossenen Universum-Gesetzes Nr. 3 wird dem Unterzeichneten auf den Planeten (hier hatte Brookens den Namen des Planeten Perius eingetragen) hiermit mit allen Rechten der Besitztitel verliehen. Die damit verbundenen Rechte verstehen sich im Sinne des Artikels 15. Der Planet erhält mit dem Tage der Titelverleihung unabhängig von seiner bisherigen Benennung den Namen PETER BERGEN. Unterschrift des Titelhalters.

Zeuge 1, Zeuge 2, Zeuge 3 im Sinne des Artikels 16 der Ausführungsbestimmungen.

Die Urkunde war in allen Sprachen der am Vertrag beteiligten Völker abgefaßt.

»Erschrecken Sie nicht, Peter, Sie brauchen nur einmal zu unterschreiben. Sehen Sie, hier unten, das ist die eigentliche Verleihungsurkunde.« Brookens wies dabei auf ein in Leder eingebundenes Blatt, das den Text in Englisch zeigte. Bergen setzte seinen Namen auf das Pergament. Dann nahm ihm Brookens das Buch aus der Hand und übergab es einem Herrn mit einer dicken Brille und einer scharf geschnittenen Nase: »Wollen Sie die Formalitäten bitte übernehmen – und Sie, Peter, kommen wieder mit mir; es ist hier noch Verschiedenes, was Sie interessieren wird.« Die beiden verließen den Raum und begaben sich an den Navigationsstand.

»Ich wundere mich«, schrieb Bergen, »daß ich die Annäherung und Landung des Schiffes nicht gehört habe. Der Lärm, den die Heckdüsen bei der Landung verursachen, muß doch meilenweit wie ein Gewitter das Land erfüllen.«

»Das ist heute anders, Bergen. Dr. Macon, derselbe, der eben Ihre Urkunde bearbeitet, hat eine Erfindung gemacht, die die Schallwellen gleich nach ihrer Entstehung vernichtet und damit das Explosionsgetöse, das früher beim Start und bei der Landung entstand, fast gänzlich aufhebt.«

»Ich glaube, Doktor, unser WRS I steckte zu stark in den Kinderschuhen.«

»Wir haben den großen Fehler begangen, Peter, WRS I zu früh zu bauen. Unsere damaligen Kenntnisse reichten zur Not aus, ein Schiff in den Weltenraum zu schleudern. Alles andere, der Verlauf der Fahrt, das Anfliegen des Ziels, die Landung dort und der

Start zurück bis zur Ankunft auf der Erde, waren zu neunzig Prozent Glücksache. Es hat noch Jahre gedauert, bis wir die Kräfte der Atomzertrümmerung so weit kannten, daß wir sie voll ausnützen und richtig einsetzen konnten. Die Beibehaltung der Flugrichtung zum Beispiel, eine Aufgabe, die bei WRS I allein in den Händen der Führung des Schiffes lag, vollzieht sich heute auf ganz mechanische Weise, ist ein Vorgang, der automatisch und unabhängig von der Unzulänglichkeit der optischen Beobachtung vor sich geht. Die kleinste Abweichung von der eingestellten Richtung, und sei es auch nur ein tausendstel Grad, löst sofort Kraftgegenstöße aus, die das Schiff haargenau auf den alten Kurs bringen. Ebenso selbsttätig geht die Abwehr gegen sich nähernde Meteore vor sich. Sobald das Schiff die Lufthülle der Erde verlassen hat, werden von einem Kräftezentrum nach allen Richtungen Atomwellen ausgesandt. Treffen diese auf einen Meteor – und das tun sie viel früher, als das Auge seine Annäherung wahrnehmen kann, so lösen sie selbständig die Beschießung gegen ihn aus. Damit ist die Katastrophe, der WRS I erlegen ist, gar nicht mehr möglich.

Wir fliegen heute die Tour Erde – Mars in vierundzwanzigeinhalb Tagen mit der Genauigkeit eines Erdflugzeugverkehrs. Es mag Sie überzeugen, wenn ich Ihnen sage, daß, wenn das Schiff am 1. Februar 0 Uhr in New York startet, wir genau am 25. Februar 12 Uhr 30 auf der Südstation I des Mars landen.«

»Südstation I?« fragte Bergen.

»Jawohl, Peter, wir haben den guten alten Mars mit unserem prima Organisationstalent fein säuberlich in vier Sektoren eingeteilt, und auf jedem derselben befindet sich eine Landestation, das Nr. I, und eine Startstation, das ist Nr. II, und wenn Sie mit uns dort Besuch machen wollen, dann werden Sie nicht nur Werkhallen für Reparaturerfordernisse finden, sondern sogar schon kleine Städte, in denen die Menschen mit allem Komfort wohnen, modernste Hotels und neuzeitlichste Flughäfen für alle Wasser- und Landflugzeuge. Für zweihundert Dollar fliegt man in ihnen um die ganze Marskugel. Vorerst ist das zwar noch ein Vergnügen für reiche Leute, aber warten sie noch zehn Jahre, dann kleben in New York, Berlin, Moskau und in jeder großen Stadt der Erde die Plakate: »Ferien auf dem Mars. Hin und zurück und Marsrundfahrt inclusive aller Nebenspesen 100 Dollar.«

»Gibt es Menschen dort, Doktor?«

»Nein, Peter. Weder dort, noch auf den anderen Planeten, die wir angeflogen haben. Die Weltkörper waren entweder schon erloschen und hatten, wie der Mond, keine Lufthülle mehr, oder waren noch kochende Feuerbälle, so daß wie die Landung hübsch bleiben ließen. Der Perius ist der erste, auf dem sich unsere Sehnsucht, Menschen und Vegetation zu finden, erfüllt hat. Leider haben Sie uns die Entdeckerfreude vorweggenommen. Dafür bleiben uns aber vermutlich manche unangenehmen Erfahrungen erspart, die wir ohne Sie hier sicher machen müßten.«

»Ich wußte bis heute nicht, auf welchem Stern ich lebe. Wir verloren nach der Katastrophe im Weltall immer mehr die Orientierung, und unser Astronom war schließlich ohne brauchbare Instrumente nicht mehr in der Lage, die Position des Schiffes festzustellen.«

»Sie werden mir das alles einmal ausführlich erzählen, Peter, nicht wahr? Wir warten darauf, es zu erfahren, vor allem wir Alten, die das erste Schiff gebaut und Sie und Ihre Kameraden auf den Weg geschickt haben.«

Bergen sah gedankenverloren vor sich hin. Brookens fuhr fort: »Sie sind nun der Herr über diesen Stern. Wie lange erlauben Sie uns, uns hier aufzuhalten?«

»Sie, Doktor, sind mein Gast, solange Sie wollen. Aber ich weiß nicht, ob alle Ihre Begleiter die Eignung mitbringen, sich diesen Menschen gegenüber richtig zu verhalten.«

Brookens schien betroffen. »Wir werden noch darüber sprechen, Bergen. Jetzt aber wollen wir sehen, ob die Federfuchser da drinnen mit Ihrem Vertrag fertig sind. Kommen Sie!«

Im Kasino angekommen, überflog Brookens die Urkunde. »Sie bedarf jetzt nur noch der formalen Bestätigung des Völkerrats. Wollen Sie sich noch einmal überzeugen?«

Bergen las. Dann, schon im Begriff, sie wieder zurückzugeben, nahm er noch einmal die Feder und schrieb unter seine Unterschrift: *Ich wünsche, daß auf dem »Peter Bergen« kein weiteres Schiff mehr landet. Zu meinem Unterschrifts-Bevollmächtigten auf der Erde bestelle ich Herrn Dr. Brookens, New York. Nach dessen Tod erkenne ich als solchen einen von Dr. Brookens zu bestimmenden Nachfolger an. Peter Bergen.* Dann bat er die Herren ihm als seine Gäste in die Stadt zu folgen.

Brookens erkundigte sich nach der Entfernung und schlug vor, mit der Begleitmaschine hinzufliegen. »Sie setzen sich am besten neben den Führer, Peter, sonst landen wir womöglich noch irgendwo bei den Menschenfressern.«

Interessiert beobachtete Bergen, wie sich ein Teil der Schiffswand öffnete und sich aus einem Schacht ein Kran herausschob, an dem das neuartige Flugzeug zu Boden gelassen wurde. Sie hatten alle bequem darin Platz. Lautlos fast, nur mit einem leisen Brummen, erhob es sich und folgte jeder Bewegung, die Bergen dem Piloten andeutete.

Sie überquerten das Tal. »Stoppen Sie, Macon!« rief Brookens. »Was ist das für ein seltsamer Wald dort unten, Bergen?« Das Flugzeug hing bewegungslos in der Luft. Bergen schrieb die Erklärung auf einen Zettel und reichte ihn zurück. Dann setzte das Flugzeug seine Fahrt fort.

»Landen Sie dort auf jenem Felsen!« gab er die Anweisung. Genau über dem bezeichneten Platz hielt das Flugzeug und ließ sich dann senkrecht zu Boden, bis es ohne jeden Stoß aufsetzte. Bevor sie in die Schlucht hinabstiegen, schrieb Bergen: »Betrachten Sie alles, was Sie sehen und erfahren, als etwas, das auf diesem Stern genau so ernst zu nehmen ist, wie es auf der Erde die dortigen Gepflogenheiten sind. Berühren Sie vorerst keine Waffen, die die Männer tragen. Das ist soviel wie eine feindliche Handlung.«

Bergen ging seinen Gästen voran zum Versammlungshaus, wohin er auch die Jäger des Stammes zusammenrief. Hier vollzog er die formelle Freundschaftsbezeugung zwischen den Weißen Händen und den Männern der Schwarzen und Roten Schlucht. Als er mehrere der Herren über diese Zeremonie wie über einen lustigen Spaß spotten hörte, schrieb er: »Auch auf diesem Planeten gibt es formelle Notwendigkeiten, die eingehalten werden müssen, wenn man nicht unangenehme Überraschungen erleben will.«

Dann begaben sich die Weißen Hände auf den Platz des Feuers, und Bergen und die Männer des Stammes reichten ihnen auf wachsharten Blättern die Vanillefrucht. Etwas mißtrauisch und verlegen kosteten sie das weiche Fleisch. Ein Ruf des Entzückens folgte wie aus einem Munde, als sie den ersten Bissen im Munde hatten. Dann aßen sie fast andächtig die köstliche, nie genossene Speise. Inzwischen drehten sich die Spieße mit saftigem Fleisch das man den Gästen in flachen Muscheln vor die Füße legte. Die Herren waren gezwungen, mit der Hand zu essen, und das Mahl vollzog sich unter großer Heiterkeit und mancherlei Späßen, die die ungewohnte Situation mit sich brachte. Später führte Bergen sie über die hängenden Bastbrücken und schaukelnden Stege durch das Dorf und zeigte ihnen schließlich das Schlangenhaus.

Die Menschen von der Erde betrachteten das alles, wie man ein interessantes Völkerkunde-Museum bestaunt. Verschiedene machten Notizen, die kleinen, unauffälligen Apparate in ihrer Hand machten farbige Bildstreifen von der Schlucht, von den Bergen und Pflanzen, von den vogelnestartigen Häusern und von den kreischenden und gurrenden Flugmenschen, die sie aufgeregt umflatterten. Bergen war verstimmt. Alle die neuen, nie gesehenen Dinge auf diesem Planeten, von denen jedes einzelne für ihn einmal ein aufwühlendes Erlebnis bedeutet hatte, von denen viele mit soviel Leid und Qual verknüpft waren, waren für diese Menschen nur ein amüsantes Erlebnis.

Nein, nicht für alle. Als man in Bergens Hütte angelangt war, nahm Brookens seine Hände und sah ihm ergriffen in das Gesicht. »Furchtbar muß es für Sie gewesen sein, Peter, ganz allein in dieser – verzeihen Sie den Ausdruck – unnatürlichen Welt ein neues Leben beginnen zu müssen!«

Bergen wies auf den kleinen Raum, in dem sie standen: »Hier ist mein Zuhause, Dr. Brookens.« Der ging durch die kleinen Zimmer, strich mit den Händen über die Wände, über den mit seidigem Bast bedeckten Tisch. Er sprach kein Wort. In seinem Innern war all das, was er hier erlebte, zu mächtig, als daß er vermocht hätte, seinen Gefühlen Ausdruck zu geben.

Wieder reichte Bergen ihm ein Blatt: »Der Tag wird bald zu Ende sein, Dr. Brookens. Die Dunkelheit kommt hier fast ohne Übergang. Es wird für Sie und die Herren Zeit, zum Schiff zurückzukehren.« Die meisten, die verlegen in dem niederen Raum herumgestanden hatten, waren offensichtlich froh, für die Nacht wieder zum Schiff und damit zu ihrer erdgewohnten Bequemlichkeit zu kommen. Die Sensation dieses Tages würde an der Bar bestimmt einen unterhaltsamen Abend geben. Einige beabsichtigten sofort, auf dem Atomwellensender die ersten Bild- und Berichtreportagen an ihre Redaktionen auf der Erde durchzugeben. Sie waren alle lebhaft im Gespräch, als sie über das Plateau zum Flugzeug schritten. Man verabschiedete sich von Bergen, und einer nach dem anderen verschwand im Inneren der Maschine. Zuletzt stand nur noch Brookens neben ihm. Bergen drängte ihn einzusteigen. Da drehte sich Brookens um: »Peter, ich habe eine Bitte. Ich möchte diese Nacht bei Ihnen im Dorf bleiben. Ich denke, wir haben uns manches zu sagen . . .«

»Was ist, Dr. Brookens, kommen Sie nicht?« Man rief aus dem Flugzeug nach ihm. »Nein, fliegen Sie nur ab! Ich muß hierbleiben.« Und lächelnd setzte er hinzu: »Der König des Planeten hält mich für diese Nacht als seine Geisel hier. Morgen früh erwarten wir beide Sie hier im Dorf, und nun Gute Nacht.«

Die Tür schloß sich. Lautlos stieg das Flugzeug senkrecht in die Höhe und verschwand dann mit grellen Scheinwerfern in die Dunkelheit des sinkenden Abends. Bergen und Brookens aber nahmen langsam ihren Weg zur Schlucht zurück. Bevor sie wieder in die Hütte traten, rief Bergen Gelbauges Namen.

»Warum ruft die Weiße Hand?«

»Gelbauge wird der Weißen Hand Feuer bringen.«

Dann saßen sie beim flackernden Licht, einer aus Wollfäden und Tierfett gebastelten Lampe, und horchten auf die Laute, die von den Feuern der Schlucht zu ihnen drangen.

»Ich habe ein besseres Licht, Bergen, ich glaube, wir können es gebrauchen.« Eine Taschenlampe flammte auf und warf ihr helles Licht über das gelbe Bastgeflecht des Tisches. Das Gespräch, das die beiden führten, Brookens mit der lebhaften Stimme, die manchmal so väterlich weich klingen konnte, und Peter Bergen mit dem lautlosen Stift, der noch mit der gewohnten Sicherheit über das Papier glitt, war ohne alle Floskeln und Lügen der Konvention, jedes Wort nackt und einfach und ohne Hintergedanken – und die Nacht lag müde und lau über der Schlucht.

»Erzählen Sie von meiner Mutter, Dr. Brookens.«

»Sie hat Ihren Tod, an den wir alle glauben mußten, nicht lange überlebt, Peter. Ich war noch bei ihr in München, einige Tage, bevor sie verschied. ›Sehen Sie, Herr Doktor‹, sagte sie zu mir, ›von einem dieser glitzernden Sterne schaut mein Bub herab und wartet auf mich. Aber ich komme schon, Peterl!‹ Sie war voll Sehnsucht nach Ihnen, bis zur letzten Stunde. Wir haben sie im Waldfriedhof zur Ruhe gebettet!«

Bergens Atem ging schwer. Mit nassen Augen sah er in die

Nacht hinaus, wo über den dunklen Felsen die Sterne standen.

»Sie müssen Furchtbares durchgemacht haben in diesen zehn Jahren.«

»Schwer waren nur die ersten Jahre und das vergebliche Warten auf das Rettungsschiff – die Enttäuschung. Nun ist mein Herz zur Ruhe gekommen. Ich bin ein Geschöpf dieses Sterns geworden und gehöre zu diesen Menschen.« Und da Brookens ungläubig den Kopf schüttelte, spann er den Gedanken weiter, »und bin glücklich unter ihnen.«

»Sie sind noch jung, Peter, und auf der Erde wartet noch ein anderes Glück auf Sie: die Arbeit, der Erfolg, der Ruhm.«

Bergen schüttelte den Kopf. Brookens wurde eindringlicher: »Sie sind eine Begabung, Peter Bergen, Sie haben das Gefühl für die Erfindungen, die in der Luft liegen, die geboren werden sollen. Was andere mühsam errechnen müssen, was sie nur hinter Zahlen finden, das wittern Sie mit dem Instinkt des Erfinders. Kräfte wie Sie liegen nicht auf der Straße, und wir brauchen Sie, Bergen, *ich* brauche Sie vor allem.«

»Sehen Sie mich an, Doktor, meine Gestalt, kann ich so wieder unter die Menschen der Erde gehen?«

»Ich stelle Ihnen mein Haus zur Verfügung, unten in Florida. Sie kennen es, mit dem großen Park. Erinnern Sie sich noch, wie gern Sie mit James unter der alten Pinie saßen? Niemand wird Sie in Ihrer Einsamkeit dort stören. So wie dieser Weltkörper Ihre Gestalt geändert hat, so werden die starken Kräfte der Erde Sie auch wieder zu einem Menschen machen, wie wir es sind.«

»Vielleicht, Doktor, vielleicht auch nicht. Die Kräfte der Erde wirken nicht mehr so elementar wie die dieses jungen Planeten. Er ist noch in dem Stadium, in dem die ganze Flora und Fauna im Entstehen begriffen ist, in dem die großen Rassenbildungen vor sich gehen. Die Erde ist dazu schon zu müde.«

»Bergen, es ist furchtbar für mich, Sie hier zurückzulassen. Wissen Sie nicht, daß Sie mir wie ein Sohn sind, Peter – oder . . .« Er zögerte. »Hält Sie etwas hier? Ich meine . . .«

»Nein, Doktor, nichts. Das ist es nicht. Aber sehen Sie, ich habe hier das Glück des inneren Friedens gewonnen und höher schätzen gelernt als die Dinge, die man auf der Erde unter Glück versteht. Lassen Sie mir diese Ruhe. Oder habe ich sie mir nicht ehrlich verdient?«

Brookens schwieg. Nach einer Weile fuhr er fort: »Gibt es noch andere Menschen hier auf diesem Stern?«

»Ich weiß es nicht, Doktor Brookens.«

»Das Stück Land, auf dem Sie leben, ist eine Insel, vielleicht so groß wie Europa. Wissen Sie das, Peter?«

»Ich wußte es nicht.« Er schob das Blatt hin, die Worte zu lesen. Dann schrieb er weiter: »Warum nehmen Sie mir die Freude, es nicht zu wissen?«

»Das verstehe ich nicht, Peter. Wir können mit dem Erkundungsflugzeug morgen den ganzen Stern abfliegen. Sie können an einem Tag alle Länder und Meere sehen, die dieser Planet trägt, werden wissen, ob und wo noch andere Menschen wohnen.«

»Ich will es nicht erfahren, wenigstens nicht auf diese Weise. Das ist pietätlos.«

»Aber Peter! Sind Sie nicht selbst mit Hilfe einer pietätlosen Maschine in das Weltall vorgedrungen und auf diesen Stern gekommen?«

»Das ist lange her, Dr. Brookens. Ich bin ein anderer geworden.«

»Äußerlich vielleicht. Ihr Verstand, Ihr Gehirn ist noch das gleiche geblieben. Ich sehe, ich spüre es doch.«

»Mein Verstand, ja, aber meine Seele ist so geworden, wie diese Menschen sie besitzen. Sie aber leben noch im Paradies.« Nach einer Weile schrieb er weiter: »Sie wissen nicht, wie schön es ist, im Paradies einer Menschheit zu leben.«

Wieder trat eine Pause ein. Was sollte Dr. Brookens antworten? Er fühlte sich in diesem Augenblick so weit entfernt von dem Peter Bergen, der jetzt in einer Welt lebte, zu der er keinen Weg fand. Oder verstand er ihn doch? War nicht irgendwo im letzten Winkel seines ruhelosen Herzens eine Sehnsucht nach diesem Paradies der Menschheit? »Sie sind in diesen zehn Jahren um so vieles reifer geworden, als ich es in meinem Alter bin, Peter. Sie sind glücklich, weil Sie nichts mehr bedürfen, und wir bedürfen so vieler Dinge, um uns glücklich zu glauben.«

Wieder war es eine Weile still zwischen den beiden. Dann griff Peter von neuem nach dem Stift: »Ich habe eine Bitte an Sie, Dr. Brookens. Verlassen Sie mit Ihrem Schiff und Ihrer Begleitung diesen Stern wieder, noch bevor Sie ihn erforscht haben.«

Der andere las und schwieg.

Bergen fuhr fort: »Ich bitte Sie nicht um meinetwillen, sondern um dieser Menschen willen. Viele tausend Jahre trennen sie von der Entwicklungsstufe der Erdenmenschen. Viele tausend Jahre sind ihnen noch geschenkt, bis sie so friedlos geworden sind, wie die Erde heute ist. Lassen Sie ihnen dieses Glück.«

»Peter, dieser Weltkörper ist der erste, auf dem wir Leben, auf dem wir Menschen gefunden haben. Das Stadium, in dem er sich befindet ist ein offenes Buch für die Menschheit, das hier viele ungeklärte Rätsel lösen wird. Ungeahnt sind die Perspektiven für die Wissenschaft und ihre Forschung.«

Er wurde eindringlicher: »Es geht um die Wissenschaft, Peter, um die Erkenntnis vielleicht der letzten Dinge.«

»Es geht um den Frieden eines neuen Menschengeschlechts, Dr. Brookens. Das ist mehr.«

»Sie bitten mich um etwas, Peter, was ich als der kleine, unbedeutende Vertreter der menschlichen Wissenschaft nicht zu entscheiden und nicht zu versprechen vermag.«

»Dann verlange ich es, Herr Dr. Brookens. Nach Ihrem Gesetz habe ich über diesen Planeten zu bestimmen und, wie ich es schon in der Urkunde niedergelegt habe, mache ich von diesem meinem Recht Gebrauch.«

»Das Interesse und das Wohl der Menschheit der Erde und ihr Recht auf Erkenntnis wird über uns beide hinweggehen.«

»Bedeutet das Wohl und Interesse der Menschheit dieses Planeten nichts?« Und nach einer Weile: »Können Sie mich nicht verstehen, Dr. Brookens?«

»Nicht ganz, Bergen. Es trennen uns nicht zehn Jahre, die wir uns nicht gesehen haben, es steht hier eine Welt zwischen uns. Aber die Völker der Erde werden ihre eigenen Gesetze nicht brechen und Ihr Verbot achten, solange diese Gesetze in Geltung sind.«

Brookens kühler Ton, mit dem er plötzlich sprach, erschreckte Bergen. Wohin war ihr Gespräch geraten? Verstand sein alter Freund nicht, um was es hier ging? Oder lag es an ihm, nicht zu begreifen, daß die Interessen der Erde höher standen als die paradiesische Ruhe dieser Menschen? Nein, nein, er hatte recht. Hatte er nicht von seiner Mutter hundertmal gehört, wenn sie von dem großen Krieg erzählte, wie furchtbar das Leid war, das der Mensch mit seinen stolzen Erfindungen der Technik über das eigene Geschlecht brachte? Zwei Bilder standen sich in seiner Seele gegenüber: dort die Menschen mit müden, nervösen Gesichtern, inmitten dröhnender Maschinen, mit denen sie wieder Maschinen schufen, die sie zu stolzen Herren der Erde machten und vor denen sie doch zitterten, weil sie vielleicht morgen schon davon vernichtet würden – und hier die Menschen, die still durch die Tage gingen, die vor ihren Hütten saßen und schauten und wunschlos waren. Nein, hier gab es keine Frage. Brookens Rede riß ihn aus seinen Gedanken. Er hatte ein neues Thema angeschlagen:

»Es sind fünf Menschen bei Ihnen gewesen, Peter Bergen, als Sie die Erde verließen. Auch diese haben Freunde und Menschen auf der Erde zurückgelassen, die sie liebten. Sie sehnen sich danach zu wissen, was mit ihnen geschehen ist. Führt es zu weit, mir alles zu erzählen?«

Da stand Bergen auf und holte aus dem Nebengemach ein Paket. Er löste die Verschnürung und reichte Brookens ein schweres Bündel gelber, beschriebener Bastblätter. Auf dem obersten stand in verblichenen, grauen Buchstaben:

Peter Bergen
Mein Tagebuch

»Es ist mein Geschenk an Sie, Dr. Brookens, und mein Vermächtnis an die Angehörigen derer, die mit mir die Erde verlassen haben und nie mehr zurückkehren können.«

Als die Sonne die schlafende Schlucht weckte, fand sie die beiden Menschen noch immer im Gespräch. »Der Tag kommt, Brookens.«

Der löschte das Licht. Sie traten auf den schmalen Balkon und atmeten die balsamische Luft des tropischen Morgens. Vom Plateau her sahen sie die Herren der Schiffsbesatzung sich nähern. Mit laut geführter Unterhaltung und schallend belachten Witzen stiegen sie über die ihnen ungewohnten Stege zu Bergens Haus empor.

»Nun, meine Herren«, – Brookens begrüßte sie lachend –, »gut geruht?«

»I wo, Doktor, wir haben gearbeitet. Dr. Macon und Herr Tscherkoff haben ihre ersten Berichte durchgegeben – sie erscheinen bereits heute in den Mittagsausgaben. Dr. Valesco hat heute früh noch die Filmaufnahmen zur Erde gefunkt. Das wird die fantastischste Nachrichtensendung seit der Marslandung.«

Der Sprecher wandte sich an Bergen: »Aber das Wichtigste: Die Anerkennung und Ratifizierung Ihrer Besitzverleihung ist heute nacht, das heißt, in New York war es Nachmittag, in einer Fernsondersitzung vollzogen worden.«

Bergen sah Dr. Brookens fragend an: »Heute nacht?«

Brookens erklärte: »Sie müssen wissen, Peter, daß nach dem heutigen Stand unserer Fernsehtechnik die Teilnehmer einer Sitzung nicht mehr körperlich beisammen sein müssen. Sie werden durch Fernsehstrahlen verbunden, so daß jeder der Teilnehmer, sei er nun in Tokio, Paris oder New York, den anderen sehen und mit ihm sprechen kann, also auch die Teilnehmer im Schiff drüben. Die Unterzeichnung eines Vertrags kann ebenfalls auf dem Wege über Atomkurzwellen erfolgen.«

»Hier ist die Urkunde. Ich gratuliere, Herr Bergen.« Dr. Macon hatte Peter Bergen das Schriftstück überreicht.

»Und nun«, irgend jemand warf es dazwischen, »wird uns der neue Herr dieses Sterns sein Reich zeigen.«

»Stop, meine Herren!« Brookens wandte sich an den Sprecher, »Ihr und unser aller Wunsch muß leider unerfüllt bleiben.« Er sah Peter Bergen an und sprach dann, sich wieder zurückwendend, weiter: »Ich habe Ihnen im Auftrag von Herrn Bergen dessen Wunsch bekanntzugeben. Danach wird unser Schiff noch heute seine Insel und diesen Stern verlassen. Ich kenne die Gründe, die Herrn Bergen zu dieser Forderung veranlassen, und bitte Sie, meine Herren, sich ihr ohne weitere Fragen zu fügen.«

Eisige Stille folgte. Dann Herr Tscherkoff: »Ich verstehe nicht, Dr. Brookens . . .«

»Doch, doch, ich verstehe Herrn Bergen schon.« Die Stimme des Bayern, Dr. Neumüller, war es, die mit ihrem begütigenden Ton der peinlichen Situation die Spitze nahm. »Er will sich in seiner bayerischen Ruhe net weiter stören lassen, und wenn wir mal mehr von seinem Paradies erspinstet haben, werden wir ihm zu neugierig, und zum Sonntagsausflugsort für die Neureichen da unten will er sein Landl nicht machen lassen. Hab i recht, Herr Bergen? Aber a paar Vanillekürbisse als Abschiedsfrühstück lassen Sie schon noch anfahren, net wahr?«

Bergen war dankbar für die Wendung des Gesprächs, und bald

saßen alle, so gut es der Platz in der Hütte erlaubte, auf Bergens Lager, auf dem Tisch, auf dem Boden herum und beschäftigten sich genußvoll mit dem willkommenen Frühstück. Die herzliche Art, in der Brookens weiterhin mit Bergen sprach, verdrängte langsam die Kühle, die plötzlich Platz gegriffen hatte, oder zwang wenigstens die Enttäuschten, ein freundliches Gesicht zu zeigen.

Bergen war, während die anderen noch schmausten, fortgegangen, um Gelbauge zu suchen. Er gab ihm den Auftrag, die Männer der Schwarzen und Roten Schlucht sollten alle Früchte, die in den Vorratsräumen der beiden Dörfer lagerten, in Häute packen und zum fliegenden Stein tragen.

Einige Stunden später verließ auch er mit Brookens und den übrigen Mitgliedern der Schiffsbesatzung die Schlucht. Er flog mit ihnen in der Maschine zum Startplatz des Schiffes. Dort angekommen, fanden sie fast alle Menschen der beiden Dörfer, auch die Weiber und Kinder, versammelt. Die mitgebrachten Früchte hatten sie zu einem ansehnlichen Berg aufgeschichtet. Als das Flugzeug sich niederließ, stoben die Menschen nach allen Richtungen auseinander. Sie kamen erst wieder näher, als Bergen sie zu sich heranwinkte und sie anrief:

»Die Weißen Hände und der fliegende Stein verlassen die Schwarze und Rote Schlucht. Sie bringen die großen Früchte dem roten Licht.«

Die Aufnahmeapparate surrten, während Bergen mit Hilfe Gelbauges und anderer beherzter Männer des Stammes die Früchte an das Schiff herantrug. Dort nahmen, in einer Ladeluke stehend, Professor Neumüller und Dr. Macon sie in Empfang. Alle Besatzungsmitglieder waren nun zu Technikern und Monteuren geworden, von denen jeder seine bestimmte Aufgabe übernahm. Die Flugmaschine wurde mit dem Kran hochgezogen und verschwand im Bauch des Schiffes. Motoren wurden angelassen und ausprobiert. Nur Brookens unterhielt sich weiter mit Bergen.

»Wie können Sie von hier aus starten, Doktor?«

»Sehen Sie diese Schlitze dort, die in einem Ring um den Schiffskörper angeordnet sind? Aus ihnen werden Abstoßkräfte wirksam, die das Schiff auf die gleiche Weise vom Boden heben, wie das Erkundungsflugzeug in die Luft steigt. Erst in einer gewissen Höhe treten dann die Heckdüsen in Funktion. Diese Einrichtung ersetzt die Startbahn vollkommen und ermöglicht es, von jedem Platz aus in den Weltraum abzufliegen.«

Die Vorbereitungen näherten sich dem Ende. »Haben Sie noch einen Wunsch, Peter? Vielleicht können Sie etwas von den technischen Einrichtungen gebrauchen, die wir ersatzweise mitführen. Wir haben Dauerbatterien an Bord, die Sie für ein Jahr mit Licht versorgen. Soll ich Ihnen ein Funkgerät hierlassen? Vielleicht ist es einmal nötig, uns zu rufen.«

Bergen lehnte energisch ab: »Ich muß ohne die Erde auszukommen versuchen«, schrieb er.

Dann war es soweit. Dr. Macon meldete Brookens, daß das Schiff startbereit sei. Alle scharten sich noch einmal um Bergen. Sie verabschiedeten sich pathetisch, einige sehr formell, der Bayer mit herzlichen, warmen Worten, die Peter so lockend ans Herz griffen. Er fühlte, jetzt würde er noch einmal vor eine harte Viertelstunde gestellt.

»Peter«, begann nun auch Brookens noch einmal, weich, väterlich. Er faßte ihn an den Schultern, als er sprach, redete mit ihm in der Sprache seiner Heimat. »Du«, sagte er zu ihm, und Peter merkte, daß dieser Augenblick keine andere Anrede mehr zuließ, »Peter, sieh, das Schiff steht bereit. Wir fahren zurück zur Erde, zu unserer, zu deiner Heimat. Komm mit, Peter, ich bitte dich, komm!«

»Es ist zu spät«, schrieb Bergen, dann gab er den Block zurück. Seine Augen aber und sein Herz redeten weiter: »Geh, Dr. Brookens, geh! Warum quälst du mich so? Warum läßt du mich diese bittere Stunde bis zum Ende auskosten?«

Er geleitete Brookens an die Bordtreppe. Der stieg hinauf und suchte ihn mit sich zu ziehen. Sanft entwand sich Bergen seinen Händen. Die Treppe wurde eingezogen. Langsam, langsam, Zoll um Zoll schloß sich die stählerne Tür. Aus dem letzten offenen Spalt sah er noch den alten, müden Mann winken, sah ihn die Hände nach ihm ausstrecken. Bergen schüttelte den Kopf – kaum merklich.

Die Tür, das Tor zur Erde, hatte sich geschlossen. Da zerriß ein harter Ton aus einem Lautsprecher die Stille: »Herr Bergen, bitte den Startplatz freimachen.«

Wie ein Richterspruch trafen ihn diese kühlen, scharf akzentuiert gesprochenen Worte. Auf sein Geheiß flohen die umstehenden Menschen auf einen weiten Umkreis vor dem fliegenden

Stein. Die im Schiff beobachteten es, sahen, wie sich nun auch Bergen selbst langsam vom Schiff entfernte.

»Achtung, Start! – Leben Sie wohl, Bergen!« Ein singendes Zischen erfüllte die Luft. Langsam hob sich der stählerne Koloß, zehn Meter, zwanzig Meter. Dann ein kurzer, peitschender Knall – abgesprengte Felsstücke wurden durch die Luft geschleudert, ein Feuerstoß jagte über das Plateau. Ein Stern schoß in das Weltall und zog einen langen, glühenden Schweif hinter sich her.

Lange stand Bergen mit müden, hängenden Armen da, den Blick zum Himmel gerichtet, wo ein glitzernder Punkt immer kleiner und kleiner wurde, immer kleiner und kleiner, bis er im Flimmern der heißen Luft verschwand.

Da spürte er, daß jemand seine Hand faßte. Er wandte sich um. Das Mädchen stand neben ihm und sah ihn an – und Bergen lächelte.

Dann gingen sie schweigend, Hand in Hand, durch den leuchtenden Tag zur schwarzen, sonnenerfüllten Schlucht zurück, zu seiner Hütte. Dort aber trennten sie sich nicht mehr.